Дарья ДОНЦОВА

Княжна
с тараканами

ЭКСМО
Москва
2013

УДК 82-3
ББК 84(2Рос-Рус)6-4
Д 67

Оформление серии *С. Груздева*

Донцова Д. А.

Д 67   Княжна с тараканами : роман / Дарья Донцова. —
М. : Эксмо, 2013. — 352 с. — (Иронический детектив).

ISBN 978-5-699-60849-2

После замужества любимой бабули модель по макияжу Степанида
Козлова тоже стала членом семьи Барашковых, и они просто достали
ее своей опекой! Подружилась Степа лишь с Надей Барашковой и даже
решила проложить для этой красотки тропинку в мир высокой моды.
Случайно ответив на звонок Надиного мобильного, Степаша с удивлением
узнала — мать девушки Алена, якобы давно погибшая в автокатастрофе,
вовсе не отправилась в мир иной, а находилась в местах не столь
отдаленных. По словам ее товарки по заключению, Алену подставили —
накачали наркотиками и посадили в авто, под колесами которого погиб
человек... Хрупкой и трепетной Наде ничего говорить нельзя! Значит,
придется Степе разбираться в этом самой. И первым делом необходимо
узнать, как ночью в ноябре Алена оказалась на улице в одном шелковом
платье и... чужих ярко-розовых «шпильках» со стразами!

УДК 82-3
ББК 84(2Рос-Рус)6-4

ISBN 978-5-699-60849-2

Глава 1

Надежда умирает последней, а вот глупость живет вечно.

Я на цыпочках кралась по коридору в сторону прихожей. Слава богу, сейчас на первом этаже никого нет, и мне удастся благополучно дойти до двери. Вон она, совсем рядом, осталось всего три шажочка.

— Степашка, — зазвенел за спиной пронзительный дискант, — опять ты надела тапочки на босу ногу? Сколько раз тебе говорить — держи ножки в тепле, голову в холоде, живот в голоде и проживешь сто пятьдесят лет.

Я старательно навесила на лицо самую любезную улыбку, обернулась и смиренно произнесла:

— Дома тепло, и на улице весна начинается.

— Так ты и в январе без колготок скакала, — не сдалась собеседница. — Напомню — на дворе март. А что нам говорит народная мудрость? Пришел марток, надевай десять порток.

— Народная мудрость упоминает лишь про штаны, о носках помалкивает, — крикнул мужской голос из глубины таунхауса. — Аня, отстань от девочки.

— Она простудится, — заквохтала Анна Константиновна, — и что будет дальше? Степашка сляжет в кровать, чтобы сбить температуру, врач пропишет антибиотики, а они пагубно влияют на суставы и желудок. У девочки начнутся артрит-гастрит, откроется язва, кровотечение, ей сделают операцию, у нее заболит сердце...

— Нюрочка, не надо призывать неприятности! — возмутилась крепенькая брюнетка, появляясь в коридоре. — Привет, Степа.

— Здравствуй, Лиза, — кивнула я, бочком продвигаясь к двери.

— Если со Степашечкой случится неприятность и она умрет из-за паралича сердца... — продолжала причитать Анна Константиновна.

— Анна Константиновна, не волнуйтесь, — перебила ее я, — прямо сейчас натяну носки. Честное слово!

— Если это произойдет, как я посмотрю в глаза Димочке? — продолжала она, наплевав на мои слова. — Что я отвечу, когда он спросит: «Нюрочка, почему ты не усмотрела за Степонькой, внученькой моей любимой жены? Ведь специально ребенка здесь поселили, потому что были уверены...»

— Пирог горит! — закричал мужской голос.

Анна Константиновна всплеснула руками и кинулась в сторону кухни.

— Степа, удирай, пока жива, — хихикнула Лиза. — Эй, ты помнишь, что обещала сделать мне макияж на свидание? Когда вернешься?

— Часам к трем совершенно точно, — заверила я. — Мне сегодня только одну квартиру посмотреть надо.

— Ни в коем случае не торопись, — предостерегла Лиза. — А когда наконец-то определишься с выбором, пригласи Нюрку, пусть она все изучит. Бабушка зануда с подзаводом, но в некоторых вопросах ей нет равных.

— Гиблая идея, — хмуро пробормотала я. — Анна Константиновна непременно обнаружит там кучу неполадок. Она слишком придирчива, и я никогда не обзаведусь собственной квартирой, если она будет мне помогать.

— Ну, может, и так, — согласилась Лиза. — Зато не вселишься туда, где полно недоделок.

— Елизавета! — вновь полетел по коридору резкий дискант. — Ты купила вчера хлеб?

— Блин... — вздохнула собеседница. — Ваще на фиг забыла.

— Лиза, Лиза, — продолжала надрываться Анна Константиновна, — где хлеб?

— Сейчас, Нюрочка! — заорала Лиза, направляясь в прихожую. — Уже несу!

Я последовала за ней. Но в отличие от Лизы, которая, живо накинув на плечи яркий пуховичок, выскочила из дома, я завернула за громоздкий дубовый гардероб, толкнула узкую, сливавшуюся по цвету со стенами створку и очутилась в квадратной комнате с круглыми окнами.

Что случилось со мной? Как я очутилась в чужом доме? Кто такие Анна Константиновна,

Елизавета и прочие? Сейчас отвечу на все вопросы.

Итак, начнем с того, как я оказалась в этом таунхаусе. Меня в него привела за руку верная моя подружка по имени Глупость. Но — давайте по порядку.

В самом конце зимы моя бабушка Изабелла Константиновна, которую все зовут Белка, выскочила замуж за Дмитрия Барашкова. Бабулин избранник — режиссер. Он может поставить на огромном стадионе шоу известного певца, организовать день рождения ребенка, придумать праздничную церемонию юбилея фирмы, короче — исполнить любой каприз за ваши деньги. Хотя следует признать: в первую очередь Дмитрия интересует творческая сторона дела, звонкая монета у него на втором месте. Он прекрасно зарабатывает, имеет в столице элитную недвижимость и унаследовал состояние своего отца, весьма богатого человека. Одним словом, у Барашкова нет ни материальных, ни жилищных проблем, и его никак нельзя заподозрить в том, что он вознамерился решить свои финансовые вопросы за счет моей бабушки. Дима (очевидно, мне следует называть его дедулей) намного моложе супруги, но, судя по всему, искренне обожает Белку. Лично мне благоприобретенный дедушка совершенно не нравится, мои отношения с ним не сложились с первой минуты знакомства. Похоже, я тоже не особенно нравлюсь дедуле. Но ради Белки мы оба старательно изображаем бурный восторг при встречах.

У нас с бабулей нет никого из близких людей, а вот Барашков — глава большого клана крепко спаянных родственников. Всех членов его семьи я перечислить не способна, их слишком много: тетушки, дядюшки, племянники, троюродные, четвероюродные и еще бог знает сколько «юродные» сестры и братья, их дети, внуки... На свадьбу Белки и Дмитрия собралось более трехсот человек, самый, так сказать, ближний круг. Причем со стороны невесты присутствовали четыре приятельницы и я, остальные гости оказались родней жениха.

Честно говоря, я с тихим ужасом наблюдала за огромным семейством. Ей-богу, нужно обладать феноменальной памятью, дабы не забыть все имена, и потребуется завести отдельный ноутбук для фиксации дней рождения, годовщин свадеб и прочих памятных дат. К моему удивлению, вся эта армия искренне считает себя единым коллективом и моментально сплачивается, если кому-то из его членов грозит неприятность.

Не так давно на Олесю, бывшую жену Кости, троюродного племянника Димы, успевшую после развода выйти замуж еще два раза вовсе не за мужчин из мафии Барашковых и родить парочку детей, поздним вечером на улице напал грабитель. Мерзавец вознамерился отнять у нее сумочку. Олеся оказалась глупышкой. Вместо того чтобы отдать сумку, она вцепилась в нее мертвой хваткой и заорала во все горло:

— Спасите! Убивают!

Ясное дело, услышав этот вопль, редкие прохожие кинулись врассыпную, а полиции, естественно, поблизости не обнаружилось. Вот если б Олеся ехала на машине и совершила обгон еле-еле тащившегося по дороге грузовика в том месте, где данный маневр невесть почему запрещен, тут бы точно из засады в кустах вылетел гаишник. Но она шла от метро пешком, часы показывали полночь, с неба валил мокрый снег — ну какой, скажите на милость, полицейский высунет нос на улицу в столь поздний час, да еще при отвратительной погоде?

Грабитель ударил Олесю по лицу, выбив пару зубов, и убежал, прихватив сумку. Как бы я поступила на месте Олеси? Облившись слезами, пришла домой, наутро начала бы искать стоматолога и постаралась поскорей забыть о кошмаре. Обратиться в полицию мне бы и в голову не пришло. Отлично знаю: там шевелиться не станут, не бросятся искать подонка, изо всех сил будут отбрыкиваться, чтобы не принимать у потерпевшей заявление о нападении и не открывать дело, которое непременно превратится в висяк. Белке я ничего не рассказала бы, чтобы не нервировать ее, а больше мне жаловаться некому. Как я уже говорила, мы с бабушкой одни на свете, мужа у меня нет, любовника тоже. Да и вообще я привыкла справляться с любыми проблемами, большими и малыми, исключительно собственными силами.

А вот с Олесей совершенно иная ситуация. Не уходя с места происшествия, она позвонила Косте, хотя после него у нее, напомню, было еще два мужа. Но для семьи Димы это не аргумент, клан Барашковых — как банда, если вы в него попали, вырветесь на свободу только мертвым. Константин, услышав о нападении, пришел в ужас и ринулся туда, где рыдала бывшая супруга. По дороге он позвонил дяде Васе, тот звякнул тете Марине, она связалась с братом жены своего старшего внука, тот бросился к маме бывшей невесты... Короче, когда Костя подбежал к Олесе, у него в телефоне уже имелись координаты прекрасного стоматолога, который на следующий же день совершенно бесплатно сделал пострадавшей голливудскую улыбку, поскольку был чем-то обязан Светлане. Кто она такая? Не спрашивайте, понятия не имею, знаю лишь, что это знакомая одного из членов семьи.

Кроме того, родственники быстро нашли выход на начальника отделения полиции и в момент сломили его нежелание заниматься поисками грабителя. Бедный майор, которому дядюшки-тетушки и прочие близкие потерпевшей трезвонили беспрестанно, сообразил, что ему легче завести дело, чем отбиваться от армии обозленных Барашковых. И я была поражена, когда узнала: вскоре Олесю вызвали в отделение, сообщив об аресте ее обидчика, и попросили опознать его.

Понимаю, вам кажется, что стать членом этой дружной семейки огромная удача — ведь тебя никогда не оставят в беде. Но! У любой медали есть оборотная сторона, и в каждой бочке шоколада непременно обнаружится утонувший в сладкой жиже таракан. Да, за вас станут горой в случае неприятности, но и легко раздавят танком, если вы вдруг сделаете нечто, не пришедшееся по вкусу Диме и старейшинам семьи. Могу рассказать, как это работает, на собственном примере.

Моя бабуля владела гостиницей «Кошмар в сосновом лесу», которая расположена в Подмосковье. А я работаю визажистом в фирме «Бак» и не желаю тратить по три часа в день на дорогу, поэтому снимаю квартиру в столице. Изабелла Константиновна частенько повторяла, заботясь обо мне:

— Степа, обидно отдавать каждый месяц свои деньги чужим людям. Лучше оформи ипотеку и плати ту же сумму за собственное жилье.

В конце концов я взялась за калькулятор, произвела нехитрые расчеты и увидела, что окончательно смогу расплатиться за собственную норку, купленную в кредит, аж через двадцать пять лет. А кроме того, отдам банкирам намного большую сумму денег, чем возьму у них. И моим ответом на заботы Белки было категоричное «нет».

Бабуля еще пару раз пыталась образумить меня, но поняла, что я уперлась, и махнула на все рукой. Я была совершенно уверена: тема приобретения мной жилья закрыта лет этак на десять. Но тут Изабелла Константиновна неожиданно выскочила замуж, отправилась в свадебное путешествие и вернулась из него с новой идеей: «Кошмар в сосновом лесу» продают — Белка потеряла интерес к гостинице, к тому же здание не новое, в него постоянно требуется вливать финансы, а у Димы есть человек, который заплатит за отель очень хорошую сумму. Бабуля вложит средства в бизнес мужа и станет его правой рукой. Жить она будет вместе с супругом в его большом, прекрасно обустроенном доме, а мне даст денег на покупку собственной двушки, мебели и всякой мелочи, вроде сковородок, постельного белья, посуды и прочего.

Я, конечно, отговаривала Белку от ее затеи, но она только потирала руки и твердила:

— Ты себе не представляешь, какие у нас с Димой планы. Мой муж может все! Он титан! Он очень умный! Димочка все устроит и с твоим жильем!

Не успела я и ахнуть, как мой новоявленный дедуля, развив бешеную активность, продал старенький «Кошмар» за нереально большую сумму, а также нашел риелтора, который теперь занимается подбором квартиры для меня. Кроме того, Барашков решил временно поселить бездомную Белкину внучку у своих гостеприимных родственников.

— Ну, зачем отдавать каждый месяц бешеные тысячи какому-то дяде, когда Анечка приютит тебя бесплатно? — прочирикала бабуля, приехав ко мне на съемную квартиру. — Оглянись, где ты сейчас обитаешь! Скворечник в доме без лифта и мусоропровода, соседи выглядят странно, подъездная дверь нараспашку... Одна радость, что халабуда находится у Белорусского вокзала, вроде центр. Но, с другой стороны, тут полно бомжей, приезжих, нет ни парка, где можно гулять с коляской, ни...

— У меня нет детей, — быстро напомнила я.

Из-за спины Изабеллы Константиновны выдвинулся Дима.

— Сколько ты платишь в месяц?

— Тридцать тысяч, — нехотя призналась я. И прибавила: — Зато до работы близко.

Дед закатил глаза.

— За год получается машина! Смотри: умножаем арендную плату на двенадцать и — получаем сумму на вполне приличную иномарку.

— Ой, здорово! — захлопала в ладоши Белка. — У тебя будут и колеса, и свое жилье!

— Все, переезжаешь к тете, — категорично заявил Дима. — Она с семьей живет в таунхаусе в Куркино, прекрасное место!

Я возразила:

— У меня нет тети!

Дмитрий изумился:

— А Нюрочка? Ты член нашей семьи. Анна Константиновна Барашкова внучке моей жены не чужой человек. Не спорь, мы хотим как лучше. У тебя будет автономная жилплощадь с отдельным входом. Гостевая комната у Ани пустует, она никому не нужна.

— Нет, — уперлась я.

— Ладно, — неожиданно быстро сдался дед.

Беседа происходила во вторник утром. А во время обеда мне вдруг позвонила сама Анна Константиновна и спросила:

— Кисонька, какое бельишко постелить тебе на кроватку, шелковое или льняное?

Я растерялась. Пробормотала нечто невразумительное и быстро отсоединилась. Только хотела набрать номер Белки, как телефон ожил вновь. Теперь на том конце провода оказался мужчина.

— Привет, Степанида. Я твой дядя Леня, сын Нюрочки. В гостевой стоят кровать, два кресла, столик, тумбочка. Телик висит на стене. Теперь вопрос: мебели хватит или ты еще чего-то хочешь? Да, чуть не забыл, к спальне примыкает гардеробная, шкаф не понадобится.

Не успела я прийти в себя от этого звонка, как по моей съемной халупе понеслась новая трель. Но на сей раз ее источником явился звонок на входной двери. На пороге стояла парочка парней лет двадцати пяти, похожих, как сказочные двое из ларца.

— Привет, — бойким речитативом завел один, — мы твои двоюродные братья Костя и Павел.

— Пришли помочь с вещами, — подхватил второй. — Где чемоданы? Машина внизу. «Газели» хватит? Если нет, быстро подгоним чего побольше.

Я онемела. И тут, будто по волшебству, появились три женщины, назвавшиеся моими тетушками. Они в кратчайший срок ловко и аккуратно упаковали мои шмотки, а Костя с Павлом без задержки отволокли баулы в автомобиль. Потом и меня усадили в кабину, и «Газель», как ошпаренная, понеслась по улицам. Павел крутил руль, а Костя исполнял роль бортпроводника. Мне в дороге были предложены бутерброды, минеральная вода, салат, упакованный чьей-то заботливой рукой в пластиковую коробочку, и шоколадка.

Когда меня, все еще находящуюся под впечатлением от всего происходящего, ввели в прихожую симпатичного двухэтажного кирпичного дома, там с большим пирогом в руках стояла дородная женщина.

— Ну, наконец-то! — радостно заверещала она. — Я твоя любимая тетя Аня. Степашка, скорей снимай курточку, пора подкрепиться, вот кулебяка с капустой. Господи, деточка! На дворе холодает, зима подступает, а на тебе полуперденчик до пояса и сапожки на каблучках! Сейчас добудем теплую шубку с антресолей, ее моя свекровь в конце семидесятых из Китая привезла...

Глава 2

Гостевая комната, куда меня поселили, действительно имеет отдельный вход. Чтобы попасть в нее, я должна войти с улицы в общую прихожую, обогнуть большой шкаф и толкнуть маленькую створку. Взору открывается неожиданно большое помещение, оно очень уютно обставлено. И здесь действительно есть удобная гардеробная. Ни «дедушка» Дима, ни Леонид, ни Анна Константиновна не обманули, когда описывали условия, в которых мне придется жить. Они просто забыли упомянуть о некоторых деталях.

Архитектор, планировавший таунхаус, почему-то не вспомнил о санузле для гостей. Чтобы помыться, мне надо попасть в хозяйскую часть дома и пройти по длинному коридору до двери с табличкой, изображающей щенка в тазике, из которого вываливается обильная мыльная пена. И, конечно, в гостевой отсутствует кухня, перекусывать мне приходится в столовой. А едва я вхожу в просторную комнату с длинным столом, как из воздуха материализуется Анна Константиновна и с воплем: «Степашка, скорей садись, я приготовила тебе вкусненькое!» — начинает носиться туда-сюда от плиты к холодильнику, выставляя на стол блюда и тарелки с едой.

Нюрочка, как все зовут хозяйку таунхауса, не работает, смысл ее жизни — семья. В состав оной входят муж Илья Львович, сын Леня, его жена Катя со своей дочкой Лизой и Надя, ребенок Леонида от первого брака.

Старшие Барашковы поженились в молодом возрасте, будучи студентами, и сразу родили сына. Леня пошел по стопам родителей — Наденька появилась на свет, когда ее отцу едва стукнуло двадцать. Когда девочке исполнилось одиннадцать, ее мать погибла, попав под машину. Леонид спустя год женился на Кате, у которой имелся свой ребенок, Лиза. Так Надюша обрела новую мать. Я уже рассказывала, какие порядки царят в клане, и вы понимаете, что у девочек, которые стали назваными сестрами, нет ни одного повода для ссор. Лиза и Надя — сестры. Точка!

Елизавета студентка, вот-вот получит диплом специалиста по рекламному делу. Надюша младше нас и тоже поступила в вуз, но посещает занятия через пень-колоду, часто пропускает лекции и семинары. Только не думайте, что она наркоманка, пьяница или оторва, хамящая по каждому поводу родителям. Нет, Наденька тихая, интеллигентная, очень вежливая, но, к сожалению, больная девушка. У нее какая-то странная хворь, лучшие врачи не смогли установить диагноз. У Нади иногда сильно трясутся руки, так что она не способна донести до рта чашку с чаем или ложку с кашей. У нее случаются сильные приступы головной боли, а еще порой ломит все тело, возникает слабость в ногах.

В детские годы Надя была обычной девочкой, ну, может, просто тише, чем ее сверстницы. Беда со здоровьем началась позже. Родители таскают дочку по врачам, сдувают с нее пылинки, покупают новые и новые лекарства, витамины, биодобавки. Анна Константиновна трепетно следит, чтобы внучка соблюдала предписанный режим. Бабушка законопатила в доме все щели (даже заклеила рамы идеально подогнанных стеклопакетов по старинке бумагой), настелила на полы толстые ковры, но ничего не помогает — Надя постоянно простужается и вечно кашляет. При росте метр восемьдесят четыре она весит пятьдесят килограммов, и, на мой взгляд, из нее могла бы получиться великолепная манекенщица.

Сейчас по подиуму шагают шеренги скелетоподобных моделей с личиками самого болезненного вида. Крупнейшие модные дома мира громко го-

ворят о том, что они откажутся работать с мане-
кенщицами, которые исчезают из виду, повернув-
шись в профиль, а кое-кто уже пригласил для де-
монстрации коллекций пышечек аж сорок второго
французского размера. Но на самом деле все эти
стоны и причитания — сплошное лукавство. Платье лучше всего смотрится на вешалке, эту простую истину в фэшн-мире усвоили давным-давно, девушку с нормальными формами выпускают
на подиум в виде исключения, чтобы иметь возможность заявить прессе:

«Мы категорически против булимии и анорек-
сии. Полюбуйтесь на нашу модель, у нее объем
талии семьдесят три сантиметра, пышная грудь
и есть бедра».

Но, пообщавшись с журналистами, модельеры
вернутся в свои офисы и устроят разгон другим
девицам, которые прибавили в весе триста грам-
мов, налетят на них с воплем: «Совсем голову потеряла? На тебя сшито много платьев! Немедленно худей!»

Вот Надюша бы таких слов не услышала, она
похожа на глисту в обмороке.

Илья Львович, муж Анны, владелец сети пред-
приятий, которые выпускают сантехническое обо-
рудование. Спрос на изделия большой, бизнесмен
прекрасно зарабатывает и постоянно расширя-
ет сферу деятельности. Леонид управляет одной
из папиных фабрик, а его жена Катя генеральный
директор рекламного агентства. То есть никаких
материальных проблем в этой семье нет. Впро-

чем, и моральных тоже. Данная ячейка общества построена по старинке: глава дома и его сын обеспечивают всех деньгами, Анна умело ведет домашнее хозяйство. Однако Илья Львович совсем не домостроевец. Пожелай его супруга работать, он бы мигом нанял прислугу и предоставил второй половине возможность самореализоваться. Но Анна Константиновна считает, что она обязана заботиться о семье. Вот у Кати, жены Леонида, другое мнение, и никто не запрещает ей вспахивать ниву пиара.

О первой жене Барашкова-младшего, Алене, в семье почти не говорят. Ее портретов в доме нет, и даже в спальне Наденьки отсутствует фото покойной мамы. Об Алене мне однажды рассказала Нюра. Она хвалила невестку, упоминала о ее красоте, сообщила, что та работала на телевидении, была очень талантлива, часто ездила в командировки по всему миру. Но потом случилась беда — она попала под машину и скончалась от полученных травм. Нюрочка упомянула, что прах ее первой невестки после кремации забрала мать Алены, живущая в городе Петропавловск-Камчатский, и захоронила его на тамошнем кладбище. Поэтому Надя не посещает могилу мамы — слишком далеко лететь из Москвы.

— Мы помним и любим Алену, — вздыхала Анна Константиновна, — но стараемся не говорить о ней, потому что Наденьке может сделаться плохо. Степонька, пожалуйста, не проявляй любопытства. Захочешь что узнать про покойную, подойди ко мне и тихонечко спроси, тут же получишь ответ. Никаких тайн нет, мы помалкиваем исключительно из-за опасения за здоровье девочки.

Вот так я и живу сейчас — окруженная любовью и вниманием, не тратя ни копейки на коммунальные услуги и еду. Но если честно, мне совсем некомфортно, потому что я чувствую себя нахлебницей. Первое время я покупала продукты, но Катя мне шепнула:

— Не обижай Нюру.

Я испугалась.

— Что я не так сделала?

Жена Лени стала загибать пальцы.

— Сама стираешь свои вещи, а потом берешься за утюг. Притаскиваешь харчи. Намедни ты купила шампуни, гели, кондиционеры. Нюрочка очень расстраивается. Вчера даже плакала. Я спросила, в чем дело, и услышала: «Степочка меня не любит, брезгует моей помощью. Девочке не по вкусу ни супчик, ни мое фирменное чахохбили, она предпочитает сыр с колбасой и сама застилает свою постель».

Я оторопела и стала оправдываться.

— Анна Константиновна шикарно готовит, но с какой стати ей бесплатно кормить лишний рот? И, ясное дело, я сама привожу в порядок свои вещи. А о том, чтобы кто-то убирал за мной постель, даже подумать не могу. Да, разъезжая по командировкам, я никогда не убираю в своем гостиничном номере, на то есть горничные, они за это получают зарплату. Но оставлять беспорядок в комнате, куда тебя пригласили пожить, на мой взгляд, некрасиво...

— Нюра ощущает себя ненужной, если кто-то, кроме нее, занимается хозяйством, — перебила меня Катя. — Пожалуйста, не обижай Анну Константиновну, она тебя любит. Грязные вещи просто бросай в корзинку, перестань забивать холодильник продуктами и спокойно уходи из спальни, оставив постель неубранной.

— Ладно, — пробормотала я, — больше не буду покупать еду, но, боюсь, с вещами и постелью не получится.

— Пожалуйста, постарайся, — попросила Екатерина. — Пойми, у вас с Нюрой разный менталитет. И еще одно. Когда она спрашивает тебя по вечерам: «Как дела, милая?» — что ты ей отвечаешь?

— Говорю, что все хорошо.

Я пожала плечами. Хм, а что следует говорить в подобном случае?

Катя улыбнулась.

— Если можно, отвечай поподробнее. Для Нюрочки это вовсе не светская любезность. Ей действительно интересно, как у домашних прошел день, с кем они встречались, что происходит у них на службе. И ты никогда не просишь у тети совета.

— М-м-м... — растерянно пробормотала я.

— Нюра обожает свою семью, — сказала Катя, — и нам надо показать ей, как мы ценим ее заботу, прислушиваемся к ее словам. Понимаешь, дорогая? Мы же ближайшие родственники. Мы — как пальцы на одной руке. Возьми, например, мизинец. Вроде он маленький, ненужный, казалось бы, но без него неудобно. Зачем людям семья? Чтобы человек не ощущал одиночества, знал, он член коллектива, где его любят, всегда поймут, поддержат. И, между прочим, оградят от совершения глупостей, опрометчивых поступков. Ты еще так молода, и Нюрочка волнуется, вдруг ты сведешь знакомство с дурными людьми. В фэшн-бизнесе не очень здоровая обстановка. Сделай одолжение, стань немного откровеннее, это успокоит Нюру. Да и нас с Леней тоже. И ты потом будешь нам благодарна.

Екатерина обняла меня за плечи и притянула к себе.

— Солнышко, я поделюсь с тобой одной своей тайной. Моя рано ушедшая из жизни мама придерживалась тех же семейных принципов, что и Нюрочка. У нас дома существовала традиция — за ужином мы рассказывали друг другу все новости, хорошие и плохие. Никто никого не ругал, мы просто совместно обсуждали положение дел. В шестнадцать лет я без памяти влюбилась в главного хулигана школы. У нас с этим мальчиком из неблагополучной семьи мог получиться роман. Парень был старше меня и, думаю, уже имел опыт интимного общения с девушками, а я по сравнению с ним была совершенная незабудка, наивная дурочка. Представляешь мою радость, когда тот, по кому сохли все девочки, пригласил меня на свидание? Я просто потеряла голову! И была уже готова ехать на дачу к его приятелям, куда он меня настойчиво зазывал. Но вдруг представила, что мне придется рассказать родителям о своем приключении, и отказалась от приглашения. Сейчас понимаю, от какой беды я спаслась. А если б у нас не было традиции общения? Меня могли изнасиловать, убить...

Я молча слушала. Должна сказать, что терпеть не могу, когда меня обнимают посторонние люди, но освободиться от нежных, но крепких рук Кати показалось мне неприличным, поэтому я стояла смирно. Катерина поцеловала меня в висок и спросила:

— Ну, как? Договорились?

— Хорошо, — пробормотала я, — постараюсь.

И некоторое время я честно пыталась жить по Нюрочкиным правилам. Мне даже удавалось уходить на работу, оставив незаправленной постель. Но потом стало невмоготу. Хорошо, когда тебя любят, однако забота не должна душить человека, забивать ему нос, рот и глаза. Одна радость — меня часто отправляют в командировки. Нью-Йорк, Лондон, Париж, Милан — иногда я по два месяца не показываюсь в Москве. Однако стоило мне вернуться и переступить порог дома Барашковых, как у меня возникало ощущение, будто я муха, попавшая под дождь из варенья или под град из пряников. Я в мельчайших подробностях рассказывала Нюрочке и остальным о том, как прошла поездка. А члены семьи начинали охать, ахать, задавать бесконечные вопросы, на которые приходилось подробно отвечать. Хуже всего было то, что мне никак не удавалось найти для себя квартиру. Поиск жилья совсем непростое дело, а времени у меня мало. Ходить по домам с риелтором я могу, лишь когда нахожусь в Москве, да и то в выходной.

Пару недель назад Нюрочка неожиданно воскликнула:

— Степашечка, нам так славно вместе! Представить не могу, как ты, деточка, от нас съедешь, будешь жить одна, ходить голодная, в мятой юбочке, и никто не наведет у тебя порядок...

— Не переживай, мамуля, — засмеялся Леонид, — никуда наша Степа не денется. Она пока сама не понимает, какое ей жилье нужно. А с ее работой на поиск подходящей квартиры, а потом на ее ремонт и обустройство уйдут годы. Степе у нас хорошо, может, она вообще откажется от идеи жить отдельно. Правда, дорогая?

Я усердно заулыбалась, стараясь скрыть охвативший меня ужас. Леонид прав! Если я не займусь вплотную поисками квартиры, то надолго застряну у Барашковых, и Анна Константиновна в конце концов задушит меня своей любовью.

Через день я отправилась к Роману Глебовичу, владельцу фирмы «Бак», и, честно рассказав ему о проблеме, попросила:

— Можно мне взять двухнедельный отпуск за свой счет? Я постараюсь за это время найти подходящее жилье.

Звягин у нас молодожен, свадьбу он играл в один день с моей бабулей, из-за чего я не смогла присутствовать на бракосочетании босса, с которым меня связывает крепкая дружба. Настроение у Романа сейчас наипрекраснейшее, и я рассчитывала, что он пойдет мне навстречу. Звягин же, усмехнувшись, воскликнул:

— Две недели мало! Даю тебе месяц с сохранением зарплаты. Представляю, в каком ты пребываешь восторге, купаясь в безграничной любви этого семейства. Еще не началась аллергия на слово «родня»?

И вот сегодня у меня, модели Степаниды Козловой, первый день безделья. Но, несмотря на это, я должна многое успеть.

Глава 3

Через полчаса я сидела в небольшом кафе и набирала номер Нади.

— Алло, — еле слышно ответила она.

— Ну, и где ты? — спросила я.

— Дома, — промямлила Надюша.

— Поторопись! — приказала я. — Опаздывать нельзя.

— Не могу, — простонала она, — голова болит, ноги подкашиваются.

Но я великолепно знала, с кем имею дело, поэтому дала совет:

— Ползи по-пластунски.

Из трубки донесся то ли смешок, то ли сдавленный кашель, затем Надя заканючила:

— Живот ноет, прикоснуться к нему невозможно.

— Ладно, — вздохнула я, — фиг с тобой, сиди дома.

— Ты перенесешь съемку? — обрадовалась она.

— Нет, отменю ее, и тебя более никогда не пригласят, — жестко ответила я. — Вокруг слишком много девиц, которые, не жалея каблуков лабутенов, прибегут в студию к Роже, готовые на все. Никому из топ-моделей не придет в голову капризничать, если на нее обратил внимание великий Винтер. Ты упустишь свой шанс, такой больше уже не представится.

Надя зашмыгала носом, а я так же твердо продолжала:

— Понимаю, тебе просто лень. Все разговоры о желании сделать карьеру в мире моды сплошное бла-бла. Зачем тебе утруждаться? Добрые папа и дедушка всегда дадут денег больной девочке. Но меня ты подвела. Через два часа нас в студии ждут не только Роже, но и куча народа: представители фирмы, в частности, мой шеф Франсуа Арни, швея, стилист, ассистенты всех мастей и пять моделей, которые призваны стать фоном в новой рекламе. Если ты не появишься вовремя, никому не заплатят, день у людей пойдет насмарку. Роже выскажет претензию Франсуа, тот мигом спросит у меня, своей правой руки и любимой мордочки для раскрашивания: «В чем дело, дарлинг? Почему твоя протеже нас кинула?» И что мне ответить? Что у тебя животик бо-бо? Арни на меня разозлится и...

— Иду, — тоном мученицы, восходящей на костер, пролепетала Надя. — На улице пакостная погода, да?

— Прекрасный день, — заверила я, — весной пахнет. Давай быстрее! Жду на нашем месте.

Надюша издала очередной стон и отсоединилась. Я заказала капучино и уставилась в окно.

Как мы с Надей подружились? Что ж, пожалуй, расскажу.

Сначала мне было жаль больную девушку, а потом вдруг стало понятно: не такая уж она и хворая, просто ей не нравится профессия переводчицы, которую выбрали для нее родные. Надюша свободно изъясняется на английском и французском, но мысль о том, что всю жизнь ей придется корпеть за письменным столом, переводя чужие книги, приводит девушку в ужас. Дело в том, что заботливые родственники, зная о слабом здоровье Наденьки, отправили ее на факультет литературного перевода, а Илья Львович заранее договорился с издательством, где для его внучки подготовили теплое местечко подальше от форточки. Значит, получив диплом, Надя очутится в компании женщин и будет тихо шуршать страницами рукописей и словарей. Прекрасная работа для человека, у которого всегда что-нибудь болит.

Кстати, в детстве у девочки не было ни кашля, ни ломоты в суставах, ни головокружения, все это появилось, когда речь зашла о поступлении в вуз. Я не знаю, какой Наденька была лет в четырнадцать, но думаю, что она бегала с подружками в кино, вероятно, даже обзавелась ухажером. Но потом все пошло наперекосяк. Сейчас Надю окружают только члены патологически заботливого клана

Барашковых, которые во все глаза следят, чтобы она не нервничала, принимала тонны лекарств, одевалась соответственно погоде, питалась по расписанию, вовремя ложилась спать, а заодно стимулируют Надю получать фундаментальные знания в области перевода. Лично я точно бы умерла от такого агрессивного любвеобилия, поэтому искренне пожалела Надю.

Так вот, повторяю: спустя недолгое время мне открылось, что дочь Леонида тяготится заботой семьи, а ее ежевечерний стон за ужином: «Простите, голова заболела, пойду лягу» — вызван не мигренью, а желанием побыть в одиночестве.

Как-то около часа ночи Надя поскреблась в мою комнату и смущенно сказала:

— Наши давно спят, а из-под твоей двери свет пробивается. У тебя случайно нет пары новых колготок? Я свои порвала, завтра не в чем идти на занятия.

Я сразу сообразила, что это всего лишь предлог для того, чтобы поболтать со мной. За два часа разговора мы поняли, что очень похожи и прежде всего обе не в восторге от опеки Нюрочки, хотим жить отдельно. Главное наше отличие заключалось в том, что у меня есть интересная работа и перспектива обрести свое жилье, избавиться от Барашковых, а Надюше предстоит вечно жить с родственниками. Единственный шанс для нее спастись от их любви — выйти замуж.

Но где найти жениха? В институте, где Надя отбывает повинность, учатся одни девочки, мальчиков там раз-два и обчелся, и те давным-давно, так сказать, разобраны. На свою беду, Надя инертна, безынициативна, побаивается шумных компаний. Она ни с кем не дружит, ее не приглашают в гости, из таких девиц получаются классические старые девы. Впрочем, я уверена, что Леонид и Катя непременно решат эту проблему: приведут дочурке жениха на дом, сами выберут подходящую, на их взгляд, кандидатуру. Вероятнее всего, найдут ее среди знакомых клана Барашковых, а потом сыграют свадьбу. Молодые поселятся бок о бок со старшими, может быть, Надюша родит ребенка. Но вот станет ли она свободной?

Несколько ночей подряд мы тайно беседовали, потом я пригласила Надю к себе на работу — хотела, чтобы она увидела показ мод, который был устроен в честь выпуска компанией «Бак» очередного нового парфюма. После того как манекенщицы продемонстрируют коллекцию, предполагался фуршет с большим количеством народа. У меня не было никаких далекоидущих планов, я просто вознамерилась встряхнуть Надюшу. Но она наотрез отказалась от приглашения, заныла:

— Меня не отпустят.

— Не говори, куда идешь, — предложила я.

— Так ведь спросят, — хныкала Надя.

— Скажи, что отправляешься в библиотеку, — придумала я подходящий предлог.

— Лгать? — ужаснулась Надя.

— Конечно, — ухмыльнулась я. — Сама частенько вру Белке — незачем ей всю правду обо мне знать.

— Врать нехорошо, — прошептала Надя.

— А всегда откровенничать с родственниками — это идиотизм, — отбрила я. — Короче, если решишься, то вот пригласительный билет.

На показе мод Надюша не появилась. Я обиделась, потому что рассказала ей, что впервые буду задействована в процессе как полноценный визажист, а не просто ассистент Франсуа, для меня это важный шаг в карьере. Но потом подумала, что мы с Надей общаемся недавно, ей мои достижения по барабану, и мое плохое настроение как водой смыло.

Роман Глебович договорился с одним из самых значимых в фэшн-мире глянцевых журналов о репортаже. В Москву прислали титулованного фотографа из Нью-Йорка, француза по происхождению, Роже Винтера. Наши модели, понимая, что всего лишь один кадр, снятый гуру фоторепортажа и иконой фэшн-журналистки, способен вознести девушку со дна неизвестности на мировые подиумы, постарались произвести на Роже наилучшее впечатление. Красавицы нарядились по полной программе, встали на километровые каблуки, начесали кудри, наложили макияж и явились на фуршет, сверкая ослепительными улыбками.

И вот, уже после показа, Винтер, не обращая внимания на стадо однояйцевых блондинок, тихо беседовал с Арни, а я застыла справа от Франсуа, ожидая от него каких-либо указаний. Вдруг Винтер замолчал, поднял висевший на шее фотоаппарат, пару раз щелкнул затвором и спросил:

— Франсуа, кто эта девочка?

Арни проследил взглядом за рукой Роже, прищурился и ответил:

— Не знаю. Но ты прав, в ней что-то есть.

Я тоже повернула голову и удивленно спросила:

— Вы говорите о худышке в джинсах?

— Да, да, — закивал Винтер, — вон о той темненькой, которая небрежно заколола волосы, отчего половина прядей упала ей на плечи.

— В малышке есть шарм, — подхватил Франсуа. — Посмотри, как стоит — этакой изломанной линией... И руки хороши.

— А глаза, — дополнил Винтер, — как на древнерусских иконах — близко посажены к узкому носу.

Я еще больше удивилась:

— Мне всегда казалось, что вам, наоборот, нравится, когда глаза широко расставлены.

— Поверь, через год в моду войдут именно такие лица, как у этой юной незнакомки, — зачастил Роже, — я это чувствую. Совершенно иной типаж, необычный. Одухотворенный. Он сменит простые лица. Грядет революция, всем надоели девочки-куклы...

Я молча слушала Винтера.

Резкие изменения в мире моды очень часто происходят из-за одного человека, которому пришла в голову гениальная мысль. Например, идея обрезать подол юбки почти на уровне талии или одеть женщину в брючный костюм. Однако сейчас дамы в галифе, пиджаках, смокингах или в микроплатьицах уже не вызывают особого интереса. А ведь когда-то творения Коко Шанель, Мэри Куант, придумавшей мини-юбку, и других великих модельеров произвели настоящую революцию не только в мире моды, но и в умах простых людей. Не стоит сбрасывать со счетов и манекенщиц. В год, когда на подиум вышла Твигги, женская часть населения земного шара принялась истово худеть и до сих пор не может остановиться. Или вот другая история. В самом конце 90-х XX века в Париж из Нижнего Новгорода приехала девушка, страстно мечтавшая сделать карьеру модели. Манекенщицы тех лет «носили» тонкие, выщипанные брови, и именно широкие брови российской неофитки привлекли внимание одного из гуру фэшн-бизнеса. Сейчас эта россиянка — звезда, а большинство представительниц слабого пола перестало рисовать над глазами «нитки».

— Степа, немедленно узнай, как зовут незнакомку, и приведи ее сюда, — велел мне Франсуа. — Похоже, она не русская.

— Почему ты так решил? — удивился Роже. — Из-за темного цвета волос?

Арни усмехнулся.

— Москвичка никогда не придет на фуршет в джинсах, простом пуловере, балетках и без агрессивного макияжа вкупе с прической, напоминающей кудрявый стог сена.

— Ну, не все же страдают дурновкусием, — возразил Винтер, — вероятно, она журналистка.

— Представительницы прессы не моют голову, — решительно отрезал недолюбливающий папарацци Арни. — А если у репортера волосы чистые, значит, он просто попал под дождь.

Я вмешалась в их беседу.

— Я знаю красавицу, это студентка Надежда Барашкова, моя подруга и в некотором смысле родственница.

Глава 4

Смущение Нади, нежданно-негаданно оказавшейся в центре всеобщего внимания, ее прекрасное знание английского и французского языков привели в восторг Роже, и он заявил:

— Во вторник жду вас в студии «Бак». Вы идеально подойдете для новой рекламной кампании.

— Ой, нет! — испугалась Надюша.

Винтер оторопел. Он привык, что любая женщина, услышав от него фразу: «Я сделаю несколько ваших снимков», — закатывает глаза и начинает биться в корчах от счастья.

— Нет? — с изумлением повторил Роже. — В каком смысле «нет»?

— Да, — быстро сказала я, пиная Надю, — она придет в студию. Просто моя подруга от радости слова перепутала.

Собравшийся морщинами лоб Винтера разгладился.

— Отлично. Начнем в полдень.

Почти всю ночь я объясняла Наде, какой удивительный шанс подбросила ей судьба. Рассказала, как сама совершенно случайно попалась на глаза Арни и из студентки заштатного вуза превратилась в девушку, которая летает по всему миру и занимается самым прекрасным на свете делом.

В субботу утром я потащила Надю с собой в офис — не хотела оставлять ее один на один со своими мыслями. Потом еще вечером в воскресенье и понедельник провела с ней воспитательные беседы. И вот сегодня, когда до съемок осталось всего ничего, услышала стоны про больной живот...

— Можно я сяду? — прозвучало за спиной.

Я обернулась, увидела Надю и удивилась.

— Как ты вошла? Я специально внимательно смотрела в окно.

Девушка показала пальчиком на бар.

— Там есть еще одна дверь. Мне очень плохо.

— Не ври! — рассердилась я.

— Нет, правда, — смутилась Надя. — Я сделала пирсинг и теперь не могу дотронуться до пупка, очень больно.

Я чуть не упала со стула.

— Что ты сделала?

— Пирсинг, — испуганно повторила Наденька.

Я схватила чашку с остывшим кофе, залпом осушила ее, слегка пришла в себя и поинтересовалась:

— Как тебе вообще пришло в голову продырявить пуп?

Надя отвела глаза.

— Я рылась в Интернете, а там полно фотографий моделей. У многих татушки и украшения в пупке, вот и мне захотелось быть как они.

— Рисунки у девушек сделаны на коже хной, или это переводные картинки, — с трудом удержавшись, чтобы не заорать «Дура!», объяснила я. — А пирсинг у моделей фальшивый, на магнитах.

— Правда? — удивилась Надя. — Ну надо же, я и не догадывалась... Знаешь, мне и в самом деле ужасно больно. Словно в живот нож воткнули.

— Показывай, — велела я.

— Прямо здесь? — смутилась подруга. — В зале?

— Ладно, пошли в туалет, — согласилась я.

Когда Надя задрала кофточку, я присвистнула:

— Круто! Где украшение взяла?

— В тату-салоне купила, — призналась Надюша. — Мастер уверял, что оно не тяжелое, но мне очень неудобно, пуловер за подвеску цепляется, живот болит. И украшение странное, да? Я вообще-то другое хотела, с голубым камушком, за него и заплатила, а мастер сказал, что это самое модное.

— Кто посоветовал тебе к нему пойти? — не успокаивалась я.

Наденька округлила глаза.

— Ну... ты же говоришь, что человек должен сам справляться со своими проблемами... не прятаться за спиной у родителей, вот я и подумала... а спросить не у кого... Нюрочка в обморок бы упала, про такое услышав, и никогда бы мне не разрешила... В общем, я пошла на рынок...

Я привалилась к раковине.

— Куда?

— На базар, — пролепетала Надя. — Поняла, что ты права, пора стать активной...

Я схватила ее за руку.

— Быстро рулим туда, где тебе повесили эту «красоту». Ее необходимо вытащить.

— Ты так считаешь? — с надеждой спросила Надя. — Конечно, мне больно, но ради того, чтобы понравиться Роже...

Я с шумом выдохнула.

— Модель с настоящей татуировкой и продырявленным пупом сразу отпугнет Винтера — он принципиальный противник нательных рисунков и железок в теле.

— Ой! — в ужасе прошептала Надя.

— Адрес салона помнишь? — спросила я.

— Ага, — кивнула она, — он тут, рядышком, около ларька с шаурмой.

Я поперхнулась от возмущения. Ни одному здравомыслящему человеку не придет в голову отправиться на пирсинг в тату-салон по соседству с ларьком, где торгуют лепешками, начинка которых еще недавно бегала на четырех лапах и мяукала. Но в идиотском поступке Нади есть и моя доля вины — именно я упорно твердила ей о том, что надо стать самостоятельной. Да уж, наставница добилась сокрушительного успеха!

В тату-салоне, напоминавшем размерами ящик секретера, нас встретил кудлатый парень. Несмотря на прохладную погоду, он щеголял в майке-алкоголичке — явно хотел продемонстрировать тело, сплошь покрытое картинками.

— О, девочки пришли! — радостно воскликнул юноша, когда мы с Надей втиснулись внутрь. — Что желаем? Бабочки на попочках? Цветочки на ножках? Сделаю все, что хотите! Дать каталог позырить или свои идеи есть?

— Снимай куртку, — приказала я Надюше. А когда та покорно стащила пуховичок, я задрала на ней пуловер и показала пальцем на живот. — Это что?

— Бляха-муха! — выпалил парнишка. И эхом повторил вопрос, только что заданный мною: — Это что?

— Сам не видишь? — прошипела я. — А ну, зови хозяина!

— Я уже тут, — пробормотал кудлатый собеседник. — Здрасте, меня зовут Вадик!

— Знаешь, как мы сейчас поступим? — угрожающим тоном спросила я. — Отправимся с Надей...

— Ой, пожалуйста, не надо! — быстро перебил меня Вадим. — Как же такое могло получиться?

Занавеска в углу комнатенки зашевелилась, из-за нее вышел мужчина лет сорока в джинсах и теплой клетчатой рубашке.

— Вот он! — вдруг сказала Надя.

— Кто? — не понял владелец салона.

— Мастер, который мне украшение продал, — пояснила моя спутница. — Вон стенд висит с образцами, и я выбрала за четыре тысячи золотое колечко с голубым камушком, самое дорогое. Так ему и сказала: «Оно хороших денег стоит, наверное, самое лучшее». А мастер сходил в другую комнату, принес это и сказал: «Предлагаю гораздо круче. Только своим ставим, цена серьги пять штук».

— То-то я понять не мог, куда у нас пробка от раковины подевалась! — подпрыгнул Вадим. — Сегодня все утро по ряду, где сантехникой торгуют, бегал, искал. Умывальник маленький, затычка нестандартная, крохотная, с колечком. Ну нигде такой нет! Серега, ты охренел? Зачем клиентке в пупок пробку от умывальника на болт навесил?

— Э... — протянул мастер. Затем уточнил: — А когда она приходила?

— Вчера днем, — прошептала Надя. — Вы тут один сидели, в кабинете за занавеской, курили какую-то вонючую папироску, смеялись и повторяли: «Будешь самая клевая, буль-буль, вода журчит». Я вообще-то не поняла, при чем здесь вода, но...

Мой гнев наконец вырвался наружу:

— Прекрасно! Не знаю, как закон наказывает тех, кто на рабочем месте попыхивает косячком, но по голове за такое не погладят. Сейчас сделаю один звонок, сюда примчатся ребята из отдела по борьбе с наркотиками и перевернут все вверх дном...

— Тише, пожалуйста, — взмолился Вадик, — Сергей, ты уволен! Проваливай прямо сию секунду!

— За что? — возмутился мужик.

Я сжала кулаки.

— За то, что украсил живот моей подруги затычкой от слива. Этого мало?

— Эй, ты со мной драться собралась? — заржал Сергей. — Не советую, я чемпион России по айкидо.

Вадик схватил «спортсмена» за шкирку, вытолкал на улицу и затрещал:

— Девочки, умоляю, простите! Это мой дядя. Он вообще-то хороший мужик, но как обкурится, становится идиотом... Так ведь не чужой человек, тетка просила взять его на работу, отказать было невозможно...

Ага, вот вам еще один из тех, кто любит свою родню!

— Сейчас все вытащу, продезинфицирую, деньги верну в тройном размере, — пообещал Вадим. — Если захотите, я бесплатно вставлю настоящую серьгу с брюликом.

— Нет! — топнула я ногой. — Быстро избавь Надю от этой гадости и радуйся, что у нас времени мало, некогда с тобой разбираться.

— Спасибо, спасибо, спасибо! — на едином дыхании выпалил Вадим. — Ты тут посиди на стульчике, а мы с Надей пойдем...

Я перебила его:

— Ну уж нет! Отправлюсь с вами и буду внимательно наблюдать за твоей работой, а то еще вставишь Наде вместо пробки вантуз.

— Он в пупок не влезет, — на полном серьезе возразил Вадим.

Спустя пятнадцать минут мы вышли из тату-салона и двинулись к воротам рынка.

Народу было много, меня постоянно толкали то в бок, то в спину. Вот скажите, почему наша толпа так агрессивна? Во Франции или Италии прохожие никогда не задевают друг друга, а в России вас то и дело норовят пихнуть. Интересно, так было всегда или желание походя толкнуть соотечественника возникло вместе с падением коммунистического режима? Белка мне рассказывала, что в те времена, когда телевидение заканчивало работу в одиннадцать вечера, а майонез считался самым деликатесным из всех деликатесов, народ, входя в метро, всегда придерживал рукой тяжелую дверь, чтобы та не стукнула идущего сзади. Уж и не знаю, правда ли это, бабуле свойственно идеализировать прошлое. Но если такая привычка была, то сейчас она напрочь забыта, теперь все торопятся войти в подземку, не касаясь дверей руками, пинают их ногами и озабочены лишь собственным удобством.

Меня в очередной раз толкнули, я споткнулась, но удержалась на ногах и увидела часы, прикрепленные над входом в лавку, где торговали мобильными телефонами.

— Опоздали! — огорчилась я.

— Разве? — испугалась Надя. — Сейчас половина одиннадцатого, а нам велено приехать к полудню.

Я стала судорожно рыться в почему-то расстегнутой сумке.

— К Винтеру мы успеваем, дело в другом. Но где же мой телефон? Я должна была четверть часа назад соединиться с Андреем Петровым. Черт, не выполнила просьбу Романа Глебовича! Слушай, а сотового нет!

— Ты его потеряла? — расстроилась Надя.

— Стой тут, не двигайся, — приказала я и бросилась в магазинчик, который украшали часы.

Степа, вот тебе наука — никогда не броди в толпе, не прижав к себе покрепче сумку. Да, прохожие толкаются, но не нарочно, а потому что плохо воспитаны, — все, кроме того вора, который сознательно пихнул меня в бок, в секунду раскрыл сумку и вытащил из нее мобильник.

Глава 5

Если приемная тату-салона напоминала клетку для детеныша хомяка, то в норе, где торгуют телефонами, едва ли уместилась бы гусеница. Я перешагнула через порог и сразу налетела на стойку. Красный браслет, висевший на моем запястье, стукнулся о ее стальное обрамление, жалобно звякнул, исполнив роль дверного колокольчика, но огненно-рыжий продавец, игравший на айпаде, даже не поднял головы.

— Что? — лишь буркнул он.

— Трубку. Быстро. Самую дешевую. Симку копеечную, — в тон ему ответила я.

Затем оперлась рукой о прилавок, скользнула взглядом по своему запястью и помимо воли улыбнулась. Белка подарила мне старинный браслет, и он так мне понравился, что я теперь ношу его постоянно, даже если он с одеждой не очень сочетается. Стоит мне посмотреть на браслет, как настроение сразу поднимается. Одна беда — у замечательной вещицы не очень прочный замок. Я все собираюсь отнести браслетик к ювелиру, чтобы тот его починил, да никак не найду свободного времени.

— Дерьмом не торгуем, — пробурчал рыжий парень, так и не посмотрев на меня.

Хм, чем меньше лавчонка, тем больше пафоса у продавцов...

— Самую дешевую! — повторила я. — Мне надо срочно позвонить, а мой мобильный только что вытащили из сумки.

Торговец наконец-то соизволил отвлечься от «стрелялки», поднял голову и неожиданно стал приторно-любезным.

— Зачем такой красивой девушке ерундовская трубка? Возьми айфон. Родной, не китайский. Сделаю скидку.

— Нет необходимости, — зачастила я, — у меня дома лежит новенький сотовый, его подарили пару недель назад вместе с мини-копией моей симки. Сейчас мне просто надо позвонить. Сделай одолжение, придумай что-нибудь, а то...

Дыхание прервалось, я примолкла. Продавец облокотился о прилавок.

— А то что? Твой парень заревнует?

— Нет времени болтать о глупостях! — разозлилась я. — Шеф велел кое-что сделать, а я забыла.

Хозяин лавчонки встал и исчез за маленькой дверцей. Я не успела вздохнуть, как он появился снова, показал довольно дорогой мобильный и неожиданно заявил:

— Сто рублей вместе с сим-картой. Отдам, если скажешь, как тебя зовут.

— Степанида, — представилась я.

— Врешь, — засмеялся собеседник, — таких имен нету.

Я открыла дверь на улицу.

— Надюша, как меня зовут?

— Ты забыла? — испуганно отреагировала она. — Заболела, да?

— Нет, просто ответь! — велела я.

— Степа, — растерянно произнесла Надюша. — Степанида Козлова, ты работаешь визажистом в фирме «Бак».

Я быстро захлопнула дверь, положила на прилавок сто рублей и протянула руку.

— Слышал? Давай.

— Чумовое имечко, — хмыкнул идиот, протягивая мне трубку. — А я Никита. Отдаю супертелефон за стольник, чтобы ты поняла, с кем имеешь дело. В любом магазине аппарат, который ты сейчас за сотню получила, стоит несколько тысяч. Я успешный, богатый бизнесмен, который может дарить подарки. Если девушка понравилась, мне для нее ничего не жалко. Что ты сегодня вечером делаешь?

Я махнула рукой и услышала тихое звяканье. Звук меня насторожил, но тут Никита повторил:

— Так какие у тебя планы на вечер?

— Сначала уложу спать близнецов, потом с мужем и его тремя братьями, чемпионами по борьбе без правил, чай пить будем, — прошипела я и, злая до невозможности, вылетела на улицу.

— Степашечка, — залепетала Надя, — ты в порядке?

— Да, — отмахнулась я и нажала на зеленую кнопку своего приобретения.

Модель у телефона точь-в-точь как та, что была у меня час назад. Никаких проблем с ее использованием не будет.

Экран из черного стал голубым, появилось изображение рыжей кошечки с огромными зелеными глазами. Все понятно! Мне дали аппарат, украденный у какой-то девушки. Даже симку из него не выбросили! Просто предел наглости!

— Эй, Степанида... — послышалось сзади.

Я обернулась. Никита вышел из своей микроскопической лавчонки и, улыбаясь, как поросенок при виде ведра с кормом, буравил меня глазами.

— Что надо? — процедила я, пытаясь вспомнить номер Андрея. Петров — ювелир, он может в короткий срок не только починить украшение, но и сделать красивое кольцо или браслет, телефон у него совсем простой. Вроде семьсот двадцать два...

— Степанида! — снова окликнул меня Никита. — Хочешь новый айфон?

Я сделала вид, что не слышу его, сдула с лица прядь волос, но та снова упала на щеку. Левой рукой я убрала непослушный локон за ухо, увидела свое запястье и на секунду встревожилась — что-то было не так. И тут в голове вновь возник вопрос: так как соединиться с Андрюшкой? Надо сосредоточиться. Семьсот двадцать два...

— Белый айфон, — увеличил громкость Никита. — Новенький, совсем не замацанный. О'кей? Сходим в клуб вечером, и получишь его. У Кольки сегодня днюха, а я без бабы. Идет?

Я не справилась с накатившим раздражением.

— Я что, похожа на девку, которая готова переспать с первым встречным за китайскую подделку?

— Предлагаю родной! — оскорбился Никита. — Бесплатно! В подарок! Я щедрый, ты уже должна была это понять. И богатый.

— Отстань! — буркнула я.

— И чехол в придачу, — добавил Никита. — Айфон и чехол. Даром.

В ту же секунду на меня налетела какая-то тетка, несущаяся по рынку с безумным видом. Я пошатнулась, наступила на что-то мягкое, стала падать, но была благополучно подхвачена мужчиной лет шестидесяти пяти, одетым в темно-коричневый пуховик, довольно удачно прикидывающийся изделием дорогого бренда.

— Напилась с утра? — рявкнул он и ущипнул меня за попу.

Я отшатнулась от наглого пенсионера и вбежала в дверь какого-то магазинчика. Там, думая лишь о том, что надо немедленно соединиться с Петровым, машинально вошла в телефонную книжку мобильника, увидела окошко с надписью «Поиск» и вбила туда имя «Андрей». Ура! Готово!

— Алло! — раздался сонный голос.

Ко мне вернулось прекрасное настроение.

— Привет, Андрюша.

Петров молчал.

— Милый, ты меня слышишь? — усердно подделываясь под гламурную блондинку, просюсюкала я. — Котик, отзовись!

— Кто это? — каким-то странным, напряженным голосом прохрипел Андрей.

— Не узнал свою заю? — дурачилась я. — Забыл меня? Похоронил навсегда?

— Кто это? — повторил Петров.

— Твоя любовь, — пропела я.

— Ты где? — невпопад спросил ювелир.

Мне стало смешно. Все понятно, вчера Андрюша напился до белочки. Петров не алкоголик, но иногда позволяет себе расслабиться, и тогда — тушите свечи. Выпив бочку спиртного, наутро он не помнит ничего. Об этой особенности ювелира знают все его знакомые и прикалываются над ним. Например, звонят ему на следующий день, рассказывают небылицы и слушают, как бедный Андрюша бормочет: «Я такое творил? Не может быть...»

— Кто это? — шептал растерянный Петров. — Кто?

Я придала голосу визгливости.

— Ваще крутняк! Не узнаешь свою заю? А как же наша любовь? Ты обещал бросить жену,

отвести меня в загс. Что происходит? Андрюшень-
ка, мне тут плооохооо! Страаашно! Одинокоооо!

Последнее слово я пропела совсем уж мерзким
тоном.

— Это ты... — пробормотал собеседник. — Ты?!
О боже, ты!

Я пришла в восторг. Розыгрыш удался на славу!

— Конечно, я, кто же еще. Или у тебя есть другая зая? О, я ревнуююю! Ты завел новую девчонку?

— Это ты... — вновь еле слышно произнес Андрей. — Ты где?

Я подавилась смехом, увидела на стене рекламный плакат, изображающий черта с пакетом ле-
денцов в руках, и отчеканила:

— В аду!

— Но... телефон... номер... — бессвязно забор-
мотал Петров.

— За хорошее поведение в преисподней разре-
шают позвонить, — нашлась я. — В особенности
тем, кого, как меня, убилииии!

Из телефона донеслось то ли кваканье, то ли
карканье, и я пожалела, что произнесла последнюю фразу. Ну, сейчас ювелир наконец-то сообразит, что над ним прикалывается некто из знакомых. Интересно, где он вчера гулял и сколько выпил? Сегодня Петров тупит, как никогда раньше.

Звуки, долетавшие из трубки, стали напоминать
бульканье. Я решила красиво завершить спектакль:

— Знаю все твои маленькие грязные тайны.
О! Сколько мне всего про тебя известно! Но не бу-

ду откровенничать, просто напомню: я в курсе всего. И что ты теперь предложишь своей зае?

— Да... — начал было Андрей и тут же пропал.

В трубке воцарилась тишина. Потом зазвучал равнодушно-официальный женский голос: «На вашем счете не хватает средств для продолжения разговора. Если хотите получить мгновенный кредит, позвоните по бесплатному номеру ноль-ноль-ноль двенадцать...»

Я уставилась на телефон. Что за чушь? У меня безлимитный тариф! В чем дело? Экран мигнул, появилось изображение рыжей кошечки и сразу погасло. У мобильника еще и разрядилась батарейка.

И тут только до меня дошло, что произошло. Украденная у меня трубка была точь-в-точь как та, что я держу в руке. Когда я получила от Никиты сотовый, он тут же стал приставать ко мне, решив, что симпатичная, модно одетая девушка согласится пойти с ним в клуб. Потом меня толкнули, я чуть не упала, но какой-то пенсионер помог удержаться мне на ногах, за что ему, конечно, гран-мерси. Правда, одновременно дедок не постеснялся распустить скрюченные от артрита лапы и ущипнул меня за попу. Мое негодование зашкалило за все пределы, но воспитание удержало от адекватного ответа. Если б ко мне посмел прикоснуться ровесник, то получил бы по полной программе, я могу постоять за себя.

Любая москвичка, пользующаяся общественным транспортом, быстро обучается приемам самообороны. Самый простой из них — наступить изо всей силы шпилькой на ногу наглеца, повертеть ею, повторить «процедуру» с самым невозмутимым видом. Наилучший эффект достигается, если у сластолюбца обувь из замши, вельвета или какого-нибудь текстиля. Но и обладателям кожаных ботинок приходится несладко. Уж поверьте, это не раз опробовано на практике.

Однако делать больно посыпанному пылью веков деду, из которого вдобавок сыплется песок, как-то нехорошо. Чтобы случайно не врезать престарелому донжуану, я влетела в ближайший магазинчик и на автомате вошла в память телефона. А теперь, внимание! Эта модель не открывает пользователю сразу весь список контактов, сначала появляется окошко со словом «Поиск». Вы вбиваете в него нужное имя или фамилию, и аппарат набирает номер. Это удобно — нет необходимости рыться в телефонной книге. Я, забыв от переживаний, что держу в руке чужой мобильник, написала «Андрей», и, вуаля, произошло соединение с неким тезкой ювелира.

Да, нехорошо получилось. Надеюсь, незнакомец сразу забудет дурацкий звонок. Может, опять позвонить ему и извиниться, объяснив, что его имя чуть ли не самое распространенное в России? Если не верите, посмотрите, сколько у вас в телефонной книжке «Андреев», один уж точно обнаружится.

Я понажимала кнопки, поняла, что аппарат окончательно «умер», вышла на улицу и сердито сказала Никите, который по-прежнему маячил около своей будки:

— У трубки баланс на нуле, и она разрядилась.

— Могу дать бесплатно зарядку, — предложил продавец. — Еще и айфон получишь, прямо в клубе вечером тебе его отдам.

— В следующий раз, когда будешь брать на продажу ворованный сотовый, требуй, чтобы у него на счете был нормальный денежный запас, — велела я и, подхватив обалдевшую от происходящего Надю под руку, потащила ее к воротам.

— Эй, Степанида! Козлова! — заорали сзади. — Если передумаешь, я работаю до девяти. Приходи в начале десятого. Тусанешься бесплатно и получишь крутой гаджет.

— Тебе продали украденный телефон? — робко осведомилась Надюша, когда мы сели в такси, за рулем которого восседала коротко стриженная тетка лет пятидесяти.

— Всего за сто рублей, — пояснила я. — Сразу не поняла, что мобильник ворованный, сообразила, только когда увидела заставку на экране. Потрясающая наглость — из аппарата даже симку не вытащили. Вот, смотри... Фу, он же разрядился, я не могу показать тебе фото кошки.

— Стольник за такую шикарную трубку? — покачала головой Надя. — Похоже, ты просто понравилась продавцу, он захотел с тобой познакомиться, вот и отдал телефон за копейки, думал, ты из благодарности благосклонно на него посмотришь.

— А еще этот идиот предложил мне за поход в клуб айфон! — возмутилась я. — Неужели я похожа на дурочку, готовую на все ради дорогой игрушки?

— Конечно, нет, — сказала Надюша. — Просто парень дурак. И, похоже, он с похмелья, я почувствовала запах спиртного, когда он рядом стоял.

— Эх, девчонки... — неожиданно вмешалась в нашу беседу таксистка. — Сказок вы, что ли, в детстве не читали?

Мы с Надей переглянулись. Кажется, сегодня у нас день встреч со странными людьми.

— А в них собрана народная мудрость, — вещала тетка. — Ну-ка, вспомните про сестрицу Аленушку и братца Иванушку. В чем там суть, а?

Я отвернулась к окну, решив, что мне уже хватит общения с назойливыми незнакомцами. Наденька же вежливо ответила:

— Наверное, в том, что нужно слушаться старших.

— Нет, там совсем другая фишка: всякий мужик, если выпьет, превращается в козла, — заявила таксистка. — Сестрица Аленушка на примере братца урок всем нам, дурочкам, преподнесла.

Я помимо воли рассмеялась. Надя выдавила из себя:

— Понятно. Спасибо, что разъяснили.

Потом она дернула меня за руку.

— Степа, а почему ты не взяла мой телефон, если тебе позвонить потребовалось?

Вопрос застал меня врасплох.

— Не знаю, — честно ответила я. — В голову не пришло.

Некоторое время мы ехали молча, потом Надюша прошептала:

— Я не умею решать свои проблемы, привыкла, что все разруливают Катя, папа и Нюрочка. А вот ты, наоборот, слишком самостоятельная, не допускаешь и мысли, что у кого-то можно попросить помощи. Нас с тобой хорошо бы перемешать и разделить поровну, тогда получатся две нормальные девушки.

— Наверное, ты права, — улыбнулась я. — Все, прямо сейчас начну исправляться. Ну-ка, дай мне свою трубку...

Надя начала копаться в сумке.

— А что с краденой сделаешь? — спросила она, доставая сотовый.

— Для начала поставлю ее на зарядку. Потом пороюсь в контактах, вероятно, найду там номер со словом «мама», «дом» или «зая» и позвоню по нему. Скажу, что украденный мобильник у меня. Алло, Иришка? Сделай одолжение, поговори с ювелиром. Да, с Андреем. Передай ему просьбу Романа Глебовича...

Коллега выслушала меня, пообещала сделать все через секунду и поинтересовалась:

— У тебя новый номер?

Мне пришлось рассказать Ире про то, что я стала жертвой вора.

— Ой, вот же гады! — возмутилась она. — Хорошо, что сумку не порезали. Как мне с тобой соединиться, если Андрей начнет вопросы задавать?

— Звони по определившемуся сейчас номеру. Мой заработает вечером, — сказала я.

И уже отдавая телефон Наде, с запозданием поинтересовалась:

— Ничего, что я сообщила твой контакт Иришке? Не волнуйся, она не из тех, кто станет надоедать.

— Оставь пока трубку у себя, — предложила Надюша. — Мне никто, кроме Нюрочки, не звонит, а бабуля никогда не наберет мой номер до шести вечера — не хочет мешать моей учебе. А где твой браслет?

Глава 6

Я посмотрела на свое запястье и чуть не разрыдалась.

— Ой, браслета нет! Потеряла! Как жаль... Он такой красивый, а главное, это подарок Белки. Бабушка расстроится.

Надюша погладила меня по плечу.

— Давай попытаемся вспомнить, где ты его посеяла.

— Замечательная идея, — вздохнула я, — но невыполнимая.

— Почему? Вовсе нет, — возразила Надя. — Меня Нюра когда-то научила, как надо поступать в таких случаях. Отвечай на вопросы. Уходя из дома, ты надела браслет?

— Да, — подтвердила я.

— Точно?

Я кивнула.

— Отлично, — обрадовалась Надя. — Тату-салон. Там украшение было? Ты его видела?

— Я открывала дверь, когда мы уходили, браслетик перевернулся, и я поправила его.

— Супер! — обрадовалась подруга. — Теперь магазин с телефонами. Вот ты в него входишь... Дальше?

— Приблизилась к прилавку, браслет был на месте, он стукнулся о стальное обрамление стойки, я позвала продавца, — методично перечислила я свои действия. — О!

— Что такое? — забеспокоилась Надюша.

— Помню, услышала тихое звяканье, — протянула я, — но тут парень за прилавком начал нести чушь, и я забыла про это. У браслета примитивная застежка: надо всунуть тонкую пластинку в узкую дырочку, а потом накинуть небольшую петельку на выступающий шпенек. А я вечно забывала это сделать. Сколько раз говорила себе: «Степа, будь внимательна, иначе потеряешь подарок Белки». И вот сегодня это таки случилось.

— Ты обронила украшение у прилавка, — сделала вывод Надя. — Надо вернуться и поискать браслет.

— Мне совершенно не хочется вновь встречаться с глупым Никитой, — нахмурилась я. — И не факт, что браслет свалился с руки именно там. Хотя...

— Ну? — поторопила меня Надя. — Говори.

— Когда я вышла на улицу и стала рассматривать купленный телефон, украшения на руке уже не было. — Из моей груди вырвался вздох. — Я тогда посмотрела на левое запястье и подумала: что-то не так... Но тут Никита вышел и стал снова приставать, я разозлилась.

— Мы нашли браслет! — захлопала в ладоши Надя.

Я молча спрятала ее мобильный в свою сумку. Ну, не стоит пока ликовать, ведь симпатичное украшение мог подобрать любой из покупателей, заглянувших в убогий ларек.

В студию мы приехали за десять минут до назначенного времени. Следующие два часа Надюшу кропотливо готовили к съемке — мыли ей голову, делали укладку, макияж, подгоняли одежду.

Тем, кто не имеет отношения к фэшн-бизнесу, кажется, что работа модели сплошной праздник. На самом деле это нудный, тяжкий труд. Мне бы никогда не захотелось делать карьеру на «языке», хотя я там весьма успешно выступаю, когда Франсуа Арни демонстрирует новый макияж сезона. А еще я хорошо знаю, как бесправны манекенщицы. Не спорю, они выглядят шикарно, и кажется, будто именно эти девушки с застывшим выражением на лице, представляющие очередные коллекции, являются аристократками мира моды. Увы, нет, они его рабыни, которых в случае болезни или при первых признаках увядания моментально попрут из профессии. И звезды, сидящие в первых рядах на показах Шанель-Гуччи-Прада и иже с ними, — всего лишь приглашенные люди, их присутствие свидетельствует об успешности брендов и привлекает в магазины толпы покупателей. Настоящими рулевыми модной индустрии являются женщины и мужчины в простой, хотя, конечно же, элегантной одежде без какой-либо вычурности, без яркого макияжа и эпатажной обуви. Они присутствуют на всех показах, не привлекая к себе внимания ни зрителей, ни прессы. Но именно с ними спешат первыми поздороваться те, кто создает новинки одежды, косметики, бижутерии, аксессуаров, потому что это байеры, закупщики коллекций для крупнейших универмагов Нью-Йорка, Парижа, Лондона, Москвы, Токио. Если предложенные модельером вещи отвергнет сообщество байеров, он разорится.

Лично мне, например, никогда не стать закупщиком. Во-первых, я очень люблю работу визажиста, а во-вторых, байер, который ворочает миллионными бюджетами, обязан прекрасно знать математику и законы рынка. Ведь он тратит не свои, а хозяйские деньги на приобретение товара и может получить по шапке, если ошибется в его выборе. Ну, допустим, заполнит магазин зелеными мини-платьями, а народ пройдет мимо них, отвернув нос. Нет уж, лучше мне работать с Арни и получать удовольствие от своего занятия.

В тот момент, когда Надю поставили в центре студии на фоне белого экрана и Роже прильнул к стоящему на штативе фотоаппарату, у меня в сумке запищал сотовый. Чтобы не мешать Винтеру, я выскочила в коридор и, думая, что меня разыскивает коллега, сказала в трубку:

— Слушаю, Иришка! Ты нашла Андрея?

Но в ответ раздался незнакомый хрипловатый женский голос:

— Здравствуй, Надя. Ты помнишь свою мать Алену?

От неожиданности я выпалила:

— Да. — И тут же прикусила язык.

— Она очень нуждается в твоей помощи, — продолжала незнакомка.

На секунду мне стало жутко, а женщина говорила дальше:

— Плохо ей. Столько мучений Алене досталось! Тебе не стыдно, что мать в беде бросила?

Я, наконец, справилась с оторопью.

— Вы ошиблись номером.

— Надежда Барашкова? — уточнила собеседница. — Отца твоего Леонидом зовут, деда Ильей Львовичем, а бабку Анной Константиновной, ведь так?

— Да, — выдавила я из себя. — А вы кто?

— Полина, — коротко представилась звонившая. И тут же добавила: — Мы с Аленкой вместе чалились.

— Что вы делали? — не поняла я.

В ответ раздался смешок.

— На зоне сидели.

Я пришла в себя.

— Извините, но Алена Барашкова погибла, ее сбила машина. Если еще раз посмеете позвонить по этому телефону, передам ваш определившийся номер в полицию. Пусть там разбираются с Полиной, если, конечно, это ваше настоящее имя.

— Вон ты какая... резкая... — протянула собеседница. — Нет, Алена жива. Никто ее не сбивал, все наоборот, это она женщину задавила. И так дело вывернули, что получилось, будто села она за руль под наркотой и не справилась с управлением.

— Не порите чушь! — возмутилась я. — До свиданья.

— Эй, погоди! — крикнула собеседница. — Мне от тебя ничего не надо, денег просить не стану.

— Зачем тогда звоните? — невольно втянулась я в разговор.

— Аленку жалко, — вздохнула Полина. — Она о тебе часто рассказывает, очень тоскует. Леонид ей велел: «Не смей с нами общаться, ты семью опозорила. Испарись из нашей жизни, не ломай Наде судьбу, ей такая мать — уголовница и наркоманка — не нужна. Проклинаю тебя на всю твою непутевую оставшуюся жизнь». Во какой! Богатый, с положением, а собственную жену прямо под трактор положил. Но Алена его приказ выполнила — для всех умерла.

— И дала вам номер дочери, чтобы вы ей правду рассказали? — фыркнула я. — Нестыковка получается.

— Пургу-то не гони! — сердито произнесла собеседница. — Я тебе по возрасту в матери гожусь, имей уважение. Ни о чем Аленка не просила, я сама решила тебе звякнуть.

— Чудесная идея, — хмыкнула я. — Где ж телефон раздобыли?

— Сестра моя работает в офисе мобильной связи, она и помогла, — бесхитростно призналась Полина. — Барашкова Надежда Леонидовна с таким годом рождения в базах одна оказалась. Я про тебя и твою семью много чего знаю. Ночи на зоне длинные, спится плохо, вот и болтали мы с Аленой о разном тишком. У нас койки рядом стояли, и тумбочка одна на двоих, ее полка верхняя, моя нижняя...

— Уважаемая Полина, — отчеканила я, перебив ударившуюся в воспоминания женщину, — повторяю, Алена Барашкова скончалась много лет назад. Нам незачем продолжать разговор. И напоминаю: у меня определился ваш номер.

— И что с того? — совершенно не испугалась баба. — Я его не скрываю.

— Понимаю, — произнесла я, — вы пользуетесь купленной из-под полы незарегистрированной симкой и не боитесь, что вас поймают. Но прямо сейчас я соединюсь со своим другом, который служит в одном интересном месте, и ему хватит десяти минут, чтобы выяснить правду об Алене.

— Во-во, и отлично! — совершенно неожиданно обрадовалась шантажистка. — Пусть он тебе подтвердит: Елена Борисовна Клепикова на зоне срок мотала. Помню, ей до чистого, не в клетку, неба оставалось несколько месяцев, и она очень напуганная в преддверии освобождения ходила.

— С чего испытывать страх, если скоро выйдешь на свободу? — удивилась я. И тут же рассердилась на себя за глупость: не нужно поддерживать беседу с женщиной, которая зачем-то решила наплести Наде столько небылиц про ее покойную мать.

Полина шумно вздохнула.

— Свобода... На вид это сладко, на вкус горько. В кино американском красиво показывают — выходит зэчка за ворота, а там уж в машине ее ждут муж, ребенок, родители. Все от радости скачут и повизгивают: «Как хорошо! Ты снова с нами! Искупила свою вину за преступление и теперь можешь начать новую жизнь». Не знаю, может, у штатников именно так и бывает, но у нас все иначе. Вышвырнули тебя с зоны — вали куда ноги идут. А на то, что тебе кто-то из родни букет преподнесет, рассчитывать не стоит. Жить негде, работы нет, денег тоже, здоровье подорвано...

— Сейчас заплачу от жалости, — перебила я собеседницу. — Маленькое уточнение: не воруй, тогда и не попадешь в тюрьму.

— Да что ты знаешь! — возмутилась Полина.

Я быстро нажала на отбой и положила трубку в карман. Но телефон затрезвонил снова.

— Слышь, не будь сволочью! — выпалил тот же грубый голос. — Мать твоя сейчас в больнице, но ее там больше трех месяцев не продержат, отправят в дом престарелых, в город Борск, где она скорехонько помрет. Семья от Аленки открестилась, и я их не виню — кому наркоманка нужна?

Но ты же дочь! Съезди к мамке, принеси ей одежду, обувь, а главное...

Я снова нажала на отбой. Потом набрала хорошо знакомый номер, услышала официальное: «Якименко» — и сказала:

— Привет, Игорь! Степа тебя беспокоит.

— Как дела? — изменил тон приятель. — Ты в Москве? Слушай, если полетишь в Париж, привези снова те капли в глаза для Кирки. Суперсредство.

— Непременно сделаю, — пообещала я. — У меня к тебе просьба.

— И почему я совсем не радуюсь, когда слышу эти слова от знакомых? — вздохнул Игорь. — Дай угадаю... У Белки отобрали права, потому что она развернулась через две сплошные? Вовремя ты меня дернула, завтра б уже в Москве не застала — улетаю в командировку во Владивосток. Говорят, там красная икра на рынке почти даром. Сейчас звякну в ГАИ...

— Не торопись, — остановила я Игоря, — бабуля пока не нарушала правил.

— А в чем дело? — насторожился следователь. — Говори уже.

Услышав про звонок Полины, Якименко потребовал быстренько продиктовать высветившийся у меня на экране номер ее телефона, записал имя, отчество и фамилию матери Нади и пообещал:

— В момент все разузнаю.

Я осталась в коридоре и почему-то испугалась. Странная история. Алена давно мертва, Леонид счастливо женат на Кате. Кто такая эта Полина, зачем ей понадобилось звонить Наде? Сначала мне подумалось, что тетка вульгарная шантажистка. Она говорила, будто Алена отбывала срок, и я так и ждала заключительной фразы: «Гони деньги, тогда никому не расскажу, что ты дочь заключенной». Но эти слова не прозвучали, последовала просьба навестить мать. Чего же добивается эта Полина? Хочет заманить куда-то Надю? С какой целью? Надюша очень тихая девушка, не сможет обидеть даже мышь, нагло поселившуюся в ее комнате. Общается с ограниченным числом людей, в основном с родственниками. Она не охотится на чужих мужей, не сплетничает, не делает карьеру, шагая по головам, скромно одевается, не носит броских украшений, не ездит на шикарной машине, не имеет богатого красивого жениха, ей никто не будет завидовать. Думаю, подавляющее большинство студентов вуза, где учится Барашкова, не обращают на нее ни малейшего внимания и понятия не имеют, как зовут высокую, чрезмерно худую девушку, не примыкающую ни к одной из веселых компаний. Кому могла помешать Наденька? Кого она разозлила или оскорбила? Кто хочет разбередить Наде душу сообщением о якобы живой матери?

Глава 7

— Устала? — спросила я у нее, когда мы сели в такси.

— Нет! — ажитированно воскликнула она. — Как ты думаешь, что-нибудь из этого получится?

— Винтер в восторге, — улыбнулась я. — Надеюсь, ты станешь его любимицей. Роже отлично знает себе цену. Я имею в виду прямой денежный смысл этого выражения. Он не ведет дел с какими-нибудь мелкими изданиями, сотрудничает с «Вогом», «Офисьель», причем в основном с их американскими, английскими и французскими филиалами. Едва твое изображение появится на их страницах, как к тебе помчатся скауты из модельных агентств.

— Но у меня нет специального образования! — испугалась Надя.

— Вот уж ерунда, — засмеялась я. — Университетов для моделей не существует, всему, что нужно, тебя научат в процессе. Главное — не капризничать, не увлекаться алкоголем, не зажигать, так сказать, звезду — и сделаешь карьеру на подиуме. У тебя для этого есть все данные. Ты не устала?

— Ни капельки, — заверила Надюша.

Я посмотрела на ее порозовевшее личико. Вот ведь точно, все хвори у Надежды от того, что старшие заставляют ее жить так, как им хочется. Барашкову с детства затюкали, она боится возразить отцу и мачехе, бабушке с дедушкой, покорно подчиняется им. А ведь ненавидит свою будущую профессию переводчика, хочет стать частью фэшн-мира.

Каждое утро Надя тащится на лекции, с тоской думая: «Еще один скучный день в аудитории... ноги в институт просто не идут...» В конце концов мозг бедняжки находит выход, как избавиться от нудной повинности, отдает приказ телу, и — начинаются болезни. Естественно, дочку с температурой, головной болью, гастритом-колитом, артритом и еще бог знает с чем родители в аудиторию не отправят. Они разрешат Наде остаться дома, и она наконец-то получит возможность заниматься чем-то по своему выбору. Только круг вскоре замкнется — девушке все-таки придется снова тащиться в институт, и опять на нее навалятся разные хвори... Но сегодня Наденька выдержала большую съемку, многократно переодевалась в прохладной комнате, стояла босиком на полу, замирала в неудобной позе, ее постоянно запудривали, обливали волосы лаком, накладывали-смывали макияж. И что? Чихающая от легкого дуновения ветерка и покрывающаяся красными пятнами, если кто-то из домашних использовал в квартире парфюм, Надюша ни разу не кашлянула, не шмыгнула носом на протяжении нескольких часов. Наоборот, она сейчас выглядит как майская роза, так похорошела. И вот что удивительно, девушка, обычно хмурая, улыбается во весь рот.

— Мне пообещали заплатить деньги, — вдруг сказала Надя.

— Конечно, — кивнула я, — скоро их получишь. Сначала заплатят скромную сумму, но если ты не будешь капризничать и станешь прилежно работать, гонорар быстро вырастет. Некоторые модели прекрасно зарабатывают и ни от кого не зависят.

— Ни от кого не зависят... — эхом повторила Надюша. — Знаешь, я ведь не подумала про заработную плату, и очень глупо получилось. Какая-то женщина ко мне подошла, протянула бумаги и сказала: «Подпишите договор, указанную сумму сможете получить через семь рабочих дней». А я не поняла и спросила: «Мне надо будет рассчитаться с вами за съемку? Сколько принести?» Она так смеялась! Я дура, да?

Я погладила Надюшу по руке и решила осторожно обсудить с ней интересующую меня тему. Но заезжать следует издалека и тщательно обдумать, как начать беседу.

— Ты просто растерялась. Ничего, скоро привыкнешь. Главное, не поймай звезду, работай старательно, ты имеешь все данные для карьеры модели: прекрасная фигура, высокий рост.

— Я в маму пошла, — пояснила Надюша. — Вроде она в юности в баскетбол играла.

— Почему «вроде»? — обрадовалась я удачному повороту беседы. — Она тебе рассказывала о спортивных занятиях?

Надюша обхватила руками колени.

— Я ее плохо знала.

— Маму? — уточнила я.

Барашкова отвернулась к окну.

— Согласна, это звучит странно, но... Она была журналисткой, писала статьи про «горячие точки». Сколько себя помню, мать постоянно находилась в командировках, летала в разные места, в Москве не сидела. Иногда ее месяцами не было дома.

— Где она работала? — спросила я.

Надя пожала плечами.

— Вроде на телевидении.

— Неужели у вас дома не говорили о работе Алены? — удивилась я.

Надюша повернула голову.

— Нюрочка и дедушка придерживаются старых правил воспитания. По их мнению, дети не должны присутствовать при обсуждении проблем взрослых. Им незачем сидеть вместе со старшими за одним столом. Кроме того, я была малышкой и совершенно не совпадала с родителями по графику. Меня в семь тридцать утра шофер отвозил в детский сад, он же доставлял на музыкальные занятия или к репетиторам по языкам. Спать я укладывалась в восемь вечера. Когда общаться с папой? Мама же, повторяю, постоянно находилась в разъездах. А потом меня отправили в Англию.

— Ты училась за границей... — протянула я.

— Завидовать тут нечему, — печально сказала Надя. — Дедушка и Нюрочка считают, что знание английского и французского гарантирует мне счастливую жизнь. Дед подобрал в Великобритании школу, где не было ни одного русского ребенка. Она открыта при одном из университетов, и потом можно продолжить в нем обучение. Подъем в шесть утра, холодный душ, завтрак из овсянки и жидкого кофе, занятия до обеда, на который подавали кучу овощей, тонюсенький ломтик баранины или крохотный кусочек рыбы, затем спорт, чай с кексами, прогулка, ужин с основным блюдом под названием пудинг... Брр! Такая гадость этот их пудинг! В особенности если с почками. Спали мы по шесть человек в дортуарах, отопление никогда не включали, а одеяла там тонюсенькие, и даже зимой, в самую сырость, окна были нараспашку. При этом постоянный контроль воспитателей, от которых ничто не ускользало.

— Зато ты идеально выучила английский, — пробормотала я.

— Это правда, — согласилась Надюша. — А еще французский и латынь. Последняя мне более всего в жизни пригодится. Прямо вижу, как весело болтаю на языке древних римлян с продавщицей в московской булочной. Кстати, о магазинах. Я в Англии так одичала в элитной детской резервации, что потом, вернувшись на родину, не знала, как булочку купить. Встану у кассы, и сначала в голове английская фраза возникает, потом французская. Русская последней прорезывалась.

— Забавно, — улыбнулась я. — А когда ты снова в Россию вернулась?

— В пятнадцать лет. Папа уже не первый год был женат на Кате. Нехорошо так говорить, но мать для меня — посторонний человек. Она иногда присылала мне письма по электронке, но они были словно под копирку: «Дорогая Надя! Я рада, что у тебя хорошие успехи. Учись прилежно. Слушайся воспитателей». Ну, и еще пара фраз в том же духе. На день рождения и к Новому году я от нее получала подарки — коробки дорогих конфет. Причем не российских. Я сразу поняла, что сладости по просьбе матери покупает администрация школы. Алена никогда не появлялась в Англии, хотя лететь не так уж долго. Что такое четыре часа в самолете для женщины, которая постоянно мотается туда-сюда по свету?

— Тебе, наверное, было очень одиноко, — пожалела я Надюшу.

Она неожиданно рассмеялась.

— Нет. В школе у меня было много подруг, и учителя очень хорошие. Строгие — да, но стоило подойти к ним с вопросом или проблемой, как они откладывали все дела и занимались исключительно мной. Одиноко мне стало, когда я вернулась в Москву. Вот тут — никого знакомых, кроме родных, которые казались мне чужими. Я два года занималась в экстернате, чтобы восстановить русский язык, получить аттестат российской школы и возможность поступить в вуз в Москве.

— Почему тебя не оставили в Англии? — удивилась я. — По-моему, это абсолютно нелогично — отправить девочку изучать иностранный язык в зарубежную школу, а потом устраивать ее в московский институт.

Надюша пожала плечами.

— Мне ничего не объяснили. Дедушка просто объявил: «Готовься поступать на отделение литературного перевода». И я не спорила. Какая разница, куда? Самой мне хотелось в театральное училище, но Нюрочка чуть в обморок не упала, когда я вслух свое желание высказала. Закричала: «Илюша, ты слышишь, что говорит наша внучка? Нет, никогда! Там наркотики!»

— Интересная реакция, — усмехнулась я.

— У бабушки пунктик, — скривилась Надя, — ей повсюду наркотики чудятся. Я один раз, еще на первом курсе, купила баночку энергетического напитка... Шла сессия, я все время в библиотеке сидела, глаза слипались. Смотрю, девчонка за соседним столом постоянно какие-то банки опустошает. А она заметила мой взгляд и сказала: «Чего уставилась? Всего-то энергетик. От него в голове светлеет, и сон с ног не валит». Ну, я и решила попробовать. Взяла в супермаркете бутылочку под названием «Огненная молния», принесла домой. Подумала: выпью вечером, просижу спокойно ночь над книгами, утром ведь экзамен сдавать. И вот, сижу я в своей комнате, занимаюсь, а тут бабушка в спальню вошла. Сначала она спокойно спросила: «Какой сок купила? Я никогда не видела такой упаковки». Я сдуру повторила фразу той девчонки про ясность в голове и бессонницу.

Надя поежилась.

— Ты бы видела, что тут началось! Через час в дом съехались врачи, примчались отец, дедушка. А дед никогда не бросает работу, что бы ни случилось, говорит: «Разберусь с этим вечером, прекратите истерику». А тут прилетел. И завертелась катавасия. Меня повезли в больницу, выкачали всю кровь на анализы, выяснили, что я не прикасалась ни к каким запрещенным препаратам, и лишь тогда успокоились. Нюрочка очень боится, что я подсяду на иглу. Всякий раз, когда доктора мне новые таблетки выписывают, бабушка им допрос устраивает: «Лекарство не вызывает привыкания? Что там в составе? Нет ли эфедрина-кодеина-кофеина? Нельзя ли заменить пилюли лечебными травами?» Говорю же, ее переклинило на наркоте.

— Анна Константиновна часто смотрит новости и читает газеты на ночь, — вздохнула я, — а сейчас даже издания, где пишут о разведении кроликов, постоянно рассказывают о том, как молодежь нюхает волшебный порошок и ест таблетки, как конфетки.

— Поэтому у меня и друзей нет, — не обращая внимания на мои слова, продолжала Надюша. — Как только я поступила в институт, попыталась наладить контакт с однокурсницами — пригласила трех девочек на день рождения. Нюрочка накрыла стол, мы посидели пару часов, ничего криминального не совершали. Девушки пришли со своими мальчиками, никто не шумел, не ругался, не дрался, не напивался. Ну прямо вечеринка в доме престарелых, посвященная сто восьмой годовщине герцогини! А на следующий день Нюрочка запретила мне с теми ребятами общаться.

— Почему? — удивилась я.

Барашкова начала загибать пальцы.

— Одна выпила три чашечки кофе — она явно страдает зависимостью от кофеина и скоро перейдет на героин. Вторая слопала четыре куска торта — девушка явно страдает зависимостью от сладкого и скоро перейдет на героин. Третья практически ничего не ела, пила одну минералку без газа, значит, страдает булимией-анорексией и уже перешла на героин. Парень первой гостьи часто выходил курить — он страдает никотиновой зависимостью и скоро подсядет на героин...

— Можешь не продолжать, — поморщилась я. — Представляю, как вам с Лизой тяжело.

— К Елизавете Нюрочка так не привязывается, хотя ей тоже достается, — грустно констатировала Надюша. — Бабушка разделила свои фобии: я больная инвалидка и потенциальная наркоманка, а Лиза может погибнуть в автоаварии или попасть в руки маньяка-насильника. Сестра поет в группе, музыкантов приглашают на всякие вечеринки, и Лиза часто приходит поздно. А наутро бабушка ей мозг выносит. Да ты сама все слышала, если за завтраком в тот момент оказывалась. Погоди, Нюрочка и для тебя вскоре что-нибудь придумает. Дед постоянно выслушивает, что повышенный холестерин приводит к инфаркту-инсульту, а значит, ему нужно придерживаться той диеты, которую разработала жена. Папа курит — сигареты его убивают, и еще ему нельзя пить грейпфрутовый сок и есть эти плоды. А отец, как назло, обожает грейпфруты, может пару кило за раз слопать.

— Что плохого в цитрусовых? — удивилась я. — В них много витамина «С».

Надя поморщилась.

— Бабушка считает, что у курящего человека грейпфрут вызывает инфаркт. Ну не бред ли? Уж не знаю, правда ли это, но Нюрочка уверена, что грейпфруты погубят ее сына. Катя слишком сильно красится, а всем известно, что женщина за год съедает около двух кило губной помады, в которой содержатся канцерогены.

— Никогда не думала на эту тему, — пробормотала я.

Надя погрозила мне пальцем.

— Вот-вот! Тональный крем проникает сквозь кожу в кровь и губит печень. Тушь вызывает слепоту, от крема для тела может возникнуть чесотка, лак для ногтей делают из нефти... Нюрочка вечно сидит в Интернете и подковалась по всем вопросам. Но обрати внимание: она чморит каждого за свое. Если я войду на кухню и от меня будет пахнуть кремом или вообще появлюсь размалеванной во все цвета радуги и в микроюбке, Нюрочка и слова упрека не обронит, потому что я — потенциальная наркоманка. Лиза же может глотать на глазах у нее разноцветные таблетки из флаконов без этикетки, а бабушка даже не чихнет, так как Елизавете суждено попасть в лапы маньяка или врезаться на своей машине в слона на МКАД.

— Смешно, — улыбнулась я.

— Посмотрим, как ты будешь смеяться, когда Нюрочка и для тебя фобию подберет, — грустно произнесла Надюша.

Глава 8

Я хотела сказать, что все страхи Анны Константиновны базируются на ее безграничной любви к членам семьи, но тут в сумке громко запел сотовый. Оказалось, меня искал Игорь Якименко.

— Слушай, — коротко велел следователь, — докладываю. Елена Борисовна Клепикова, в браке Барашкова, жена Леонида Ильича, мать Надежды. Ты о ней хотела узнать?

— Да, — коротко ответила я.

— Она жива, — заявил Якименко.

— Не может быть! — выпалила я. И тут же захлопнула рот.

— Читаю тебе...

— Прости, — перебила я Игоря, — сейчас не могу обсуждать это. Но ты, Машенька, совершенно зря подозреваешь мужа в измене. Не может быть такого! Не верю!

— Перезвони, когда останешься одна, но долго не тяни, я сегодня улетаю, — правильно понял меня Якименко и отсоединился.

Я, держа трубку в руке, обратилась к Надюше:

— Извини, что беззастенчиво пользуюсь твоим мобильником, да еще без спроса сообщила номер своей близкой приятельнице, у нее обострение ревности. Но ты не волнуйся, Маша не станет тебя беспокоить.

— Я и не волнуюсь, — тихо сказала Надя, — болтай сколько влезет, все равно мне никто, кроме Нюрочки, не звонит.

— Ничего, если я отдам тебе телефон вечером? — спросила я. — Мне сегодня надо посмотреть квартиру, которую подобрали в агентстве недвижимости, а времени ехать домой, брать свою трубку, подаренную на день рождения, нет.

— Да, пожалуйста, — великодушно разрешила Барашкова.

— Ты одна доберешься до института? — обрадовалась я. — Мне лучше выйти вон у того супермаркета.

Надя молча кивнула.

Выскочив из машины, я забежала в магазин, остановилась возле закрытого киоска с газетами и позвонила Игорю. И как только тот откликнулся, закричала:

— Она не может быть жива! Алену десять лет назад задавила машина. Насмерть.

Поток людей, протекавший мимо, затормозил, на меня стали оглядываться. Я забежала за ларек, говоря на ходу:

— Ты ошибся. А телефон этой Полины проверил? Думаю, ты ничего не нашел, номер нигде не зарегистрирован...

— Полина Михайловна Дороднова, полных сорок девять лет, — перебил меня Игорь, — отсидела срок за мошенничество в особо крупных размерах. Дамочка воспользовалась старой уловкой — снимала хорошее офисное помещение, давала рекламу в Интернете типа: «Поездки за границу, недорого» — и собирала заказы. Цена на туры у Дородновой была слегка ниже, чем у других, и билеты она обещала достать дешевые. Единственное неудобство: милейшая Полина Михайловна оформляла поездки за три месяца до отъезда, но этим и объяснялась привлекательная цена.

— Понятно, — вклинилась я. — Поскольку туроператоры имеют обыкновение отдавать документы клиентам накануне отлета или привозят их прямо в аэропорт, никто особенно не нервничал. А через какой-то срок с момента получения энной суммы Полина покидала офис, выбрасывала прежний телефон и, выждав, начинала все с нуля. Дай-ка мне номер предприимчивой бизнес-леди! Я ей позвоню, послушаю голос. Но абсолютно уверена, Дороднова мне не звонила, кто-то другой ею прикинулся.

— Ты умна не по годам, — остановил меня Якименко, — и вспыльчива, как фейерверк. Фрр! Сплошные искры! Телефон Полины у тебя уже есть. Как бы иначе я нашел подробности биографии этой дамочки? Пробил данные тобой цифры по базе.

— Ага, — пробормотала я, — глупость я сморозила.

— О, женщины, чего уж от вас требовать, — философски заметил Якименко.

— Мужчины тоже хороши! — хмыкнула я. — Неделю назад твой любимый подчиненный Миша прислал мне эсэмэску: «Тепа, плиз, позвони, никак не могу найти мобилу». Сразу уточню: сообщение пришло с его номера.

— Совсем заработался парень, — добродушно пробурчал следователь. — А ты, дорогая, прежде чем делать выводы, дослушай до конца. Дороднова освободилась меньше месяца назад, срок она отбывала в подмосковном городе Поломна.

Там же сидела и Елена Борисовна Клепикова. Последнюю арестовали под фамилией Барашкова, но ее муж, Леонид Ильич, быстренько развелся с ней, и под суд она пошла, вернув себе девичью фамилию.

— Ну, этого просто не может быть! — потрясенно прошептала я. — Надя, ее дочь, уверена, что ее мать мертва. А за какие подвиги Алена угодила на зону?

— В состоянии наркотического опьянения Елена Борисовна, находясь за рулем принадлежавшей ей иномарки, задавила насмерть Сусанну Вайнштейн, — пояснил Игорь.

В этот момент в трубке на заднем фоне прозвучал чей-то бас:

— Якименко, зайди к Наумову!

— В общем, дело ясное, — быстро заговорил мой приятель, — приговор давно озвучен, никому оно не интересно. Клепикова уже освобождена, хотя ей предстояло отсидеть еще немного.

— Алине дали очень большой срок, — вздохнула я.

— Слушай, мне сейчас некогда, начальство вызывает, — занервничал Игорь. — Подробности могу прислать тебе на почту.

— Ладно, давай, — обрадовалась я, положила трубку в сумку и попыталась привести мысли в порядок.

Мать Нади в состоянии наркотического опьянения сбила некую Вайнштейн? Алена не погибла под колесами машины, которой управлял удравший с места происшествия так и не пойманный шофер? Леонид не вдовец? Он развелся с первой женой, а через год женился на Кате? Надюша не сирота? Ее мать жива? Полина реально существующая особа, сидевшая вместе с Аленой, и теперь она зачем-то пытается пристыдить Надюшу за невнимание к матери? Да быть такого не может!

Меня бросило в жар. Я вышла из-за киоска, купила бутылочку воды из холодильника, залпом осушила ее и пришла в себя.

Так, Игорь прав, никогда не следует делать поспешные выводы. Сначала дождусь письма от Якименко, внимательно прочитаю его. Потом, если сочту нужным, позвоню мошеннице. И только выяснив все досконально, буду соображать, что со всей этой информацией делать.

Я вышла на улицу и замерла. Рассказать Наде правду? Представляю, как отреагирует она, услышав, что родные ее обманывали!

Накинув на голову капюшон, я метнулась в сторону метро. Не так уж долго я общаюсь с Нюрочкой, но успела понять — эта женщина абсолютно бесхитростный, не способный врать человек. Она пребывает в том же неведении, что и ее внучка Надя. Думаю, и Катерине «вдовец» не открыл правды. Вот Илья Львович определенно в курсе дела. Бизнесмен богат, обладает обширными связями, он и помог сыну объявить первую жену покойницей. Имею ли я право копаться в чужой семейной истории? Барашковы с радостью приняли меня в свой клан, заботятся обо мне, считают родней, а я отплачу им за все тем, что вытащу из омута на солнечный свет правду про Алену?

В сумке опять зазвучала мелодия вызова — веселая песенка из старого советского мультфильма. Я нащупала трубку, поднесла ее к уху и услышала характерный хрипловатый голос Полины:

— Думаешь, я отстану? Не надейся! Твоя мать хороший человек, она никого не убивала. Подставили ее! Буду трезвонить, пока ты с ней не встретишься и не поговоришь.

Я моментально сбросила звонок. А вот и ответ на мои сомнения. Полина настроена решительно, она на самом деле не отстанет. Сейчас айфон Надюши у меня, но уже вечером придется отдать его законной владелице. И что произойдет потом? Полина непременно свяжется с Наденькой, и у той случится нервный припадок, ведь она крайне эмоциональна.

Телефон снова ожил. Я сделала вдох-выдох, прежде чем ответить Полине.

— Имей совесть, навести мать! — гневно воскликнула та. — Принеси ей хотя бы белье, а то лежит бедняга в рванине!

— Хорошо, — тихо ответила я.

— Ты согласна? — опешила Дороднова.

— Вы сами сказали, что не оставите меня в покое, — напомнила я.

— Верно понято! — загудела собеседница. — Сменишь номер, я новый на ать-два раздобуду. А если подружку попросишь на себя его записать, приеду в институт. Все про тебя знаю, и где живешь, и куда на учебу бегаешь. Усекла?

— Сейчас я на семинаре, — зашептала я, — разговаривать неудобно. Давайте завтра встретимся, прямо с утра. Прогуляю лекции.

— Ну... ладно, — сменив гнев на милость, согласилась Полина. — «Веселый цыпленок» подойдет?

— Не знаю, где это, — предупредила я.

— Сейчас растолкую, — пообещала Дороднова.

Завершив беседу с бывшей зэчкой, я побежала на встречу с риелтором, решив ни за что не отдавать вечером телефон Наде.

* * *

— Нашла для тебя замечательный вариант, — затараторила представительница агентства, едва я появилась в зоне ее видимости. — Дом на лоне природы с видом на Кремль.

Я заморгала. Если правильно помню, вокруг Красной площади нет никакой природы, исключая Александровский сад. Но навряд ли дом, где мне нашли квартиру, расположен там.

— Пойдем, Степа, — поторопила агент.

Я сделала пару шагов в сторону подземного перехода, возле которого виднелся столб с буквой «М».

— Ты куда? — остановила меня риелтор.

— В метро, — ответила я.

— Ехать не придется! — радостно заявила тетка. — Отсюда до твоей квартиры пешком три минуты.

— Вы уверены, Оксана Глебовна? — удивилась я. — Мы находимся в районе станции «Фили». Кремль отсюда далековато.

— Зато он расчудесно виден из окна апартаментов, — заверила Оксана. — Поверь, шикарный вариант. Такой раз в сто лет выпадает. Не будь ты моей родственницей, не видать бы тебе этих хором. Все наиболее сладкое хранится у нас в отдельном фонде, которым сам Петр Семенович распоряжается. Я босса еле-еле упросила, сказала: «Хочется племяшке своего пятиюродного дяди помочь». Шеф у нас человек недобрый, но родственный, поэтому разрешил. Давай поспешим, пока хозяйка квартиры сама покупателя искать не стала. Странная она. Конечно, все люди со своими тараканами, но у этой Альбины в мозгу мыши живут. Ты, главное, помалкивай, оставь переговоры профессионалу. Твоя задача фатерку изучить и принципиально понять, подходит она тебе или нет. О'кей?

— Мне хотелось двушку в центре, — робко заикнулась я.

— Центрее некуда, — отмахнулась риелтор. — Или ты вознамерилась на Манежной площади поселиться? И там, куда мы идем, трешка.

Я остановилась.

— У меня хватит денег только на две комнаты. Бабушка выделила определенную сумму, превышать ее я не могу.

— Все молодые непонятливые. Сидят с утра до утра в Интернете, последний ум потеряли, —

неодобрительно произнесла Оксана. — Сказано же тебе: предложение уникальное. Цена как за две комнаты, а в реальности их три. С евроремонтом. Пентхаус. Двухуровневый.

Я опять остановилась.

— Такого не бывает.

Оксана схватила меня за руку и потащила по тротуару.

— Ты прямо как моя дочь! Все-то она знает, везде побывала, а мать дура неотесанная. Поработай с мое, еще не то встретишь.

— Вы в квартиру заглядывали? — поинтересовалась я, когда мы очутились около дома, сложенного из красного кирпича.

— Нет. Читала описание, — ответила Оксана. — Стой смирно. Хозяйка велела от подъезда позвонить. Между прочим, этот дом — памятник архитектуры, и в нем всего четыре жильца. Здание возвела какая-то знаменитость, фамилия простая, вроде Чайковский.

— Он музыку писал, — сдуру уточнила я.

— А то я балда круглая! — возмутилась Оксана. — Слушай внимательно, что тебе тетя говорит: вроде Чайковский. Не он сам, а вроде! Фамилия похожая! Не мешай, я номер набираю.

Интересно, сколько у меня теперь «тетушек» и «дядюшек»? Надо как-нибудь попросить «дедулю» сделать экскурс в семейную историю. Под диктофон, а то ведь я все равно не запомню всех хитросплетений.

Я осмотрела здание снаружи. Хм, тот, что «вроде Чайковский», был большой оригинал. Дом смахивал на прямоугольную трубу, довольно высокую, сложенную из красного кирпича, на самом верху которой имелось круглое сплошь застекленное помещение. Что-то мне это здание напоминало... Я задрала голову и вдруг сообразила: смотровая вышка! Видели сериалы, наши или американские, посвященные жизни заключенных? Там непременно демонстрируют похожие сооружения, по крыше которых разгуливает охрана.

Я опустила взгляд ниже. Так-так, на первых двух этажах окон нет. Они расположены довольно высоко от земли, и это не стеклопакеты, что понятно. Ведь если дом является памятником, то его облик нельзя изменять, все должно остаться в том виде, как задумал архитектор.

Откуда-то сверху послышался резкий скрип. Я опять подняла голову и увидела, что по внешней стене здания медленно спускается нечто, похожее на большую клетку. И это «нечто» ползло по железным полозьям, которые я сначала не заметила. Отчаянно скрежеща, движущаяся конструкция достигла земли, и стало видно, что внутри нее стоит человек небольшого роста, может быть, ребенок. Хотя навряд ли он мог быть таким тучным — тело пассажира заполняло все пространство клети. Я прищурилась. И обалдела: пассажир подъемника одет в шубу? Из ячеек «сетки» торчали клочки серо-черного меха.

Узкие дверцы распахнулись. Я ойкнула. Нет, это не малыш, а здоровенная собака размером с пони! Пес, не обращая ни малейшего внимания на двух замерших от удивления женщин, безмятежно подошел к фонарному столбу, присел, задрал морду, опустил уши, постоял в этой позе минуту, затем спокойно вернулся в клеть и оглушительно залаял. Подъемник захлопнул дверцы и, издавая отвратительный скрежет, пополз вверх.

— Что это было? — выдавила я из себя, когда странная конструкция, достигнув середины здания, замерла.

— Лифт, — задумчиво произнесла Оксана. — В старых домах их иногда снаружи пристраивали. Видела, наверное, подобные? На Лесной улице их много.

— Я видела уличные варианты подъемников, — согласилась я, — но у них закрытые шахты, стеклянные или металлические. А здесь ерунда какая-то. И выглядит ненадежно.

Конструкция, снова заскрипев, поползла вниз. Мы с Оксаной, не отрываясь, следили за ней. На сей раз дверцы распахнула старушка. Она вышла на тротуар, выкатила сумку на колесиках и громко закричала:

— Гав, гав, гав!

Пустая «клетка» торжественно отправилась вверх.

— Это лифт? — спросила я.

Старушка облокотилась на ручку сумки.

— Это наш личный асенсер, его мой сын Николаша придумал. И весь мэзон ранее нам принадлежал, построил его мой прапрапрадедушка. Он хотел зодчим стать, но отец ему запретил, приказал в лавке чаем торговать. Прапрапрадедушка побоялся с папенькой спорить, в те времена родителей уважали, поэтому все хорошо жили. А когда его папа́ умер, прапрапрадедушка построил это здание. Наша семья в нем с тех пор и живет. Если б Николаша к моим мо прислушивался, не женился бы на шалаве, которая у него пентхаус оттяпала...

Бабуля закашлялась.

— А почему вы лаяли? — не успокаивалась я.

Бабулька аккуратно вытерла рот кружевным платочком с вышитой монограммой.

— Лифт Николя для Магды соорудил, собака сама может погулять пойти. Он как-то так сделал, что кабина на «гав-гав» в движение приходит, кнопок нет. Да Магде на них и не нажать, у нее на лапах не пальцы, а когти. Не для человека клеть, на много килограммов она не рассчитана. Но я вешу меньше, чем Магда, та-то в последние годы раскабанела, вот я и пользуюсь. А другим запрещено.

Бабка выпрямилась, схватила тележку и аллюром поскакала в сторону проспекта.

Оксана удивленно смотрела ей в след.

— Ну, пойдем смотреть апартаменты?

До двери, на которой была прикреплена медная цифра «3», мы добрались по лестнице с высокими ступенями. Звонка не было, к косяку крепился бронзовый молоточек. Риелтор схватила его и стукнула по металлической табличке, привинченной рядом. Дверь тут же распахнулась, явив нашему взору жутко худую даму, наряженную в шелковый халат, щедро вышитый золотыми павлинами, и в тапочки с розовыми помпонами и с загнутыми вверх носами. Халат был красный, шлепки оранжевые, и точь-в-точь такого же цвета оказались волосы хозяйки, которые она собрала в небрежный пучок на макушке.

— Здрасте. Вы Альбина Иосифовна? Я Барашкова, из агентства недвижимости, а это клиентка, Степанида, — представила нас друг другу Оксана.

— Очень, очень, очень приятно! — выпалила красно-оранжевая дама. — Туфли вот сюда поставьте. Паркет раритетный, дубовый, жалко его затаптывать. Сейчас тапки дам. Вот, прошу...

Я посмотрела на замызганную, потерявшую товарный вид обувь и быстро сказала:

— Большое спасибо. Я привыкла ходить без тапок.

— Но вы же мне пол пятками поцарапаете! — возмутилась Альбина Иосифовна.

Я обомлела от ее замечания. Но потом послушно сунула ступни в ужасные онучи из ковровой ткани, успокоив себя: после осмотра квартиры первым делом забегу в ближайший магазин, куплю новые колготки и моментально переоденусь.

— Начнем с кухни! — предложила хозяйка. — Налево по коридорчику, еще поворот, а вот и она. Роскошное место для приготовления пищи, пять метров.

— М-м-м, — пробормотала Оксана, — похоже, что меньше.

Альбина Иосифовна уперла руки в бедра, наклонила голову и грозно спросила:

— Кто у нас владелец? Я своими руками каждый миллиметр площади перещупала. Тут четыре семьдесят восемь.

— Только что вы говорили: пять, — попыталась поймать на лжи хозяйку пентхауса риелтор.

Та похлопала ладонью по подоконнику.

— Доска особой широкости, сделана по спецзаказу на лесопилке, где для президента мебель сколачивают. Если ее снять, будет ровнехонько пять метров. Осмотрите шкафы. Они из карельского кедра, нынче подчистую вырубленного. Я их оставлю, не увезу с собой.

— Зачем они вам? — тут же отреагировала Оксана. — Выполнены под размер этой кухни, форма причудливая, больше никуда не влезут.

— Это авторская работа, — повысила голос яркая дама, — с ручками из рогов мамонта.

Мне стало смешно.

— Впервые слышу, что в Карелии растет кедр. Думала, этот край знаменит своей березой, которую и в самом деле вырубили. И у предков слонов не было рогов.

— Ты в школе училась? — надулась хозяйка. — Картинку из учебника вспомни. Что у мамонтов по бокам хобота торчит?

— Бивни, — ответила я.

Альбина Иосифовна скривилась.

— Бивнями называют ноги.

— Нет, клыки, — возразила я. — То есть они не совсем клыки, поэтому и бивни.

— Бивни — это лапы! — повысила голос хозяйка квартиры.

— Клыки, — уперлась я. — Вернее...

— Рога! — быстро сказала Альбина.

— Давайте двинемся дальше, — предложила Оксана. — Кухню уже обозрели, она очень маленькая.

— А зачем большая-то? — возмутилась владелица апартаментов. — Тут не ресторан.

— Плита одноконфорочная, — не сдалась риелтор, — я такую последний раз не помню когда видела. Их, по-моему, уж сто лет не выпускают. Подобные в малосемейках ставили при царе Горохе или в своих комнатах в коммуналках держали, хоть это и строго запрещалось.

— А зачем две нужны? — удивилась Альбина Иосифовна.

Оксана сложила руки на груди.

— Степанида молодая, выйдет замуж, родит детей, будет семье завтраки готовить: супругу кашу, ребятам сосиски. А конфорка одна! Вот и скандал назрел — кому сначала завтрак делать? Малышам в школу надо, мужику на работу.

Альбина почти вплотную подошла ко мне.

— Не фига никого баловать. Геркулес из пакетика в чашку вывалила, кипятком залила, размешала — и готово. И пусть муженек сам эту операцию проделает. Один раз подашь дураку хавку, он тебе «спасибо» скажет, во второй раз молча сожрет, а в третий на твою башку завтрак выльет, потому что ты его не с молниеносной скоростью приперла. Никогда ничего не делай для других, иначе превратишься в рабу. Попросит муженек жрать? Спокойно отвечай: «У меня аллергия на сковородки». А дети сосиски себе могут в чайнике сварить. Тебе вообще конфорка не понадобится, женщина должна блюсти фигуру. И чем больше кухня, тем толще цепь, которой хозяйка к плите прикована. Слушай меня, я плохого не посоветую, семь раз замуж выходила, и всегда удачно.

— Покажите нам ванную, — пробормотала я.

— Вторая дверь по коридору, — заулыбалась Альбина Иосифовна, — сюда, пожалуйста. Идите на носочках, паркет положен еще при Петре Первом, двери из массива баобаба.

— Который тоже растет в Карелии, — не выдержала я.

Владелица квартиры остановилась.

— Нет, баобаб из Африки. Ну какая же сейчас молодежь темная!

— Вы указали в объявлении, что в квартире сделан евроремонт, — пошла в атаку Оксана, — а теперь выясняется, что пол старый.

Хозяйка замерла, потом возмущенно завопила:

— Старый? Да он антикварный! И здесь работали евролюди, которые все тут делали — электричество проводили, газ, телефон. Гляньте быстренько на ванную, а потом я расскажу про квартиру. Она в Москве одна такая! Да что там в Москве, в России подобной не сыскать. И во всем мире тоже. Моя квартира уникальна, как Сикстинская капелла.

Альбина Иосифовна распахнула дверь.

— Любуйтесь. Второй такой не найдете.

Я втиснулась в узкое пространство и обмерла.

У правой стены я увидела нечто, отдаленно напоминающее ванну из металла медно-желтого цвета. Она стояла не на ножках, а на черном чугунном постаменте, в котором была решетчатая дверца. Раковина выполнена в той же манере, только она ýже, а подставка у нее значительно выше. Видели фильмы о Первой мировой войне? В них непременно были кадры, демонстрирующие, как замерзшие люди греют руки около печки под названием «буржуйка». Так вот, представьте цилиндр, в котором горит огонь, мысленно сверху приделайте раковину, и вот вам мойдодыр Альбины.

— Это что? — выдохнула ошарашенная Оксана.

Владелица уникальных квадратных метров снисходительно улыбнулась, присела на корточки и открыла дверцу под ванной.

— Это изобретение прапрапрадедушки моего бывшего мужа. Ведь горячего водоснабжения в конце восемнадцатого века не было.

Я прислонилась к стене санузла. Думаю, во времена, о которых вспомнила Альбина Иосифовна, в районе Филей рос густой лес и находилась деревенька, где в одна тысяча восемьсот двенадцатом году стояла изба Фроловых, в которой Михаил Кутузов с другими военачальниками решал, отдать ли Москву Наполеону. Даже сейчас в некоторых подмосковных селах люди ходят с ведром к колодцу, чего уж тут говорить о «горячем водоснабжении в конце восемнадцатого века».

— А помыться моему предку хотелось, — вещала тем временем владелица раритетной квартиры, — вот он и скреативил симбиоз печки с ванной. Вниз закладываются дрова, огонь нагревает воду — и пожалуйте купаться! С рукомойником та же карусель.

— Получится суп из человечины! — взвизгнула риелтор. — Если залезть в котел, подвешенный над костром, сваришься в один момент.

Альбина Иосифовна зацокала языком.

— От вас-то такой глупости услышать не ожидала. Зачем же забираться в кипяток? Подогрели водичку до нужной температуры, потушили печь и мойтесь. Пользоваться дровами перестали в конце пятидесятых прошлого века. Но понимаете, как это удобно?

— Нет, — пошла вразнос Оксана, — ничего удобного тут не наблюдается!

Хозяйка укоризненно посмотрела на покрасневшего агента по торговле недвижимостью.

— Милочка, вам надо научиться мыслить глобально, видеть корень вещей. Да, сейчас ТЭЦ работают. А вдруг перестанут? Вдруг на Земле грянет энергетический кризис? Его СМИ давно обещают. Что тогда? Вся Москва будет ходить грязная, вшивая, а вы из лесу дровишек припрете и купайтесь до посинения.

Глава 9

Две жилые комнаты оказались на удивление обычными — простые, квадратной формы. Потолок, правда, отделан лепниной, и на полу темнеет все тот же старый паркет, но мебель не представляет никакого интереса, а хрустальные люстры, как близнецы, походят на те, что украшали номера в проданной гостинице Белки.

— А где ваш обещанный пентхаус? — сердито спросила Оксана, когда мы вышли из второй комнаты.

Альбина Иосифовна, вздернув подбородок, прошагала до конца коридора, нажала на кнопку — и часть стены отъехала в сторону. За ней обнаружилась узкая деревянная лестница.

— Иди вперед, — предложила мне хозяйка. — Я человек честный, поэтому скажу сразу: пентхаусом не пользуюсь.

— Неужели он еще ужаснее, чем ванная? — съязвила Оксана. — Что прапрапрадедушка там соорудил? В каменном веке изобрел подогрев паркета? Разворачивайся, Степа, мы уходим. Спасибо, мадам, но ваша квартира...

— Все-таки я посмотрю третью комнату, — перебила я риелтора и, быстро поднявшись по ступенькам, вошла в помещение, которое хозяйка именовала пентхаусом.

Дыхание у меня перехватило.

Год назад, когда я была в командировке в Нью-Йорке, меня пригласили на вечеринку, которую устраивал модный фотограф Карл Фишбахер. Очутившись в его студии, я замерла. Огромная стометровая гостиная будто бы парила над городом, и у меня на пороге создалось впечатление, что я птица, которая планирует, широко раскрыв крылья. Чуть не задохнувшись от восторга, я приблизилась к стеклянным стенам-окнам и глянула вниз. Там, далеко-далеко, горели огни, ехали машины, суетились крохотные люди. Помнится, я села в кресло и подумала: «Вот она, квартира моей мечты, место, где я смогу ощущать себя свободной, ни от кого не зависящей птицей. Но у меня никогда такой не будет. Мне не доведется обитать на сто пятом этаже небоскреба, потому что за всю жизнь я не заработаю денег на приобретение такой студии. Моя судьба — мотаться по квартирам с тоскливыми пластиковыми окнами и слушать, как соседи наверху дерутся, а семья, живущая этажом ниже, воспитывает многочисленных детей».

И вот сейчас я очутилась в комнате, которая выглядела уменьшенной копией жилища Фишбахера. Реальность исчезла, у меня появилось ощущение невероятного, ни разу ранее не испытанного счастья.

Оксана и Альбина вели разговор, но их голоса доносились до моего слуха, словно сквозь толстый слой ваты.

— В этом помещении невозможно жить!

— Я бесхитростный человек, поэтому сразу предупредила: сама в пентхаус не заглядываю. Здесь у меня начинается тошнота.

— Кому пришла в голову идея вместо нормальных стен сделать сплошное стекло?

— Прапрапрадедушка моего мужа, дворянин Захарьин, слыл чудаком. Он учился в Италии на архитектора, вернувшись в Россию, женился на девушке из купеческого очень богатого рода и решил сам построить дом для своей семьи. Тесть, увидев проект, нарисованный зятем, испугался: «Ты, батенька, неумное дело замыслил. Выбрось скорей эти бумажки и ставь добротное здание для жены и сына». Однако Захарьин уперся, дескать, желает создать нечто необыкновенное. Тогда тесть заявил: «Ладно, строй, что на ум взбрело, но — на свой капитал. А я дочери и внуку сам обитель сооружу». И тесть поставил особняк, куда въехала его дочь с малышом. Захарьин возводил свой дом пятьдесят лет, потом все улучшал его, переоборудовал. Прожил он очень долго, ушел на тот свет глубоким стариком. Сын его материнское имение в карты спустил. Жена игрока бросилась к государю просить защиты, и Николай Первый, тогдашний царь, запретил младшему Захарьину за зеленое сукно садиться, велел ему переехать в дом, сооруженный отцом-зодчим. Вот с той поры семья тут и живет, никогда другие люди в этом доме не селились. На сегодняшний день здесь прописаны я, мой бывший муж Николай и его мать, оба на голову больные. Но, надо признать, место для дома Захарьин выбрал идеальное — на холме, вся округа как на ладони. И даже сейчас, когда в Москве свободного пятачка не осталось, на каж-

дом лоскуте земли по торговому центру поставили, возле дома сумасшедшего архитектора ничего
не строят, потому что под землей вокруг холма
течет большая река. Говорят, игрок, сын архитектора, очень мучился, что ему на карты запрет положен, вот и соорудил подземный ход, который
вел в соседнюю деревню, и ходил тайком в трак-
тир в простого мужика переодетым, и там в дурака
играл с чернью. Но это враки. А еще утверждают,
что все мужчины рода Захарьиных были прокляты
в семнадцатом году ведьмой. Вот в это я верю...

Послышался скрежещущий звук, потом скрип,
треск, натужный лай, затем гигантская кошка начала драть когтями дерево: ззз-жжж-тши-крак,
крак, гав-гав-гав, пст-пст-пст-фух-фух.

— Обалдеть! — хором простонали тетки.

Через минуту они снова принялись бубнить,
но я перестала их слушать, закрыла глаза и ощутила, как за спиной разворачиваются два огромных
могучих крыла. В лицо подул ветер, ноги легко от-
толкнулись от пола, руки раскинулись в стороны,
и я полетела над облаками, чувствуя себя свободной и счастливой...

Внезапно приятный ветерок исчез, в нос ударил отвратительный смрад. Я вскрикнула, стук-
нулась пятками о пол, крылья отвалились, в уши
впился противный голос Оксаны: «Деточка, тебе
плохо?» — и мои глаза открылись.

Риелтор стояла рядом, сжимая в пальцах кло-
чок ваты. Через секунду белый комочек очутился
около моего носа.

— Вдохни скорей еще разок, — приказала Альбина Иосифовна, маячившая неподалеку, — нашатырный спирт хорошо мозг прочищает.

Я шарахнулась в сторону.

— Не надо.

— Ты так побледнела, — испуганно произнесла Оксана. — И глаза закатила. Я уж подумала, сейчас Степа в обморок грохнется.

— Не продать мне эту жилплощадь никогда! — с отчаянием воскликнула Альбина Иосифовна. — Устала предлагать. Из десяти человек восемь убегают, увидев кухню, девятый сматывается, поглядев на ванную, а последний испаряется, едва сюда заглянет. Ну за что мне это горе? Дура я, дура! Имела нормальную двушку в Чертанове, жила прекрасно, так угораздило за Николая замуж выйти, свою квартиру продать, а на вырученные деньги в этом доме ремонт сделать. Теперь вот маюсь. По решению суда Николай отдал мне половину здания, я по закону двумя этажами владею. А толку? Цену ниже плинтуса опустила, но...

Жалобы Альбины прервали уже знакомые звуки — ззз-жжж, тши, крак-крак, гав-гав, пст-пст-пст, фух-фух.

Хозяйка схватилась пальцами за виски.

— Сил моих больше нет все это терпеть! У собаки и бабки недержание, они безостановочно в чертовой корзинке катаются и на разные голоса лают. С шести утра до полуночи такое веселье.

— Старушка тоже ходит писать на улицу? — задала восхитительный вопрос Оксана. — В другой половине дома унитаза нет? Он вам вместе с ванной достался?

— Все там есть, — всхлипнула владелица пентхауса, — гадить только Магда вниз мотается. А у Несси другая беда — вечно за покупками носится.

— Здесь еще и Лохнесское чудовище живет? — окончательно потеряла способность соображать Оксана.

— Мою бывшую свекровь зовут Агнесса Эдуардовна, — уже почти рыдала хозяйка, — но для своих она просто Несси. И поверьте, монстр из озера — ребенок по сравнению со своей московской тезкой. А Базилио? Тот вообще ведь без крыши!

— Базилио? — повторила Оксана. — Кот?

— К сожалению, человек, — огрызнулась Альбина Иосифовна. — Сын Николая от первого, глупого брака. Мальчишку нарекли Василием, однако Несси прикидывается аристократкой, постоянно французские слова употребляет и внучка́ иначе как Базиль не кличет. А тот — безумный дровосек из книги про Алису.

Я потрясла головой.

— Там есть шляпник. Дровосек герой другой сказки — про Красную Шапочку.

— Вы говорили, что в доме прописаны трое, — напомнила риелтор. — Откуда Базилио? Он четвертый получается.

— Парень тут просто живет, — залопотала хозяйка, — зарегистрирован в другом месте.

Оксана схватила меня за руку.

— Пошли, дорогая. Спасибо, Альбина Иосифовна, у вас прелестная квартирка, но нам она не подходит. Далеко от места, где Степанида работает, расположена. И Кремль, как вы обещали, из окон не виден.

— Если в бинокль посмотреть, то прекрасно Спасскую башню разглядите, — в последней надежде засуетилась Альбина. — Сейчас принесу его, и полюбуетесь.

— Мерси, не надо, — отрезала Оксана, — мы уходим.

— Нет, — сказала я, — хочу эту квартиру.

— С ума сошла? — попятилась риелтор. — Нет моего согласия на такую глупость! У меня есть еще один адрес — кирпичный дом на улице Алабяна. Не самый центр, но все как у людей: две комнаты, кухня, лоджия, мусоропровод на лестнице.

— Нет, хочу именно эту квартиру, — повторила я.

Красно-оранжевая дама воздела руки к потолку.

— Господи, ты услышал мои молитвы...

— Запрещаю идиотничать! — топнула ногой Оксана. — Иначе пожалуюсь Дмитрию!

Я посмотрела на Альбину Иосифовну.

— Давайте оформлять сделку. Я готова оставить задаток.

Следующие десять минут мы с хозяйкой договаривались о дальнейших действиях под аккомпанемент причитаний Оксаны. В конце концов агентша позвонила Белке и принялась гневно рассказывать о моем, на ее взгляд, идиотском поведении. Я прекрасно знала, что тетка услышала в ответ от бабули, поэтому, не испытывая ни малейшего беспокойства, спустилась по лестнице и двинулась на улицу, сопровождаемая злой Оксаной.

Я нашла свою квартиру. И плевать мне на ванну, которую нужно топить дровами, и на кухню, где придется варить детям сосиски в чайнике. Вообще-то у меня нет малышей, и в ближайшие лет десять я не планирую обзаводиться потомством, а сосиски вредны, лучше завтракать геркулесом, который можно залить кипятком.

* * *

Пообещав мне поставить на ноги всю родню, дабы не позволить совершить безумную сделку, и обронив на прощание: «Дима женился на легкомысленной особе, которая совершенно не желает повлиять на свою внучку. Но мы, конечно, не допустим подобную глупость», — Оксана исчезла в вестибюле ближайшей станции метро.

Я не хотела столкнуться с ней на платформе и заново выслушивать упреки, поэтому подождала минут пять и тоже спустилась в подземку. Признаюсь, терпеть не могу этот вид транспорта, но пользоваться им удобнее, чем брать такси. В Москве постоянные пробки, если не желаешь терять время в тупом стоянии на шоссе, садись в вагон и лети по тоннелю без задержек. Да, в метро отвратительно пахнет, там либо душно, либо ужасные сквозняки, много малоприятных личностей, зато какая экономия времени! Конечно, в автомобиле комфортнее, но вся изведешься, пока он проедет за час триста метров по Садовому кольцу. Вот и выбирай, что лучше.

А сейчас я надеюсь успеть на рынок — забежать в магазинчик, торгующий телефонами, и спросить у хозяина, не находил ли он мой браслет.

Понятное дело, Белка, узнав, что я потеряла ее подарок, непременно воскликнет:

«Ерунда, забудь о пустяке!»

Но все равно бабуле будет обидно. А мне совсем не хочется доставлять ей отрицательные эмоции.

Глава 10

Отлично помня, что лавчонка с мобильниками находится неподалеку от тату-салона, где мастер сделал Надюше креативный пирсинг, я быстро прошла по правой аллее и остановилась. Нос уловил резкий запах гари, я увидела огромную лужу и черные развалины на месте будки, где утром я купила за сто рублей украденный телефон. Из близлежащих торговых точек высыпал народ и жался в сторонке. Я узнала среди зевак татуировщика Вадима, подошла к нему сзади и сказала:

— Привет. Что случилось?

— Слепая, да? — не оборачиваясь, буркнул тот. — Пожар тушили. — Потом он все же соизволил посмотреть, кто к нему обратился, и сменил тон: — У твоей подруги что-то не так?

— С ней пока все нормально, — успокоила я Вадима, — а вот я сегодня потеряла браслет.

И почти на сто процентов уверена, что уронила его, когда покупала сотовый.

— Можешь проститься с безделушкой, — мрачно посоветовал татуировщик, — у Никитки все сгорело.

— А когда полыхнуло? — поинтересовалась я.

— Часа два назад, — влез в нашу беседу тощий парнишка. — Хорошо, что Никита сразу начал тушить, а то б и остальные пострадали. И чего он такой безответственный? У меня всегда на рабочем месте есть два огнетушителя.

— Заткнись, Вовка, — процедил Вадим.

— Не ори на парня, — оборвала владельца тату-салона толстая тетка в пуховике, накинутом на темно-синий халат, — он дело говорит. Когда еще управляющий велел всем средства для пожаротушения купить... И ты, Вовчик, молодец, сразу прибежал и других на подмогу позвал, вот и обошлось малой кровью.

Я огляделась.

— А где Никита? Может, он до того, как несчастье случилось, успел подобрать мой браслет?

— О цацке волнуешься? — вдруг заорал Вадим. — Ступай в магазин, Никитка там на своем рабочем месте. Дура!

Выпалив оскорбления, мастер развернулся и быстрым шагом направился куда-то в сторону.

— На рабочем месте? — удивленно повторила я, делая движение к ларьку. — Там же один обгоревший остов остался.

Тетка схватила меня за рукав.

— Стой! Ну, Вадим... Совсем идиот! Не ходи туда.

— И не собиралась, — успокоила я ее. — А Никиту лучше на улицу позвать, пока ему крыша на голову не рухнула. Он, наверное, пытается товар спасти? Сомневаюсь, что телефоны уцелели.

Парень по имени Володя поежился.

— Никита умер. Задохнулся в дыму. Может, правда хотел мобильники вытащить? Он своего отца, которому точка принадлежит, жуть как боялся.

— Ужас, — прошептала я, попятившись.

— Хорошего мало, — кивнула тетка.

— Я не знала, что при пожаре человек погиб, — пробормотала я, — поэтому про браслет и говорила.

— Не обращай внимания на Вадика, — сказала тетка в пуховике, — он тот еще хмырь. Думаешь, ему Никиту жаль? Ха! У них общий бизнес был. Вадьке гопники сотовые притаскивали, а он их Никитке сплавлял. Сам, хитрый, краденое не толкал, дурачку-приятелю роль продавца отвел. Если кто торгаша за лапу схватит, а тот с испугу на него укажет, Вадька, не нервничая, ответит: «Вранье, я ничего о мобильниках не слышал. Я наколки набиваю». А сейчас погорел его бизнес, и Вадим из-за денег дергается. Надо сказать, совсем Никита в последнее время обнаглел. Мне для внучки трубка понадобилась дешевенькая, попросила у него, и он за две сотни бэушный сотовый продал. Я его включила, а там симка чужая. Вот до чего дошел, даже карточку не выбрасывал!

— На него пацанчики работали, — вклинился в беседу Володя, — маленькие совсем, лет по восемь-девять. На них народ внимания не обращает, а они из сумок да карманов мобилы тырили и Никите тащили. Он им по десять рублей с трубки платил. Еще у покойников телефоны забирали. Но это Вадька организовывал.

— Не придумывай, — строго сказала женщина.

— Честное слово, Валентина Сергеевна! Чтоб мне прямо сейчас сквозь землю провалиться! — поклялся Володя. — По две сотни такие аппараты идут.

— Зачем покойнику телефон? — отмахнулась тетка.

— Не нужен, конечно, — согласился Владимир, — но родственники их в гроб кладут. Мода такая пошла — хоронят человека в одежде и в карман трубку засовывают.

— Совсем я от жизни отстала, — вздохнула Валентина Сергеевна.

— Вадик дружил с Лешкой, — продолжал выплескивать информацию парнишка, — а тот в крематории работает. Вот спускают к нему сверху жмурика...

— Избавь нас от подробностей! — поморщилась Валентина.

Но Владимир и не подумал замолчать.

— Представить не можете, какие дорогие аппараты Леха в гробах находит. Вот их Никитка не за две сотни продавал. А старые модели или в плохом состоянии, задешево сбрасывал.

Я наконец-то пришла в себя.

— Мне Никита продал хорошую трубку совсем недорого.

Володя прищурился и стал похож на ящерицу.

— Ему такие, как ты, нравились. Беленькая, худенькая, на каблуках!

Я медленно отступила назад. Потом развернулась и почти бегом бросилась к воротам. Выскочила на проспект, зашла в первое попавшееся кафе, заказала латте и спросила у официантки, своей одногодки:

— У вас не найдется универсальной зарядки для телефона?

Девушка приветливо улыбнулась.

— Для хороших клиентов, в особенности тех, кто внимательно читает текст в самом конце меню, у меня есть абсолютно все.

Я покосилась на листок, лежащий на столике. «Вознаграждение служащим не является обязательным, оно на ваше усмотрение», — гласили последние строчки. Подавальщица продолжала стоять без движения.

Я вынула кошелек и вытащила купюру.

— Сейчас принесу! — обрадовалась девушка. — Розетка в стене, позади вас.

Спустя десять минут, выпив кофе и съев пару печений, я включила чужой телефон, отказалась от услуги «поиск контакта», нажала на кнопку и случайно попала в раздел «фото», где было много снимков. Вечно я попадаю пальцем не туда! Пришлось повторить действие. На сей раз мне удалось открыть телефонную книжку. Я начала ее изучать. Первым в списке значился Андрей. Нет, ему звонить я не стану, хватит того, что сегодня утром я перепутала его с ювелиром Петровым, решила, что он с похмелья ничего не помнит о вчерашних подвигах, и глупо разыграла его. Кто там дальше? А никого нет, кроме Дашеньки. Я нажала на кнопку. Вероятно, это лучшая подруга той, у кого утащили трубку.

— Алло, — откликнулся испуганный голос. — Кто это? Кто здесь? Кто?

— Здравствуйте, — произнесла я.

— Кто звонит? — продолжала допытываться девушка.

— Меня зовут Степанида Козлова, — представилась я, — работаю визажистом в фирме «Бак».

— Откуда у вас этот телефон? — донесся из трубки взволнованный вопрос.

— Простите, вы Даша? — спросила я вместо ответа.

— Да, — вдруг прошептала девушка, — Дарья Мамонтова.

Я рассказала, где взяла сотовый, и завершила повествование фразой:

— Как я понимаю, у вас сейчас определился номер? Можете сказать, кому он принадлежит? В трубке много фотографий, вероятно, ее владелица переживает, что лишилась их.

— Снимки? — переспросила Даша. — Какие?

— Не смотрела их, — ответила я. — Ведь неприлично без согласия владельца рыться в альбоме.

— Ее звали Ира Куликова, — выдохнула Мамонтова. — Она недавно умерла.

Я онемела. А Даша продолжала:

— Она была моей лучшей подругой. Мы ее похоронили. Я не понимаю, как телефон Ириши оказался у вас. За день до смерти она мне из дома позвонила очень расстроенная. Рассказала, что пошла на рынок, хотела что-то купить, вышла из магазина, держа мобилу в руке, и тут ее какой-то идиот с ног сбил. Знаете, как люди по рынку носятся — глаза выкатят и чешут, никого вокруг не замечая. Иришка упала, сотовый в сторону отлетел. Пока она поднималась, кто-то трубку уже спер.

У меня затряслись колени.

— Вы можете телефончик мне отдать? — жалобно попросила Даша. — Там наши общие фотки с Иришкой должны быть, мне их получить хочется.

— Конечно, — промямлила я.

— Вы сейчас где? — всхлипнула Мамонтова.

— В кафе на улице Алферова, — ответила я.

— Ой, я неподалеку работаю! — обрадовалась Даша. — Можете подождать минут двадцать? Клиентку обслужу и прибегу.

Глава 11

Я схватила со стола бумажную салфетку, завернула в нее трубку, сбегала в туалет, тщательно вымыла руки с мылом, вернулась за столик, вытащила айпад и открыла почту. Якименко человек очень аккуратный, и если что-то пообещал, то непременно выполнит. Вот и сейчас, пожалуйста, письмо уже на месте, я могу узнать, что случилось с мамой Нади Барашковой.

Елена Борисовна на своей иномарке где-то в районе полуночи ехала по Чапаевскому проезду. Дело было в конце ноября, и, наверное, стояла отвратительная погода, что типично для этого времени года. Она превысила скорость и сбила молодую женщину, некую Сусанну Вайнштейн, сотрудницу агентства рекламы «Кадр».

Несчастье случилось на глазах у Тамары Николаевны Степановой, которая курила на балконе своей квартиры, расположенной на четвертом этаже дома, выходящего окнами на проезжую часть. Степанова медик. Более того — врач «Скорой помощи». Она не раз сталкивалась с жертвами дорожно-транспортных происшествий, поэтому сохранила хладнокровие. Тамара немедленно вызвала своих коллег, схватила «тревожный чемоданчик» и поспешила на улицу. С момента, когда машина сбила Вайнштейн, и до того, как врач добежала до тела, прошло минут десять, может, чуть больше — некоторое время ушло на телефонный звонок в «Скорую», поиск лекарств и спуск по лестнице, так как лифта в пятиэтажке нет. А еще в подъезде железная дверь, очень тяжелая и с неудобной ручкой. Степанова потянула створку, не удержала, и та с оглушительным стуком захлопнулась, больно ударив ее по пальцам. Тамара Николаевна пару минут дула на них и вытирала выступившие на глазах слезы. Когда она оказалась около лежащей на мостовой пострадавшей, та уже была мертва.

Другая женщина лежала на тротуаре, голова ее находилась около переднего правого колеса машины. Пассажирская дверь была распахнута. Вероятно, водительница хотела удрать, но не смогла, потому что пребывала в состоянии наркотического опьянения. Тамара Николаевна, не раз приезжавшая на вызов к героинщикам, сразу поняла: женщина недавно укололась.

Вскоре прибыла «Скорая», затем милиция. Совершившую наезд забрали в отделение, труп увезли в морг, Степанова отправилась домой.

Следователь, к которому попало дело, не испытал никаких трудностей в работе. Он довольно быстро выяснил, что Алена Барашкова (так звали виновницу ДТП) на момент происшествия была сотрудницей агентства «Кадр», но ранее работала на канале «Новости Сорок Один» репортером, часто ездила в командировки, в основном по «горячим точкам». Война не женское дело, но на телевидении нет полового различия между корреспондентами, в особенности если они занимаются новостями. Алена мечтала сделать головокружительную карьеру, поэтому хваталась за любые, подчас очень опасные задания, жертвовала отдыхом, сном, забывала о семье. А в конце концов подсела на наркотики, начала с кокаина, который нюхала, чтобы прогнать усталость, затем переключилась на героин.

Коллеги относились к Алене с пониманием, прикрывали ее, сколько могли, от начальства, но рано или поздно правда всегда вылезает наружу, и Барашкову уволили. Хозяин канала не хотел шума и, наверное, тоже сочувствовал ей, поэтому в трудовой книжке журналистки написали, что она ушла по собственному желанию.

— Вылечишься, возьму назад, — пообещал шеф ей на прощание.

Тут надо отметить, что семья не бросила Алену. Леонид не стал оформлять развод, а определил супругу в частную клинику. Барашкова провела там несколько месяцев, и ее вновь приняли в штат канала «Новости Сорок Один». И все повторилось. Около полугода Елена Борисовна летала из страны в страну, потом снова начала колоться.

Дальнейшая ее судьба — бесконечный день сурка. Выход из больницы, короткий промежуток нормального существования, устройство на работу в какое-нибудь третьесортное место, пара недель здоровой жизни, поход к дилеру, наркотический запой, клиника — и все по новой. Слухи о том, что Алена наркоманка, быстро распространились в мире телевидения, и ее не хотели брать ни на один канал. Барашкова была вынуждена согласиться писать тексты для малотиражных газет, потом переключилась на непопулярные интернет-издания, короче, скатывалась все ниже и ниже. Оставалось лишь удивляться терпению Леонида, который все пытался образумить супругу.

Так продолжалось не один год. А потом Алена вдруг выздоровела. На момент аварии она восемнадцать месяцев не прикасалась к героину, работала в рекламном агентстве «Кадр» и вроде взялась за ум. Незадолго до трагедии Алена справляла день рождения, и муж подарил ей крохотную малолитражку. Это выглядело как признание ее нормальным человеком.

То, что она снова потянулась к наркотикам, да еще задавила насмерть человека, стало тяжелым ударом для Леонида. Он подал на развод и очень быстро получил его. Алену судили уже под ее девичьей фамилией Клепикова. Семья отвернулась от бывшей журналистки, даже не наняла ей адвоката, защитника убийце Сусанны Вайнштейн предоставило государство. Елена Борисовна получила пять лет и отправилась на зону.

В письме, присланном Якименко, были сведения и о том, как вела себя Клепикова в заключении.

В первый год Алена заработала славу бунтарки. Она дралась по каждому поводу, часто сидела в карцере, несколько раз оказывалась в так называемом БУРе, а потом предприняла попытку побега, за которую ей увеличили наказание. Еще через год Алена снова попробовала сбежать, и опять неудачно.

Непокорную зэчку перевели на другую зону, срок заключения увеличился. Дело Клепиковой было отмечено цветными полосами, при взгляде на которые охрана сразу понимала: женщина склонна к побегу, может напасть на конвой, легко вступает в драку с другими заключенными. Алену боялись, с ней предпочитали не связываться.

За все время пребывания в заключении бывшая журналистка не получила с воли ни одной передачи, ни единого письма — родные навсегда вычеркнули ее из своей жизни. Начальство колонии считало Елену Борисовну неисправимой. Клепиковой нечего было даже думать об условно-досрочном освобождении.

Но все неожиданно изменилось, когда на зону стал приезжать священник, отец Иоанн. Агрессивная, безбашенная Алена притихла, перестала бузить, начала хорошо работать, более не дралась, не пыталась бежать, превратилась в образцово-показательную заключенную. Одним словом — стала иным человеком. От нее перестали шарахаться, у Алены появились подруги, она вспомнила о своем журналистском образовании, редактировала местную газету и более не нарушала режим.

Пару месяцев назад Алена дежурила на кухне — чистила картошку. Повариха, вольнонаемная Клавдия Великанова, как раз собиралась загружать остатки обеда в огромный чан. На дне этой здоровенной емкости были острые ножи, которые перемалывали отбросы в пюре, шедшее потом на корм поросятам. Клавдия совершила оплошность — не отключила рубильное устройство от электричества. Она наклонила над чаном кастрюлю с объедками, увидела, что в перемалыватель упал неведомо как попавший в пищевые отходы нож. Тогда она отставила кастрюлю в сторону и запустила одну руку в миксер, чтобы вытащить нож, а второй оперлась о край устройства и случайно нажала на кнопку пуска. Винт, состоящий из острых лезвий, пришел в движение. Клавдия хотела отдернуть руку, но край ее одежды за что-то зацепился. Повариха закричала. Алена ринулась к ней на помощь. Но вместо того, чтобы отключить электричество, сунула руку в чан и что есть силы дернула ткань, мешавшую Клавдии освободиться. В результате вольнонаемная повариха осталась цела и невредима, а Клепиковой отрезало левую кисть.

В санчасти колонии не было ни хороших условий, ни опытных врачей. Но начальник зоны проявил христианское милосердие, нарушил гору служебных инструкций, и Алену на машине одного из сотрудников спешно доставили в московскую больницу, которая специализируется на микрохирургии. Кисть удачно пришили. Но спустя пару дней после операции у Алены по непонятной причине парализовало ноги, и сейчас она лежит в палате все той же клиники. Учитывая, что пострадавшей заключенной осталось досидеть считаные месяцы и она, вероятнее всего, останется инвалидом, начальство лагеря спешно ходатайствовало об ее досрочном освобождении. Ныне Клепикова вольный человек. Только куда направиться бедняге? У нее нет ни дома, ни работы, ни денег, ни здоровья. Доктора настроены пессимистично, полагают, что пациентка проведет остаток дней в инвалидном кресле. Учитывая эти обстоятель-

ства, Клепикову скорее всего отправят в дом престарелых, где она точно долго не протянет...

— Вы случайно не Степанида Козлова? — спро-
сили сбоку.

Я быстро закрыла айпад, подняла голову
и увидела полную брюнетку в ярко-красном пальто непонятно чьего производства, но усиленно
прикидывающемся творением известного модно-
го дома. Густые, очень красивые волосы девушки
были безжалостно изуродованы рукой парикма-
хера, который явно пытался повторить элегант-
ную асимметричную стрижку телеведущей Леры
Кудрявцевой, но потерпел полнейшее фиаско.
Пальцами с ужасающими пятисантиметровыми
акриловыми когтями Дарья сжимала фейковую
сумочку якобы от Луи Вюиттона, а про макияж
я лучше промолчу. Ну почему некоторые женщины не понимают, что на работу и на вечеринку надо краситься по-разному? И зачем они покупают подделки? Всем ведь ясно, что красотка,
едущая в метро, не может позволить себе сумку,
цена на которую стартует с двух тысяч евро. Лучше подобрать недорогой, но вполне приличный
аксессуар, не копирующий замысловатые брен-
ды. Поверьте, таких много! И с этими вещами вы
не будете выглядеть смешно.

— Я сразу поняла, что это ты, — немедленно
перешла на свойский тон Мамонтова. — Красивая
у тебя куртка. Чье производство?

— Понятия не имею, — честно ответила я. —
Купила на распродаже...

Окончание фразы «в магазине «Ле Бон Марше» в Париже» я благополучно проглотила, пару раз кашлянув. Потом протянула Даше сотовый. Мамонтова быстро развернула салфетку и прошептала:

— Офигеть! Прямо не верится. Иринка умерла, а телефончик вернулся.

— А что случилось с твоей подругой? — проявила я неуместное любопытство.

Мамонтова помолчала. Но через минуту сказала:

— Нам начальство объяснило, что Куликова от гриппа умерла. А на самом деле она делала маникюр и занесла инфекцию.

— Зачем руководству вам врать? — удивилась я.

Даша убрала мобильный в свою сумку.

— Через дорогу от этого кафе находится большой торговый центр. На первом этаже можно сделать экспресс-маникюр. Я там мастер, а Ирка рядом работала. Представляешь, что начнется, если народ узнает правду про Куликову? Все клиенты разбегутся! К нам много покупательниц ходит, но еще больше сотрудниц центра — продавщицы-кассиры, тетки из администрации. Им от нашего владельца скидка положена, вот и пользуются. Мы, перед тем как работать начать, на глазах у клиента мешочек с инструментами вскрываем, ну, чтобы человек видел — они одноразовые. Только их потом не выбрасывают, а собирают, моют и вновь по пакетикам раскладывают. Для постоянных пользователей у меня свой набор есть, я его тщательно стерилизую, но ради того, кто один раз мимо шел и решил заусенцы срезать, чего стараться?

— Неужели твоя подружка была так глупа, что сама воспользовалась грязным инструментом? — удивилась я.

— Нет, конечно! — возмутилась Даша. — Иринка дома руки в порядок приводила, поранилась. Думала, ерунда, а к утру палец разнесло. Она мне позвонила и попросила: «Скажи управляющей, что я грипп подцепила. Не хочу про травму говорить». Я все сделала и не беспокоилась, а на следующий день Ира умерла. Она к врачу вовремя не пошла, и только когда ей совсем плохо стало, соседка «Скорую» вызвала, но уже поздно оказалось. Я прям в шоке была! Нам о таких случаях на курсах рассказывали, но я думала, что нарочно пугают. Надо же, чего в жизни бывает... Спасибо тебе, что телефон вернула. Ладно, побегу назад, работы полно. Вот моя визитка, приходи, сделаю офигенный маникюр бесплатно.

Мне не хотелось обижать Дашу, поэтому я поблагодарила ее за любезное предложение и спрятала карточку в карман куртки.

Глава 12

На следующее утро, выйдя из дома, я увидела дорогой внедорожник, из окна которого высовывался мужчина лет тридцати.

— Девушка, — обрадовался он, — вы местная?

— В некотором роде да, — улыбнулась я.

— А где тут платная стоматологическая клиника? — простонал незнакомец.

— На улице Меншикова, — ответила я. — Вам надо доехать до перекрестка, у метро повернуть налево, а там совсем близко.

— А вы куда идете? — спросил шофер. — Может, покажете дорогу?

— Извините, я тороплюсь, — отказала я.

— Пожалуйста, не бойтесь, я не педофил! — заныл водитель.

Мне стало смешно.

— Я давно перестала представлять интерес для этих извращенцев.

— Вам, наверное, лет пятнадцать? — предположил незнакомец.

Неуклюжесть комплимента была видна за три километра, и я рассмеялась.

— Так сильно зуб болит?

— Сил нет! — признался шофер. — Ночь не спал. Меня зовут Филипп, и я не маньяк, честное слово.

— Ладно. Тут на самом деле ехать меньше двух минут, — согласилась я. И из вежливости назвала свое имя.

Когда мы остановились около дома с вывеской «Ваш зубной доктор», я вышла из джипа и хотела закрыть дверь.

— Степанида, — остановил меня Филипп, — вот... Ой, у тебя что-то упало, вроде серьга из уха.

Я, не успев взять свою сумку с сиденья, быстро нагнулась. Потом догадалась пощупать мочки, поняла, что пуссеты на месте, и выпрямилась.

— Ты ошибся.

— Извини, пожалуйста, — смутился Филипп и подал мне мою кожаную торбочку. — Наверное, мне показалось. Вот, возьми визитку. Я не спрашиваю твой телефон, даю свой, если захочешь, звони в любой час. Ты потратила на меня свое время, я обязан угостить тебя чашечкой кофе.

— Очень мило, — засмеялась я, — в ответ на мою любезность ты предлагаешь мне еще раз потратить на тебя время.

Парень покраснел и выпалил:

— Я не женат. И девушки постоянной у меня нет.

— Желаю тебе побыстрее обзавестись невестой, — ответила я. — Отправляйся лечить зубы, женщины не любят кавалеров с больными зубами.

— Не возьмешь визитку? — расстроился Филипп.

— Нет, — решительно отвергла я предложение, — у меня нет времени на походы в кафе.

— Ну, пожалуйста! — попросил водитель. — Вдруг передумаешь?

Я выхватила из его пальцев глянцевый прямоугольник, положила в сумочку и, помахав на прощание рукой, поспешила к метро.

Некоторые парни считают, что, обзаведясь дорогим джипом, стали прекрасными принцами, и к их ногам непременно должна упасть любая девушка. И действительно, полно дурочек, для которых навороченная иномарка — показатель успешности и богатства, а ее владелец кажется им завидным женихом. Но я-то понимаю, что в наши дни тачка стоимостью в сто тысяч долларов в большинстве случаев свидетельствует лишь о том, какой кредит выплачивает банку обладатель покрытого краской железа.

Кафе, где мне предложила встретиться Полина, было скорее дешевой забегаловкой, где посетителей угощали клеклыми булками и гамбургерами. Несколько минут у нас с Дородновой ушло на церемонию представления, потом она вдруг сказала:

— Не похожа ты на мать. Она сейчас совсем седая.

— Вы предполагали увидеть девушку с седыми волосами? — фыркнула я.

— И рост не тот, — не обратив внимания на мое ехидное замечание, продолжала Дороднова. — Алена говорила, ты очень высокая.

— Мать не видела меня много лет, — отправила я мяч на половину противника. — Она не один год провела на зоне, но и до того, как она сбила человека, мы слишком часто не встречались, меня отправили в школу в Англию. Я прежде считала, что родители дают мне возможность в совершенстве овладеть иностранными языками, но теперь сообразила: отец не желал, чтобы я знала о пристрастии матери к наркотикам.

— Алена мне рассказывала, что ты родилась длиной пятьдесят восемь сантиметров, в год выглядела на четыре, так вытянулась, — перебила меня Полина.

Я засмеялась.

— Приятно, когда мать помнит, каким был ее ребенок в нежном возрасте, только жаль, что она не может поведать о школьных и институтских годах дочурки. Что вам надо? Денег?

— Мне лично ничего не нужно, — оскорбилась Полина. — А вот Алене не хватает одежды, лекарств, еды качественной, и неплохо бы ей из бесплатной больницы в хороший центр переехать. Одна медсестра шепнула мне, что Аленку можно на ноги поставить, но там, где она сейчас находится, врачи убогие.

— У меня встречное предложение, — теперь я перебила собеседницу. — Вы навсегда забываете мой телефон, и тогда я не рассказываю отцу, с кем встречалась. В противном случае вы опять попадете на зону за мошенничество.

— Экая ты сука, — покачала головой Дороднова. — Не обо мне речь, о твоей матери!

— Навряд ли Елену Борисовну можно таковой считать, — ответила я, вставая. — Когда я была крошкой, мама строила карьеру, не думала о дочке, затем счастьем для нее стали наркотики, которые в конце концов сделали ее убийцей. Если вы действительно намерены помочь своей подруге, обратитесь в благотворительные организации, а не к девушке, которая не помнит лица своей матери. Прощайте. Если еще раз мне позвоните, напишу заявление в полицию.

— Аленка никого не убивала, ее подставили! — воскликнула Дороднова.

— Ой, даже не смешно, — мрачно буркнула я. — Сколько вас в бараке сидело? Сто человек? И какое количество из них говорило о своей невиновности? Девяносто девять?

Полина молитвенно сложила руки.

— Наденька, раз уж ты приехала, выслушай меня! Давай я тебя угощу.

Дороднова вытащила из потертой сумки вязаный кошелек и, выудив из него сложенную вчетверо сторублевку, заявила:

— Видишь, я совсем не попрошайка, при деньгах. Тут вкусный кофе варят.

Испытывая сильное желание уйти, я почему-то снова села на стул и уставилась на Полину.

— Эй, тащи нам два американо по-московски! — заорала бывшая заключенная. Потом понизила голос: — Спасибо, Надюша. Так вот, твоя мама отсидела срок за другого.

— Только не врите! — рассердилась я. — Момент наезда видела врач Тамара Николаевна Степанова, которая хотела оказать помощь пострадавшей Сусанне Вайнштейн, но поняла, что реанимация бесполезна. Никого, кроме трупа и Елены Клепиковой, тогда еще Барашковой, около иномарки не было.

— Откуда ты знаешь столько подробностей? — изумилась Дороднова.

— Маленькая, заброшенная мамой девочка превратилась в разумную девушку, у которой много друзей, — спокойно пояснила я. — Один из них работает следователем, он и дал мне почитать кое-какие документы по тому ДТП. Количество наркотика в организме Елены Борисовны зашкаливало, когда Степанова попыталась поговорить с ней, та даже глаз не открыла.

— Все правда, — зачастила Полина. — Но туфли!

— Вы о чем? — не поняла я.

— Вечерние, лаковые, на большом каблуке, с красной подошвой, дорогие новые лодочки, — затараторила Полина. — И они не того размера, что у Аленки! Велики ей!

— Извините, не понимаю, — остановила я ее.

— Сейчас разберешься, — пообещала Полина, — главное, слушай меня внимательно. Ладно?

— Ну, говорите, — не понимая почему, согласилась я.

...Кровати Клепиковой и Дородновой в бараке стояли почти впритык, их разделяла лишь узкая общая тумбочка. На многих зонах заключенные спят на двухэтажных нарах, но там, где отбывали срок Алена и Полина, были кровати, и женщины могли после отбоя пошептаться.

Клепикова не отрицала, что была наркоманкой, говорила соседке:

— Леня, мой бывший муж, очень хороший человек, да и свекор со свекровью нормальные люди. Попадись мне такая невестка, как я, взашей бы ее вытолкала и ребенка у героинщицы отсудила. Но Барашковы поступили иначе — отправили Надюшку в Англию, чтобы у девочки дурного примера перед глазами не было, а меня лечить принялись. Ох, сколько же они на мое лечение денег и сил потратили! А я на них злилась, кричала: «Отстаньте! Моя жизнь, не ваша!» Проведут мне детокс-процедуры, домой отпустят. Я неделю по квартире шарахаюсь сама не своя, потому что не умею без дела сидеть. Ну и начинаю ныть: «Устройте на работу». Леня изловчится, найдет место. Я на службу выйду, погляжу на тамошнюю убогость, на шефа тупого, коллег-идиотов — и в депрессию впадаю. Я, Алена Барашкова, которая по всему миру летала, репортажи новостные в таких местах делала, о которых вся эта шелупонь и не слышала, теперь должна писать про то, как три пенсионера во дворе своего дома песочницу для детишек построили? Дней десять я с депрессухой один на один боролась, а потом не выдерживала и к дилеру шла. Так по новой со шприцем дружбу и заводила.

Но Леонид не оставлял надежды избавить супругу от наркозависимости и в конце концов нашел врача, который за очень большие деньги провел какую-то особую процедуру очистки крови. Это помогло. Алена преобразилась, более не прикасалась к героину. Барашков устроил жену в рекламное агентство «Кадр», где никто не знал подробностей биографии новой сотрудницы, к ней там хорошо относились.

На момент, когда случилась трагедия, Елена Борисовна довольно долго не употребляла героин, и у нее даже появилась собственная машина. В конце ноября «Кадр» отмечал юбилей. Всех сотрудников, включая уборщиц, охрану, шоферов и прочую «черную кость», хозяин пригласил в клуб «Буль», находившийся в парке возле кинотеатра «Ленинград». Владелец фирмы не поскупился — еды на столах было навалом, культурная программа оказалась превосходной, а вот спиртные напитки на вечеринке отсутствовали. Босс рекламной конторы ярый противник алкоголя, и все служащие прекрасно знали: хочешь быть уволеным в одночасье — попадись Исааку Ройзману навеселе, и разом лишишься прекрасного оклада вкупе со сладким соцпакетом.

В разгар праздника Елена Борисовна выпила стакан сока, тот показался ей немного странным на вкус. Она не прислушалась к своим ощущениям, однако вскоре ее потянуло в сон, перед глазами замелькали черные мухи. Дальнейшее помнилось смутно. Как будто Алену укусила оса. Затем она обнаружила себя сидящей в машине, и вроде автомобиль поехал. Но вдруг резко остановился, некая сила вытолкнула Барашкову наружу. Далее воспоминания превращаются совсем уж в несвязанные обрывки: холодно... мокро... Кто-то кричит... шум, грохот, омерзительный запах... И тишина.

Очнулась Алена в холодной комнате без мебели и окон. Она была по-прежнему одета в темно-зеленое шелковое платье, в котором пошла на вечеринку. Вот только оно потеряло праздничный вид, было покрыто грязью, измято, местами разорвано. Колготки и вовсе превратились в лохмотья. Но самым большим сюрпризом стали туфли. На полу небрежно валялись ярко-розовые, все в стразах лодочки с красной подошвой.

Не успела Барашкова прийти в себя и сообразить, что находится в камере предварительного заключения, как появился мрачноватого вида милиционер и велел:

— Надевай чапки, пошли.

— Куда? — испугалась Алена. А потом догадалась спросить: — Почему я тут?

— Там объяснят, — строго ответил сержант. — Обувайся.

— Это не моя обувь, — возразила Алена.

— А чья? Папы римского? Не выдрючивайся, не в том ты положении, иди без кривляний, — мирно посоветовал стражник.

Но Барашкова, до того дня встречавшаяся с представителями правоохранительной системы исключительно как журналистка, уперлась:

— Смотрите, тут шпилька пятнадцать сантиметров, носок открытый. Я такую модель не ношу, предпочитаю маленький каблучок и закрытый нос.

— Мужику своему это рассказывай, — зевнул сержант.

— Платье у меня зеленое, разве к нему ярко-розовые туфли надевают? — не успокаивалась Алена. — Я пришла на вечеринку в лаковых черных балетках. Они, правда, тоже к наряду не подходят, но я подвернула накануне ногу, до сих пор болит...

— Лучше заткнись, — беззлобно перебил парень в форме.

— Да они мне велики! — привела самый главный аргумент задержанная. — Вон, с ног спадают. Пойду с вами и потеряю лодочки по дороге.

— Чтоб это было твоим самым большим несчастьем... — заржал сержант. — Не о том думаешь. Можешь хоть босиком шагать, мне однофигственно.

Глава 13

Дальше начался такой кошмар, что Алена разом позабыла про непонятно откуда взявшиеся туфли. К ней никто из родственников не приехал, из отделения ее отправили в СИЗО все в том же шелковом платье и спадающих с ног, совершенно не подходящих для слякотно-холодного ноября туфельках. Когда после нескольких часов ожидания в стаканоподобном помещении без какого-либо места для отдыха Алену наконец начали обыскивать, она разрыдалась.

— Раньше следовало сопли распускать, — буркнула охранница. А потом добавила: — Туфли у тебя хорошие. Дорогие?

— Да, очень известной фирмы, — шмыгая носом, пояснила Елена Борисовна, — обувь которой считается одной из самых престижных, ее отличительный признак красная подошва. Но они не мои.

— А чьи? — усмехнулась блондинка в форме.

— Не знаю, — пролепетала Алена. — Очнулась — балеток нет, на полу вот эти лодочки на шпильках валяются.

— Намучаешься ты с ними в камере, — неожиданно ласково заговорила сотрудница изолятора, — а в платье околеешь. Вели родственникам спортивный костюм и кроссовки принести.

— А как мне с мужем связаться? — спросила Барашкова.

Тетка понизила голос:

— Диктуй телефон, звякну тебе домой. Забесплатно. Из жалости.

— Спасибо, — прошептала Алена, — дай вам бог здоровья.

— А могу дать треники и обувь подходящую в обмен на твои лодочки, — продолжала охранница. — Туфли совсем новые, и как раз у моей дочери такой размер. Подарю ей на Новый год. По рукам?

— Конечно, — обрадовалась продрогшая до костей задержанная. И вскоре получила застиранные брюки, кофту и кеды далеко не первой свежести...

Полина прервала рассказ.

— Поняла?

— А что здесь непонятного? — пожала я плечами. — Алену поместили в камеру, когда она была в отключке. Очевидно, там находилась еще одна арестованная, которую увели. Она надела балетки Елены Борисовны и ушла в них.

Дороднова прищурилась.

— Не сходится! Они же ей по размеру не подошли бы. Алена, когда ее на зону определили, через некоторое время начала над этим думать. В крови у нее нашли героин. А откуда наркотик? Она год или больше чистой жила, работала в престижном месте, на иглу садиться не собиралась и в тот день точно не кололась. Кстати, почему ей от обычного сока не по себе стало, спать потянуло, а?

— Понятия не имею, — ответила я. — К чему все эти вопросы?

Полина стукнула кулаком по столу.

— А к тому, что ответы на них интересные! Алене кто-то в стакан снотворного подлил, потом в машину отволок, сам за руль сел и ту Вайнштейн сбил.

— Да, интересно, — протянула я, — жаль, в вашей истории смысла нет. Зачем какому-то злодею этот спектакль затевать?

Полина сдвинула брови.

— Мы долго с Аленкой все это перетирали, и знаешь, к какому выводу пришли? У ее мужа наверняка любовница была. Имени ее законная жена не знала, но по некоторым признакам догадывалась, что Леонид налево ходит.

— Не стоит его осуждать, — вздохнула я, — совместная жизнь с наркоманкой не пряник.

— Аленка скандалов не закатывала, — возразила Полина, — понимала, что виновата перед всеми: перед дочкой, супругом, его родителями. Однако надеялась, что удастся восстановить семью. Леня жену раньше крепко любил, но когда та курс очищения крови прошла и за ум взялась, он ее дома без особой радости встретил, перебрался в отдельную комнату, секса у них не было. Барашков часто на работе задерживался, с Аленкой, как с чужой, держался, вежливо, но на расстоянии. А потом, за неделю до той вечеринки, он приехал со службы взвинченный, коньяку тяпнул и налетел внезапно на Алену, все свои обиды ей выложил, мол, любил ее, а она ему в душу наплевала, ни в грош не ставила, наркотики ей милее всего были. Такой у них бурный разговор вышел! Целую ночь отношения выясняли. И знаешь, чем все завершилось? Они в одной постели очутились.

Рассказчица хихикнула. Затем, посерьезнев, продолжила:

— Уже утром Леонид сказал жене: «Давай попробуем еще раз семейную жизнь начать. У нас с тобой дочка подрастает, ради нее попытаемся снова вместе жить. Но учти, если еще раз к шприцу прикоснешься, я тебя из своей судьбы вычеркну, не жди ни помощи, ни поддержки». Алена мужу на шею кинулась, поклялась, что поумнела, и получилась у них медовая неделя. Супруг за ней вечером в агентство заезжал, потом вместе в ресторан шли или в кино. Секс, как в юности, каждый день. Так зачем ей собственное счастье рушить? Она от зависимости вылечилась, мечтала дочку увидеть. Свекор и свекровь в невесткино исправление сначала не верили, условие ей поставили: вот два года без наркотиков проживет, тогда согласие на приезд Надюши в Москву дадут. А теперь про туфли. Не Аленкины они! Знаешь, что мы с ней решили? Леонид любовнице о разрыве объявил, а та решила за свое счастье бороться. Угостила его жену соком со снотворным, потом вколола ей героин. То-то Алене в полубреду почудился укус осы...

Полина вытащила из сумочки пачку дешевых сигарет и принялась яростно чиркать зажигалкой.

— В принципе рассказанная вами история не кажется такой уж фантастичной, — нехотя признала я. — В нее даже можно поверить. Но ее конец! По-вашему, таинственная любовница договорилась с Вайнштейн, чтобы та бросилась под колеса иномарки? Сусанна должна была умереть ради того, чтобы Алену посадили за решетку? До такого идиотизма даже авторы детективов не додумаются.

Дороднова наконец закурила и с наслаждением затянулась.

— Нет, конечно. Наверное, та баба, любовница Леонида, собиралась доставить бесчувственную Алену на ее автомобиле во двор дома, может, разбить соседскую машину на парковке. Думала: народ милицию кликнет, шум поднимется, и все узнают, что жена Барашкова наркоманка. Тот тогда от супруги отвернется, а любовница его утешит. Но получилось еще лучше. Вайнштейн дорогу перебегала, водительница ее сшибла и поняла: вот он — чудесный шанс. Сама удрала, а Алену на месте происшествия бросила.

— Это не объясняет появление туфель, — протянула я.

— Совсем мышей не ловишь? — поморщилась Полина. — Дорогие лодочки принадлежали любовнице. Наверняка она тоже на той вечеринке была, потому что работала в агентстве «Кадр». Собравшись убежать, бабенка сообразила: в вечерней обуви ей далеко не уйти — каблук слишком высокий. Да и кто в ноябре в такой красоте по улицам рассекает?

— Тогда женщина стащила с Алены черные балетки, кое-как влезла в них, бросила свои шпильки и унеслась, — договорила я. — По-вашему, было так? Не самый умный поступок. Но, учитывая обстоятельства, возможный.

Дороднова фамильярно похлопала меня по руке.

— Молодец, включила голову. Теперь позаботишься о матери? Повторяю: ее подставили!

— Врач Степанова, свидетельница наезда, не видела, чтобы от машины кто-то отбегал, — возразила я.

Полина затушила окурок в пепельнице.

— А то она прямо не отрываясь на дорогу смотрела.

— Да, — кивнула я, — она как раз курила на балконе. Наезд случился на ее глазах. Хотя...

— Ну, ну, — поторопила Дороднова, — говори, чего сообразила?

Я нехотя продолжила:

— Тамара Николаевна пошла за чемоданчиком с лекарствами, потом поспешила на улицу. Секундочку, сейчас...

Я вытащила айпад, открыла почту и прочитала вслух:

— «Свидетельница взяла все необходимое для оказания первой помощи и проследовала на место происшествия. По словам Степановой, после того, как она покинула балкон, и до момента ее приближения к сбитой девушке прошло более десяти минут. Пострадавшая уже не дышала. На дороге не было никого, кроме трупа и женщины, чья личность была установлена прибывшими сотрудниками милиции как Елена Борисовна Барашкова. Гражданка Барашкова лежала на тротуаре с противоположной от водительского места стороны, головой по направлению движения. Передняя пассажирская дверь была нараспашку, дверца шофера закрыта. Степанова предположила, что в момент аварии водительницу выбросило из иномарки, и собралась оказать ей первую помощь. Уже при беглом осмотре Степановой стало ясно, что та находится в стадии глубокого наркотического опьянения, не реагирует на вопросы, не идет на контакт, не способна встать на ноги...»

— Эта Степанова не особо умная, — оценила выводы Тамары Николаевны Полина, когда я замолчала. — Если человека из тачки вышвыривает, он обычно через лобовое стекло вылетает и расшибается. Да и автомобиль тогда остается посреди дороги стоять. А он у тротуара находился, пассажирская дверь отворена. Понятно же! Никого никуда не выбрасывало, Алена сама вышла и упала, вот дверца и осталась открытой.

— Десять минут... — протянула задумчиво я. — Кажется, совсем короткий промежуток, но на самом деле его вполне могло хватить на то, чтобы взять чужие туфли, бросить свои и удрать. Тамара Николаевна не смотрела неотрывно на дорогу до приезда «Скорой» — она брала лекарства, спускалась из квартиры по лестнице.

— Ага! Я права! — обрадовалась Дороднова. Мне почему-то стало зябко.

— Повторите, что вы сказали.

— Ага, я права, — эхом откликнулась Полина.

— Нет, чуть раньше, — пробормотала я, — про дверцу машины.

— Она была открыта. И что? — не поняла Полина.

— Я читала протокол, но не обратила внимания, а сейчас, когда вы про это заговорили, сообразила. Пассажирская дверь нараспашку, а водительская захлопнута! — воскликнула я. — Мать лежит на тротуаре, с противоположной от проезжей части стороны. Она под действием большой дозы наркотика не могла ни говорить, ни двигаться. Давайте оставим в стороне вопрос, как она в таком состоянии умудрилась сесть за руль и управлять автомобилем. Но зачем Алене аккуратно закрывать дверцу, из которой она вышла, обходить иномарку, распахивать дверь пассажира, перед тем как она упала на тротуар? Моей матери очень плохо физически, она не владет собой, не понимает, что произошло, приходит в сознание почти через сутки и начинает задавать бестолковые вопросы: «Где я?» и «Что произошло?». По логике, иномарка должна была замереть на дороге, а Алена, сумевшая открыть дверцу и выпасть наружу, должна была остаться прямо на мостовой. У нее не хватило сил даже на то, чтобы сесть, она валялась в грязи. Ноябрь, холодно, она без пальто, ее поливает дождь. Но матери было все равно, наркотик лишил ее любых ощущений.

— А тачка аккуратно припаркована у тротуара! — закричала Полина. — Настоящий преступник, тот — или та! — кто убил Вайнштейн, сбежал, надев балетки Аленки. И что теперь делать?

— Странно, что милиционеры, занимавшиеся делом о наезде, не заметили этих нестыковок, — пробормотала я.

— Ты просто не знаешь, как ведут следствие, — махнула рукой Полина. — Тяп-ляп, и готово, лишь бы дело поскорей в суд отправить. Владелица машины, бывшая наркоманка, в момент ДТП оказалась под кайфом. Чего разбираться-то? Живехонько документы в папочку, и процент раскрываемости улучшен.

Из моей сумки донесся звонок мобильного, я взяла трубку и услышала приятный баритон:

— Степанида? Это Филипп. Ну, тот, у кого зубы болели. Ты потеряла в моей машине ежедневник. Небольшой такой, в коричневой кожаной обложке, она украшена большой буквой «Х».

— Логотип «Шанель», — растерянно уточнила я. — Мне книжку подарил в Париже один из сотрудников фирмы. Эй! Откуда тебе известен мой номер?

Филипп засмеялся.

— Следуя указаниям Шерлока Холмса, я применил метод дедукции. Я такими блокнотами не пользуюсь, и за последнюю неделю в моей машине никого постороннего, кроме тебя, не было. Открыл обложку найденной книжки, а там красивым почерком написано: Степанида Козлова, визажист фирмы «Бак». Далее указаны мобильный телефон, адрес магазина и номер комнаты, где надо искать растеряху, а также фраза: «Большая просьба вернуть за хорошее вознаграждение». Я готов отдать ежедневник, но требую награды. Вполне удовлетворюсь совместным обедом. Где ты находишься?

Я была так ошарашена звонком, что безо всяких колебаний сообщила адрес кафе.

— Прекрасно! — обрадовался Филипп. — Минут через пять подъеду. Кстати, в обложке ежедневника есть нечто вроде кармана, и там лежат чеки. Вот, сейчас... Кафе «Якобинка», Сен-Жермен, Париж, двадцать евро. «Пицца Мазарини», тоже Париж, название улицы прочитать не могу.

— Сент-Андрэ дез Арт, — быстро сказала я. — Пожалуйста, не потеряй эти бумажки, они нужны мне для отчета в бухгалтерии. На работе нам дают командировочные, нужно потом предоставить чеки за еду, отель, такси.

— Знакомо, — засмеялся Филипп. — Уже еду.

Я вынула кошелек и посмотрела на Полину.

— Мне надо идти.

— Поболтали и конец? — возмутилась она. — А как же Аленка? Знаем же теперь, что она ни в чем не виновата!

Я достала из сумки ручку, написала на салфетке телефон и протянула собеседнице:

— Извините, пока не сообразила, что делать, но понимаю: женщина, которая на самом деле совершила преступление, тесно связана с моей матерью. Она решила ей отомстить или задумала убрать ее со своей дороги. Мне нужно посоветоваться с близким приятелем, который хорошо разбирается в такого рода проблемах, Игорь настоящий профессионал и порядочный человек. Дайте мне два дня, хорошо? Я никуда не денусь, и если мой друг скажет, что наши с вами догадки верны... Короче, буду держать вас в курсе событий. И, пожалуйста, связывайтесь со мной исключительно по номеру, который указан на салфетке. Моя близкая подруга потеряла мобильный, я отдала ей трубку, на которую вы звонили раньше.

— Хорошо, — согласилась Полина. — Надюша, не подведи! Мама тебя очень любит.

Я на секунду замерла. Может, признаться Дородновой, что я не являюсь дочерью Алены Барашковой? Нет, нельзя. Полина вспылит, разозлится за обман, еще подстережет настоящую Надю около дома или приедет к ней в институт.

Глава 14

В джипе Филиппа приятно пахло ванилью.

— Это освежитель воздуха, — пояснил парень. — Мыл автомобиль, а мойщики без спроса салон опрыскали.

— Я ни о чем не спрашивала, — удивилась я.

Филипп плавно тронул машину с места.

— Словами можно обмануть, а вот поведением трудно. Ты села, на мгновение задержала дыхание, потом медленно выдохнула, и на лице огромными буквами нарисовался вопрос: он гей?

— Почему ты так решил? — усмехнулась я.

— Ты встречала мужчин, которые пользуются одеколоном, пахнущим свежеиспеченными булочками? — засмеялся мой новый знакомый.

— Не поверишь, сколько их, — хмыкнула я. — Сейчас многие фирмы имеют мужские косметические линии, в которых использованы ноты, ранее считавшиеся типично женскими. Сильный пол основательно изменился. У бойфрендов моих подруг ванные комнаты ломятся от косметики: кремы для лица и глаз, маски, сыворотки. И, между прочим, ты в свитере брусничного цвета.

— Тебе не нравится мой пуловер? — спросил Филипп. — Мама его мне из Италии привезла.

— Прекрасная вещь, кашемир наилучшего качества, — одобрила я. — Но лет двадцать назад вслед парню, который надел шмотку такого цвета, стали бы шептать: он явно нетрадиционной ориентации. Розовая гамма, равно как и все яркие цвета, считалась женской прерогативой. Но сейчас акценты сместились, даже дальнобойщики влезли в красные джинсы. Кстати, я работаю в фэшн-бизнесе, и общение с геями меня абсолютно не смущает. Да, среди гомосексуалистов попадаются противные людишки, но разве их мало среди натуралов? Если речь не идет о совращении малолетних или изнасиловании, мне совершенно все равно, что делают двое мужчин или женщин в своей спальне за запертой дверью. Я подбираю себе друзей по душевным качествам, а не по их половой ориентации, положению в обществе или размеру счета в банке.

— У тебя явно неприятности, — произнес Филипп. — Что случилось?

— Я попала в глупую историю, — призналась я. — Взяла на время чужой телефон и сейчас не знаю, как поступить. Рассчитывала на помощь одного знакомого, и сразу позвонила ему, совсем забыв, что он отправился в командировку. Наверное, сейчас он в самолете, мобильный у него выключен. А когда приземлится, он будет очень далеко.

— Если расскажешь, что произошло, вероятно, я решу твою проблему, — пообещал Филипп.

— Не думаю, — возразила я. — Тут нужен человек, знакомый с работой полиции.

— Вот и пробка! — воскликнул Филипп, нажимая на тормоз. — Ты, похоже, не смотрела на мою визитку.

— Не успела.

— Думаю, ты вообще не собиралась звонить назойливому парню с больными зубами, — засмеялся Филипп.

— Кстати, как твой поход к дантисту? — спросила я.

— Случались в моей жизни бо́льшие удовольствия, — поморщился собеседник. — Нерв удалили, пломбу поставили, все в порядке. Открой бардачок, там много моих визиток, возьми одну.

Я не стала спорить, вытащила карточку и вслух прочитала:

— «Филипп Корсаков. Журналист. Программа «Справедливость сто один», радио «Тысяча».

— Точно, — кивнул парень, — это я. Автор, ведущий и корреспондент. Един в трех лицах. Ко мне обращаются люди, чьих родственников незаконно осудили или обидели полицейские. Я провожу независимое расследование, делаю программу и часто добиваюсь пересмотра приговора. Поверь, это совсем не простая работа.

— Да уж, — пробормотала я. — Нет, так не бывает.

— Как? — мигом поинтересовался корреспондент.

— Похоже, тебя мне подкинула добрая фея, — сказала я. — А сколько стоят твои услуги? Какую плату ты берешь за расследование?

Филипп облокотился на руль.

— Совсем не едем, наверное, проспект перекрыли. Я владелец радиостанции и вполне обеспечен. Программа «Справедливость сто один» входит в топ-лист лучших передач России. Ко мне постоянно стучат в дверь рекламодатели, вот с них я с удовольствием беру деньги, и чем больше, тем приятнее. Герои же репортажей не отсчитывают ни копейки. У меня есть парочка незыблемых принципов. Первый: если человек реально попал в беду, он получит мою помощь бесплатно. И второй: если человек рассказал мне свои тайны, о них никогда никто не узнает. Говори, я слушаю.

Спустя четверть часа, когда бивший из меня фонтан красноречия и эмоций поиссяк, Филипп нахмурился.

— Интересная история. Сразу возникает куча вопросов.

— Каких? — спросила я.

Корсаков побарабанил пальцами по рулю.

— Разных. Ну, например. Почему таинственная любовница была в вечерних туфлях с открытым носом?

— Ты не понял? — удивилась я. — Она сотрудница агентства «Кадр», ненавидит Алену, была на вечеринке, посвященной десятилетию фирмы, и там подсыпала...

Филипп взял в руки свой телефон.

— Замечательное у меня тут есть приложение — карта. Посмотрим... ДТП случилось на Чапаевском проезде, а клуб, где происходила тусовка, находился около кинотеатра «Ленинград». В принципе это недалеко, в хорошую погоду прогуляться по этому маршруту одно удовольствие. Но в ноябре шел дождь, вокруг грязь и слякоть. Как-то неразумно топать по лужам в розовой открытой дорогой обуви.

— Ее обладательница села за руль машины Алены, она не шла пешком, — напомнила я.

— Конечно, — кивнул Филипп. — Но ведь женщина рассчитывала подставить жену Леонида, подстроить какую-то гадость с ее участием. Барашкову должны были сообщить, что его супруга опять употребляет героин, села за руль и... ну, допустим, разбила чужой автомобиль. Сомневаюсь, чтобы организаторша действа планировала убийство. Она знала, что Барашков пообещал навсегда разорвать отношения с Аленой, если та вернется к наркотикам. Ей всего лишь хотелось избавиться от соперницы.

— М-м-м... — протянула я. — И что?

— Полагаю, вы с Полиной рассуждали правильно, — продолжал Филипп. — Авария произошла случайно, замутившая историю фигурантка сбежала, и...

Я не дала журналисту договорить.

— Ты мне напоминаешь нашу главную бухгалтершу. Роза Владимировна на совещаниях почти всегда дословно повторяет то, что до нее озвучил предыдущий оратор, а потом торжественно окидывает присутствующих взглядом и спрашивает: «Усвоили мои мысли?»

Филипп усмехнулся.

— Повторение — мать учения. Хочу составить психологический портрет настоящей преступницы, это поможет ее вычислить.

— Как? — удивилась я.

Пробка двинулась, мы медленно поползли вперед.

— Объясню, — продолжил Корсаков. — Итак, некая N захотела, чтобы Леонид развелся с Аленой, значит, та, кого мы ищем, не замужем. Вернее, не состояла в браке на момент ареста жены Барашкова.

— Ты не слышал о тетеньках, которые ходят от мужа налево? — засмеялась я.

— Знаешь, почему многие женатые парни, устраивая себе маленькое сексуальное путешествие, предпочитают иметь дело с красавицами, у которых на руке есть обручальное кольцо? — вопросом на вопрос ответил журналист. — Мужики не намерены портить отношения с законной супругой, адюльтер всего лишь забавное приключение, повод почувствовать себя удачливым охотником. Девушка с печатью в паспорте тоже, как правило, не склонна делать резких поворотов в судьбе и сто раз подумает, стоит ли бросать официального спутника жизни ради того, кто женат на другой. У него семья, у нее тоже, оба соблюдают осторожность. Такая женщина не станет звонить любовнику домой, закатывать скандалы, требовать вести ее в загс. Так ведут себя только свободные от обязательств дамы. Поэтому я на девяносто процентов уверен, что N, удравшая в балетках Алены, не имела мужа. Следовательно, мы можем смело исключить ее из списка замужних. Теперь дальше. Сомневаюсь, что она пришла на тусовку в открытых туфлях. Скорей всего на ней были сапожки, которые она сняла в раздевалке и поменяла на вечерние туфли. За рулем машины Алены N очутилась в них же. О чем это говорит? Дамочка не продумала план заранее, в противном случае она бы решила, как ей потом уходить, бросив автомобиль с невменяемой Барашковой. Топать по ноябрьским лужам? Наша N точно бы прихватила ботильоны или переоделась в них. Но она забыла о том, что у нее на ногах, значит, действовала в состоянии аффекта. Думаю, на вечеринке произошло нечто, подтолкнувшее преступницу к решительным действиям. Идем дальше. Если я не ошибаюсь, розовые туфли не надевают к зеленому платью?

Я оторвала взгляд от лобового стекла, за которым змеилась бесконечная вереница машин.

— Мода меняется. Сейчас в моде весьма нелепые сочетания цветов, разный лак на ногтях, синее платье и красный клатч. Но это недавняя фишка. Десять лет назад обувь любимого цвета Барби сопровождала наряд того же тона. Ну, максимум светло-бежевое платье с вечерней сумочкой в том же духе. Я в недоумении. Если верить твоим рассуждениям, N на празднике увидела или услышала информацию, которая ее взбудоражила, и она внезапно решила подставить Алену. План родился в голове преступницы мигом, она подсыпала в стакан с соком снотворное и сделала сопернице укол наркотика. Вопрос: откуда у нее героин? И неужели она постоянно таскала с собой таблетки от бессонницы?

Корсаков включил поворотник.

— Молодец, правильно мыслишь. Еще один штрих к психологическому портрету преступницы. Все нужное она могла взять у кого-то на вечеринке. Вероятно, там присутствовал ее другнаркоман. А снотворные пилюли, скажем, просто антидепрессант, который часто держат под рукой. Теперь подводим итог и смотрим, что получилось. Наша N — незамужняя сотрудница рекламного агентства «Кадр», скорее всего, не старше сорока лет, умеет управлять автомобилем, она любовница Леонида, у нее взрывной характер, дама способна на спонтанные, необдуманные поступки, была одета в розовое или бежевое платье и, по всей видимости, находилась в тесном контакте с человеком, употреблявшим героин. Понимаешь, как сужается круг подозреваемых?

Я молча кивнула. А Филипп продолжил:

— Я не профессионал, но знаю людей, которые так составляют профиль, что полицейским остается лишь пойти и арестовать гаденыша. Теперь вопрос о жертве. Как она выглядела?

— Я уже описывала наряд Алены, — удивилась я. — Шелковое платье...

Филипп перестроился во второй ряд.

— Стоп. Елена Борисовна не пострадавшая, у нее статус убийцы. Я интересуюсь внешним видом Сусанны Вайнштейн. Мне в голову пришла неожиданная мысль: вдруг это ее обувь?

Глава 15

Я открыла айпад, нашла нужное место в документе и начала читать вслух:

— «Сведения о пострадавшей. Сусанна Вайнштейн, возраст двадцать один год. Студентка института менеджмента и рекламы вечернего отделения. Стажер рекламного агентства «Кадр». Смерть наступила от травмы головы, несовместимой с жизнью, примерно в двадцать три часа десять минут. Время было установлено со слов свидетельницы Т. Н. Степановой, наблюдавшей момент наезда со своего балкона. Жертва умерла до прибытия «Скорой» и осмотра врача...» Хм, что-то я не вижу ничего про одежду. А, вот! Нашла! «На трупе платье с поясом, из блестящей ткани с разрезами по бокам. На шее цепочка из желтого металла с кулоном, который выполнен в виде медведя с прозрачными камнями. В ушах серьги из желтого металла. Нижнее белье новое, телесного цвета. Колготки прозрачные, порваны. На расстоянии метра от тела обнаружена маленькая серая сумочка с мобильным телефоном, губной помадой розового цвета и кошельком, в котором нашли семьдесят пять рублей. Босоножки — из тонких переплетенных ремешков серого цвета, на высоком каблуке, валялись одна на расстоянии пятидесяти сантиметров от тела слева, другая впереди в восьмидесяти сантиметрах».

— Еще одна раздетая дама в вечернем наряде и в совершенно не приспособленной для прогулок поздней осенью обуви, — отметил Филипп. — Ну и как Вайнштейн прошла от кинотеатра «Ленинград» до Чапаевского проезда без пальто и нормальных ботинок? Почему она вообще в таком виде очутилась в ноябре на улице?

— Может, такси ловила? — предположила я.

— Так возле клуба поймать машину намного легче, — возразил Филипп. — Нет, похоже, Сусанна ехала в том же автомобиле. N за рулем, а она сзади. Вайнштейн сообщница, помогала своей будущей убийце. По дороге красавицы поругались, Сусанна выскочила из малолитражки и бросилась через дорогу. А N специально на нее наехала.

— Зачем? — обомлела я.

Журналист притормозил у тротуара.

— Женщины способны выяснять отношения из-за любой ерунды. Но наши-то задумали подставить Алену. Вдруг Сусанна потребовала награду за свое молчание? N отказала, Вайнштейн разозлилась, велела остановиться, крикнула сообщнице: «Всем расскажу правду, объясню Леониду, что это ты сделала Алене укол!» — и выскочила из салона. N моментально приняла решение задавить Сусанну, а потом сбежала, прихватив балетки жены своего любовника. Это объясняет, почему жертва была столь легкомысленно одета. Хотя обычно при виде полуголой девицы, бредущей холодным ноябрьским днем по улице, мне в голову приходят два предположения: она пьяна или наркоманка.

— Хозяин фирмы активный противник спиртного, — напомнила я. — Он устроил шикарный праздник. Вот тут, в документах, есть программа: награждение лучших сотрудников, фуршет, концерт группы «Авва».

— «Абба»? — вздернул брови Филипп. — Ничего себе размах! Сколько же он заплатил культовой группе из Швеции?

— «Авва», — повторила я и засмеялась. — Ушлые музыканты назвались так в надежде, что наивные люди спутают их с коллективом, который покорил весь мир. Очень глупо. В составе «Аввы» три парня — Максим и Георгий Долецкие, наверное, братья, Илья Войков, руководитель группы, плюс пара девочек — Элиза Фролова и Эжени Ракова. Никому не известный квинтет позиционировал себя как победитель конкурса в городе Сен-Бемо.

— Это где ж такой? — поразился Корсаков.

— «Абба» — «Авва», Сан-Ремо — Сен-Бемо, — захихикала я. — Один раз к нам на работу пыталась устроиться модель по имени Наташа Моли. Обычная уловка неудачников: у самих ничего не получается, попробуем на хвосте чужой славы прокатиться. Кроме «Аввы», на празднике показывали еще шоу мыльных пузырей, фокусы, караоке, выступление барменов-жонглеров, акробатические этюды. Народ веселился до упаду.

— Перешлешь мне на почту программу? — попросил Филипп. — Сейчас скажу адрес, хочу кое-что проверить. Бармены, подбрасывающие бутылки, как правило, готовят коктейли для зрителей. Давай поступим так: я проведу разведку по своим каналам, а ты съездишь в «Кадр» и осторожно порасспрашиваешь там сотрудников.

— Десять лет прошло, — отмахнулась я, — никто ничего не помнит, а многие уже уволились.

— Надо использовать любой шанс, — укорил меня журналист. — Нельзя говорить: «Ну, там нечего делать». В каждом коллективе есть люди, которые служат со дня основания фирмы и знают гору сплетен. Твоя задача найти такую живую летопись агентства и потрясти ее.

Я нахмурилась.

— Ну и как ты себе это представляешь? Я вхожу с улицы в офис и говорю охране: «Здрасте. Я пришла поболтать с вашими тетками, которые любят почесать языки. Не подскажете их фамилии?» Угадай с одного раза, по какому адресу меня пошлют?

— Ну, если ты пошуршишь перед носом охранника бумажкой с водяными знаками, он сообщит номер комнаты, где восседает самая болтливая местная сплетница, — спокойно посоветовал Филипп.

— Жаль, у меня этих самых бумажек не очень много, — парировала я.

— Могу проспонсировать акцию, — предложил Корсаков.

— Нет! — отрезала я. — Не беру денег у мужчин.

— Ни у кого? — улыбнулся Корсаков. — Даже у любимого человека?

Я отвернулась к окну.

— Мой любимый человек женился на другой. Хотя неправильно называть его «моим», потому что у нас с ним никогда не было близких отношений. Роман понятия не имеет, что являлся объектом чувств своей сотрудницы, думал, будто я невеста его пасынка Антона, и до сих пор считает меня просто другом.

— И ты по-прежнему его любишь? — полюбопытствовал Филипп.

— Нет, — вздохнула я. — Была на свадьбе своей бабушки, поймала букет невесты и неожиданно поняла: закончились мои терзания, Роман не мой и никогда моим не станет. Ну, словно кто-то меня при нашей с ним первой встрече заколдовал, а во время бракосочетания бабули чары исчезли. Звягин просто мой шеф и замечательный друг. Все.

— А куда подевался его пасынок? — не успокаивался журналист.

— Антон тоже женился, — пояснила я. — Давай не будем обсуждать эту тему, она мне неприятна. А в отношении денег я придерживаюсь простого принципа: трачу лишь то, что заработала сама. Мне не хочется ни от кого зависеть, поэтому я не ищу богатых спонсоров.

— Значит, если я приглашу тебя в кино, ты сама купишь себе билет? — прищурился Филипп.

Если честно, то я совершенно не понимала, по какой причине разоткровенничалась с новым знакомым, потому что не отношусь к числу девушек, готовых сообщить всему миру о своих победах, неудачах или привычках. И обычно, если кто-то пытается вызвать меня на откровенность, я молча ухожу. Мне не нравятся излишне любопытные люди. Но Филипп почему-то не вызывал у меня раздражения, я спокойно с ним беседовала и откровенно отвечала на все вопросы.

— Ну, не до такой же степени все запущенно, — с усмешкой отреагировала я на последний. — Если после сеанса ты пригласишь меня в кафе, я не потребую у официанта раздельный счет. Но отдыхать за твои деньги на Мальдивы не полечу и никаких подарков, дороже плюшевой игрушки, не приму.

— Проникнуть в «Кадр» можно и не подкупая охрану, — сменил тему Корсаков. — Завтра дам тебе удостоверение журналиста и договорюсь с хозяином агентства, чтобы сотруднице моей радиостанции разрешили побеседовать с рекламщиками. Мне тут еще одно в голову пришло. Если в год ареста Елены Барашковой фирме стукнуло десять лет, то сейчас предприятие должно праздновать двадцатый день рождения. Чем не повод для репортажа?

— Если только «Кадр» по сию пору жив, — слегка пригасила я пыл владельца радиостанции.

Филипп рассмеялся.

— Что ты услышал веселого? — не поняла я. — Десять лет большой срок, за это время многие фирмы разорились.

— Ты очень внимательная, да? Подмечаешь любую мелочь? — спросил Корсаков. И показал рукой на большой щит, около которого припарковал свой джип. — Видишь плакат?

Я уставилась на изображение двух девушек. Вернее, одной и той же блондинки. Слева она одета в красный костюм с мини-юбкой и корсетом, у нее завитые штопором локоны, вызывающе яркий макияж и зазывная улыбка. Справа размещено изображение той же модели в серо-буромалиновом мешкообразном платье, волосы забраны в хвост, на носу очки. Сверху идет надпись из больших букв: «Не знаете, как презентовать себя? Мы всегда поможем. Агентство «Кадр», двадцать лет на рынке».

— Подбирая себе сотрудницу, я остановлюсь на той, что справа, — веселился Филипп. — Думаю, красотка слева не станет думать о работе.

— Удачно ты припарковался, — пробормотала я, — тут есть все нужные телефоны и адрес.

— Мне всегда везет, — довольно нагло заявил Корсаков. И продолжил в том же духе: — И тем, кто рядом со мной, тоже везет. И моим клиентам. Я буквально распространяю бациллы везения. Удача заразна. Неудача, правда, тоже. Степа, всегда дружи с теми, кто радуется жизни, и держись подальше от нытиков и несчастненьких, которым солнце слабо светит. Оставь рядом с собой оптимистов, гони вон пессимистов, а то, не ровен час, заразишься от них унынием. А сейчас выйди из машины, пожалуйста.

— Зачем? — на всякий случай поинтересовалась я, удивившись неожиданной просьбе.

— Надо сделать твое фото на удостоверение, — пояснил Корсаков. — В салоне из-за тонировки стекол темновато, и фон получится неправильный. Встань вон там, у стены дома, она светлая.

Я послушно вылезла из джипа и заняла требуемую позицию. Корсаков нацелил на меня айфон, сделал один шаг назад, второй... Он не заметил женщину, которая шла по тротуару, ведя за руку маленького мальчика.

— Осторожно, Фил, — крикнула я, — там мать с ребенком!

Корсаков обернулся.

— Ничего, мы не торопимся, снимайте спокойно, — приветливо отреагировала прохожая.

Филипп снова направил телефон в мою сторону, опять шагнул в сторону проезжей части. И именно в эту секунду малыш, вырвав руку из маминой ладони, ринулся вперед. Журналист, не видя кроху, продолжал двигаться к краю тротуара и натолкнулся на сорванца. Мальчик завизжал, шлепнулся на асфальт, Корсаков плюхнулся рядом. Телефон выпал из его руки и отлетел к фонарному столбу. Я поспешила к потерпевшим бедствие.

Мамаша, подняв расшалившегося ребенка и отвесив ему шлепок, воскликнула:

— Вот безобразник! Немедленно извинись перед дядей!

— Пустяки, — остановил ее Филипп, вставая на ноги. — Лучше купите ему мороженое, похоже, пацанчик очень перепугался.

— Сразу видно, у вас свои дети есть, — сделала вывод мать и потащила ревущего сына прочь.

— У тебя кровь на руке, — испугалась я.

Корсаков посмотрел на ладонь.

— Подумаешь, содрал кожу об асфальт. Ерунда! Последний раз я упал на улице в двенадцать лет — мы устроили гонки на велосипедах, и я налетел передним колесом на камень. В результате красивая «восьмерка» и выговор от матери.

— Надо немедленно продезинфицировать рану, — засуетилась я.

— Рану? — повторил Филипп и засмеялся. — Да уж, она такая страшная! Не волнуйся, заживет как на собаке. Становись к стене. Сейчас только айфон найду.

— Нет, — решительно возразила я, — вон там аптека. Подбирай телефон и идем туда. Мне одна девушка, Даша Мамонтова, рассказала про свою подругу, мастера по маникюру Иру Куликову, — та умерла, поранив палец грязным инструментом.

— Чего только не случается, — философски заметил журналист, разглядывая тротуар. — Жаль твою подружку. Глупая смерть.

— Мы с Ириной не были знакомы. Представляешь, у этой Куликовой накануне смерти пропал телефон, и его продали мне, — вздохнула я.

— Как? — удивился Филипп.

Я быстро рассказала про продавца Никиту, симку в трубке, про свой звонок Мамонтовой, потерю браслета и пожар в ларьке.

— Везет тебе на приключения, — покачал головой Корсаков. — Хм, что-то я не вижу своего айфона.

— Он отлетел к фонарю, — подсказала я, — надеюсь, не разбился.

— Похоже, трубка цела, — спустя минуту процедил Фил.

— Отлично, — обрадовалась я, — хватай ее и шагаем в аптеку. Можешь считать меня испуганной курицей, но ссадину лучше продезинфицировать. Пожалуйста, не спорь. Это займет пять минут.

Корсаков отошел от столба и направился к джипу.

— Думаю, мой телефон в полном порядке.

— Тогда почему ты его не поднял? — не поняла я. — Только что сказал: трубка цела.

Журналист открыл дверь внедорожника.

— Айфон скорее всего не пострадал. Просто кто-то из прохожих незаметно подобрал его и удрал. Разбитый мобильник он бы не тронул.

— Вот жалость! — расстроилась я. — Хочешь, отдам тебе свой?

Филипп обернулся.

— Шутишь?

Я достала из кармана сотовый.

— Вовсе нет. Он совсем новый, мне его подарила на день рождения коллега. Я не люблю получать дорогие презенты, они обязывают, но отказаться показалось неудобно. Только симку выну, и пользуйся. Ты пострадал из-за меня, это я тебя в историю с Аленой втянула, поэтому ты лишился своего телефона.

Журналист на секунду занырнул в машину, потом показал мне трубку.

— Всегда вожу с собой запасную. Спасибо за предложение, но я им не воспользуюсь. И меня невозможно ни во что втянуть. Я сам в эту историю влез, потому что увидел интересный материал. Совсем не бескорыстно занимаюсь этим делом — получу новых слушателей, повышу рейтинг программы, приобрету толпу рекламодателей и, как следствие последнего, хорошие деньги.

— Ладно, — кивнула я. — Ну, двигаем в аптеку!

Корсаков щелкнул брелоком.

— А может, ну ее на фиг?

Но я решила настоять на своем.

— Нет. Знаю, что многие люди панически боятся боли. Но столбняк намного хуже, чем легкое пощипывание от йода.

— Мама, когда мазала мне коленки зеленкой, всегда обещала подарок, — без тени улыбки сообщил Филипп. — Пару раз я специально падал с велика, чтобы заполучить новую машинку. Я с пеленок расчетливый человек. Где аптека?

— Слева, через дом, — подсказала я, — вон вывеска с крестом.

Корсаков сгорбился, втянул шею в плечи и заканючил:

— Боюсь йода! Ненавижу уколы!

— Иди, иди, — засмеялась я. — Новая красивая машинка, настоящая, у тебя уже есть, прямо не знаю, что подарить мальчику. Мороженое подойдет?

Филипп, громко вздыхая и охая, потащился вперед. Я пошла за ним. А он ничего, вполне симпатичный и веселый...

Глава 16

В аптеке не было ни одного покупателя, за прилавком стояла старушка в бифокальных очках. Увидев нас, она завопила:

— Кодеиносодержащие препараты без рецепта не отпускаются!

— Нам нужны йод, пластырь, бутылка воды без газа и дезинфицирующие салфетки, — попросила я.

— Обезболивающее не дам, — нахмурилась бабуля.

Я решила реагировать спокойно.

— Я вовсе ничего такого не просила.

— А салфетка? — нахмурилась провизор.

— Разве она содержит кодеин? — поразилась я. — Там какой-то обеззараживающий раствор.

Старуха подняла указательный палец.

— Вот! Накинете на лицо и будете дышать, пока галлюцинации не начнутся.

Я оторопела. А Корсаков быстро сказал:

— Нет — и не надо. Пошли отсюда, Степа.

— Что за глупости? — возмутилась я, в упор глядя на провизора. — Немедленно несите йод и остальное. Если не выполните заказ, я пожалуюсь вашему начальству. С каких это пор у нас простые лекарственные средства под запретом?

Бабулька вздернула подбородок.

— Нечего кипятиться, в стране одни наркоманы, мы обязаны бороться с пагубным пристрастием. Вам йод с каким вкусом?

Я разинула рот, а Филипп быстро ответил:

— С апельсиновым.

Фармацевт, шаркая войлочными ботами, прошла к противоположной от прилавка стене, выдвинула один из ящиков и задумчиво произнесла:

— Остались банановый и вишневый. Какой дать?

— Дорогая, — обратился ко мне Корсаков, — тебе что больше нравится?

Я моргала, не понимая, как реагировать на происходящее.

— Тащите вишневый, — принял решение журналист.

Старушенция швырнула на прилавок коробочку, напоминающую картонку со спичками.

— Нам нужен йод, — опомнилась я, — он жидкий.

— Теперь такого нет, — отрапортовала провизор, — в целях борьбы с алкоголизмом йод выпускается в порошке. Знаете, сколько людей перемерло? Выпивали настойку боярышника, валерьянки, пустырник, зеленку...

— Да ну? — восхитился Корсаков. — Что-то я не слыхивал про любителей брильянтовой зелени.

— Постойте в аптеке за прилавком сорок лет, не такое узнаете, — философски произнес божий одуванчик.

— Наверное, у некоторых людей внутренности из нержавейки, — предположил Филипп.

— И мозг из чугуна, — каркнула бабуля. — Берете?

Я с сомнением разглядывала яркую упаковку.

— Как им пользоваться?

Старушка заученно сообщила:

— Вскрываете клапан, насыпаете на рану, ждете двадцать секунд, смываете и накладываете повязку. Хорошее средство, покупатели хвалят, произведено концерном «Морт». Вон, видите, по-латыни написано?

Я вздрогнула. В переводе с французского слово «Mort» означает смерть. Отличное название для фирмы, производящей лекарства. Очень оптимистичное, вселяющее в больных надежду.

— Сделано в Республике Донго, — продолжала фармацевт, — из экологически чистой коры йодиного дерева. Оно выросло в хороших, незагазованных условиях, поливалось натуральным, не искусственным дождем.

Я начала рыться в памяти. Йод, йод... Что я о нем знаю? Увы, ученица Козлова никогда не увлекалась химией. Из школьного курса этой науки вспомнилось только, что периодическая система привиделась Менделееву во сне.

— Разве йод растение? — усомнился Филипп. — Простите неуча. Могу лишь продекламировать стишок, заученный в детстве: «Надо сильно попотеть вечером и утром, чтоб запомнить: слово «медь» по-латыни «купрум».

— Ты намного образованнее меня, — восхитилась я.

— Конечно, растение, — заявила провизор. — У нас вся аптека натуральная. Валерьяна, пустырник, крушина, кукурузные рыльца, спирт...

— И где последний колосится? — с самым серьезным видом спросил Филипп. — Хочется посмотреть на поле чистого ректификата.

Бабка выпрямилась.

— Молодой человек! Если Эльвира Михайловна справила семидесятилетие, это не значит, что она выжила из ума. Спирт производят из зерна или картофеля, а это — сельхозкультуры. Йод — дерево. Ранее он существовал в растворе, нынче в порошке. Да, я родилась, когда у людей не было в домах телевизоров, а теперь у всех в каждой комнате по аппарату. Прогресс неостановим. Еще вопросы есть? Определитесь, наконец, что вам надо, не задерживайте других многочисленных больных.

Я оглянулась. Убедилась, что в крохотном павильончике никого нет, и продолжила интригующую беседу:

— Хорошо. Еще дайте пластырь.

— Йод идет в наборе, — каркнула Эльвира Михайловна, — непосредственно порошок, стерильная повязка и смывочная жидкость со вкусом клубники.

— А я просил апельсиновый аромат, — закапризничал Филипп.

Старушка неожиданно отнеслась к его заявлению с пониманием.

— Порошок представлен в нескольких вариантах: банан, апельсин, черная смородина, черника и вишня. Жидкость только клубничная. И нечего на меня глядеть, я лекарства не произвожу, иначе б сейчас купалась в теплом океане, а не вас обслуживала.

— Зачем йоду отдушка? — с запозданием задала я вопрос. — Его никто глотать не станет!

Фармацевт указала на упаковку туалетной бумаги.

— Читайте, она с ароматом и вкусом «зимняя свежесть». Вы что, прости господи, пипифаксом закусывать будете? Сейчас все с запахом. Время у нас такое, вонючее. Берете?

— Да! — решительно ответила я. — И прямо здесь обработаем ссадину.

— Правильно, — вдруг согласилась бабуля, — если поранился, нельзя медлить. Вон у меня соседка занозила палец, да не обратила внимания. И случилась у нее газовая гангрена. Сначала дурочке кисть отрезали, потом руку левую, следом правую, ноги, печень, почки. И где соседушка сейчас, а?

Я постаралась пропустить идиотское замечание мимо ушей, а Филипп дрожащим голосом произнес:

— Печень мне нужна. Без нее никак. Сколько я должен за набор?

— Четыре тысячи сто двадцать три рубля семнадцать копеек. Желательно без сдачи, — на едином дыхании выдала Эльвира Михайловна.

Мои глаза вывалились из орбит.

— Сколько?

Дверь павильончика хлопнула.

— Эй, бабка, средство для полировки шрамов есть? — заорал мужчина, подходя к прилавку. — Гляди, чего вышло! Удалил татушку, а теперь вон какая фигня толщиной с палец.

— Есть необходимая мазь, — тоном вдовствующей королевы произнесла Эльвира Михайловна. — Обождите, я занята пришедшим раньше вас народом. Здесь аптека, храм медицины, а не пивнушка.

— А я че? Ниче, — смутился посетитель. — Типа просто спросил, теперь встану тихонько в очередь. Думаете, Колян хам? Нет, Колян никогда кипеж не поднимает. Колян с понятием.

— Почему так дорого? — возмутилась я.

— Импортный препарат, экологически чистый, без вредных примесей, ГМО и канцерогенов, лучшее предложение на рынке, — развела руками провизор.

— Дайте обычный российский препарат, — потребовала я. — За четыре рубля, а не за тысячи.

— Так нету, — отрезала Элеонора Михайловна. — Советский йод давно вырубили, олигархи его за границу продали, а теперь назад закупают в виде порошка. Бизнес! Разворовали Россию. Вот он мазь просит. Думаете, я предложу наш вазелин?

— Полагаю, нет, — влез со своим комментарием Филипп. — Использовать вазелин против келлоидного рубца — это все равно что идти с каменным топором на ракету с ядерной боеголовкой.

— Он отдаст три тысячи и не моргнет! — взвизгнула старушка. — И еще четыреста семьдесят два рубля три копейки!

— А я че? Ниче, — забубнил Колян. — Здоровье дороже, лишь бы помогло. Я не попрошайка, я хорошо зарабатываю. Я у хозяина работаю, зарплату каждый месяц получаю. Вот мою жену вечно жаба душит. Купила себе таблетки для сжигания жира. И ведь был у дуры выбор: нашенский товар взять или немецкий. Пожадничала моя Олька, хапнула что дешевле. И чего? Жир как был, так при ней и остался, а кожа лохмотьями сходит. Она теперь похожа на больную черепашку. Или нет, больше на кошку с лишаем супружница смахивает.

Корсаков достал портмоне и протянул старухе купюры.

— С ума сошел? — рассердилась я. — Пошли в другую аптеку.

— А там еще дороже будет, — пообещала Эльвира Михайловна, роясь под прилавком.

Фил взял меня под руку.

— Николай прав. Здоровье одно, на нем экономить не следует. Я не хочу, чтобы мне отрезали печень. И не желаю походить на кошку с псориазом.

Я постаралась удержаться от накатившего смеха.

— Ладно. Сейчас обработаем рану...

Эльвира Михайловна быстро выложила на прилавок пожелтевший лист бумаги.

— Ознакомьтесь с инструкцией. Посторонние лица не имеют права оказывать услуги скорой помощи в аптеке. Этим могут заниматься только специально обученные сотрудники. Например, я.

— Прекрасно, — обрадовался Фил, — начинайте.

— С вас еще пятьдесят рублей, — заявила фармацевт. И, увидев выражение моего лица, живо добавила: — У нас коммерческое предприятие, все оплачивается, услуги провизора тоже.

Корсаков опять расстегнул кошелек, и процедура началась.

Эльвира Михайловна торжественно пошла к висящей в углу раковине и тщательно вымыла руки. Затем повязала фартук, надела на голову белый колпак с красным крестом, перекрестилась, произнесла:

— Господи, благослови...

И велела Филиппу:

— Положите травмированную часть своего организма на прилавок.

Корсаков подчинился. Лицо его сохраняло серьезность, но по тому, как сжимались губы, мне стало понятно: он с трудом сдерживает смех.

— Ну, мужик, у тебя совсем фигня какая-то, — заметил Николай. И устроил рядом свою лапу: — Вон, гляди, чего бывает.

— Молодой человек, не мешайте! — приказала фармацевт, сосредоточенно вскрывавшая коробочку с дезинфицирующим порошком.

— Я че? Я ниче, — потупился Колян, — тихо стою. Интересно просто.

Эльвира Михайловна отложила ножницы.

— Итак, жидкость со вкусом клубники наготове, пробка снята. Приступаю.

Бабка поправила очки, наклонила упаковку. Я почувствовала едкий, раздражающий запах.

— Однако, пованивает, — бормотнул Николай.

— Да уж, отнюдь не вишней повеяло, — согласился с ним Филипп.

Я задержала дыхание. И в ту же секунду Эльвира Михайловна оглушительно чихнула. Рука ее дрогнула, вся ядовито-красная дисперсная пыль из коробки высыпалась прямо на шрам Николая.

— Вот тебе на! — вырвалось у меня. — Промахнулась!

Дальнейшие слова застряли в горле. Порошок в мгновение поменял пурпурный оттенок на коричневый, затем почернел и задымился. Сначала от руки Николая потянулась тоненькая струйка дыма, потом она превратилась в мощный столб, в воздухе запахло паленой курицей... Нет, не совсем так — в аптеке повисло амбре жженых перьев с ноткой вишни.

— Мама! — взвизгнул Николай. — Щиплет хуже бабкиной крапивы в огороде!

— Человек горит! — взвыла Эльвира Михайловна и с удивительной для ее возраста прытью юркнула под прилавок.

Филипп схватил с витрины полуторалитровую бутылку минералки, в секунду скрутил пробку и вылил воду на руку Коляна. А тот вцепился в пузырек с обладающей клубничным вкусом жидкостью, заботливо приготовленный фармацевтом, и залпом осушил его.

Черный дым рассеялся.

— Ожога нет, — констатировал Корсаков.

Я, от ужаса зажмурившаяся, приоткрыла один глаз.

— Вы не поверите! — пробормотал Филипп, рассматривая руку Николая. — Поразительный эффект!

Я тоже уставилась на руку Николая и поняла, что на ней исчезли все черные, густо покрывавшие кожу волосы. Но это не самое главное! От толстого шрама не осталось и следа. Порошок йодного дерева оказался сродни волшебной палочке — вмиг уничтожил келлоидный рубец, сработал лучше лазера, которым лечат такой дефект. Меня пробил озноб, когда я представила, что могло случиться со ссадиной Филиппа, не просыпь Эльвира Михайловна убойное средство мимо.

Николай икнул. По аптеке поплыл запах гнилой клубники.

— Круто! Ваще!

— С вас пятьдесят рублей, — сориентировалась вовремя вынырнувшая из-под прилавка бабуля.

— Этта с какой радости? — набычился Колян.

— За оказание медуслуг, — заявила фармацевт.

— Тогда верните наши деньги и включите в счет Николая эпиляцию, — съехидничала я.

Эльвира Михайловна поправила халат.

— Удаление шерсти мы не делаем. Это сопутствующий эффект. Оплачивается лишь одна манипуляция — насыпание йода на руку.

Глава 17

Несмотря на протест Филиппа, я купила у бабки еще одну бутылку минералки без газа и простой пластырь. Промыла Корсакову ссадину, заклеила ее и попросила:

— На ночь сними пластырь, а утром приклей новый.

— Непременно, девушка Айболит! — с готовностью пообещал корреспондент. — Завтра в девять утра встречаемся у твоего дома.

— Ладно, — согласилась я.

— Куда тебя отвезти? — спросил Корсаков.

Честно говоря, я расстроилась, услышав последний вопрос. Полагала, что новый знакомый пригласит меня в кино или кафе. Но, конечно же, вида не подала и ответила:

— Весь город — одна сплошная пробка, лучше я поеду на метро.

Филипп хотел что-то сказать, но громкий звонок моего мобильного не дал продолжить разговор. Я схватила трубку и услышала обиженный вопрос:

— Степа, привет, ты про меня забыла?

Я, понятия не имевшая, кто вышел со мной на связь, живо откликнулась:

— Нет, нет, наша договоренность остается в силе. Напомни, пожалуйста, где мы встречаемся?

— Ты меня не узнала! Кто обещал сделать мне в три часа дня макияж, а? — спросила девушка.

— Лиза! — ахнула я. — Прости, пожалуйста. Не хотела тебя подвести, закрутилась с делами. Осматривала квартиры и совсем выбросила все прочее из головы. Ты очень расстроилась?

— Сначала разозлилась, — честно призналась сводная сестра Нади, — потом остыла.

— Жутко неудобно получилось, — расстроилась я.

— У тебя есть шанс исправить положение, — сказала падчерица Леонида.

Я подумала, что она опять попросит накрасить ей лицо, и тут же ответила:

— Согласна на все.

— Можешь приехать на улицу Андреева и забрать меня? — неожиданно спросила Лизавета. — Прямо сейчас. И желательно побыстрее.

— Конечно, — удивилась я. — Что-то стряслось?

— Непременно возьми такси, — ничего не ответив, велела Елизавета. — Вернее, на Андреева можешь приехать в метро, так скорее получится, но потом понадобится машина. Я бы сама тачку поймала, но, похоже, кошелек посеяла. А шоферы не везут, требуют бабло показать.

Последние слова Лизы показались мне совсем уж странными. Я всегда сажусь в такси безо всяких проблем, ни одному водителю ни разу не пришло в голову проверять мою кредитоспособность.

— И, пожалуйста, прикатывай одна, — завершила просьбу Лиза. — О'кей?

— Без проблем, — пообещала я. И, распрощавшись с Филиппом до завтра, собралась вылезти из машины.

Но журналист меня остановил.

— Степа, подожди.

Я, успевшая приоткрыть дверь джипа, обернулась.

— Да?

Корсаков протянул мне крохотный диктофон.

— Держи. Когда завтра будешь беседовать с людьми из «Кадра», сделай запись.

— У меня отличная память, — возразила я.

— И все же разговоры лучше записать, — улыбнулся Фил. — Подчас одно слово может подсказать разгадку тайны. Да и интонации крайне важны. Аппарат очень чувствительный, пусть лежит в сумке, доставать его и демонстрировать не надо. Чудо техники бесперебойно работает сутки, оно совершенно бесшумное, не щелкает, не трещит.

Мне не очень понравилась идея включать тайком диктофон, но я не стала спорить.

— Хорошо. Сделаю так, как ты советуешь.

Прибыв на назначенное Лизой место, я не обнаружила ее там и начала оглядываться. Улица Андреева короткая, на ней всего четыре дома, это тихое место расположено в центре города. Квартиры тут стоят заоблачных денег. Можете мне поверить, я теперь прекрасно разбираюсь в ценах на недвижимость. Лиза объяснила, что будет ждать меня около супермаркета, а магазин здесь всего один, перед входом стоит охранник, прохожих немного. Может, зайти внутрь? Там должно быть кафе для покупателей.

— Степа! — крикнули за спиной. — Обернись!

Я выполнила просьбу и остолбенела. Честное слово, не ожидай я сейчас увидеть падчерицу Леонида Барашкова, никогда бы не узнала ее, — Елизавета соорудила на голове прическу, которую Белка именует «бабетта».

В годы молодости бабули на вершине славы находилась знаменитая французская актриса Брижит Бардо. Красавица блондинка сыграла главную роль в кинофильме под названием «Бабетта идет на войну», она, конечно, много снималась, но в СССР показали именно этот фильм. Ей там сделали дурацкий, на мой взгляд, причесон — волосы актрисы были безжалостно начесаны, подняты вверх и уложены в виде огромной башни. Мне до сих пор не понятно, почему женщины всего мира пришли в восторг от имитации стога сена и стали воспроизводить его на своих макушках.

Европейским модницам было намного легче осуществить задуманное, чем советским. За рубежом уже тогда были хорошие укладочные средства, лаки и шампуни, которые расправляли во время мытья сбитые в кокон пряди. А в СССР народ давился в очередях за стеклянными бутылками с этикеткой «Мыло для мытья волос», в которых плескалась темная жидкость. Белка вспоминала, что после ее использования на волосах оставался серый налет, а о кондиционере в те годы не слышали даже в Москве, бабуля использовала сырой желток, чтобы придать блеск волосам. Без лака пресловутая «бабетта» разваливалась от одного дуновения ветра, а в СССР был один лак для фиксации волос, невесть почему названный «Прелесть». Лично у меня при упоминании этого спрея моментально возникает мысль о Горлуме. Впрочем, в советское время о Толкиене и приключениях хоббитов знало весьма ограниченное количество людей. За «Прелестью» приходилось гоняться месяцами и стоять в километровых очередях. Но голь на выдумки хитра! Кокетки времен социализма опрыскивали прическу крепким раствором сахара и являлись на свидание, сопровождаемые роем ос и мух. Это, как и пиво, считалось полезным для питания волос.

Сейчас вокруг Лизы не вились насекомые, ее начес блестел под светом фонаря, явно покрытый лаком, глаза были густо подведены, щеки пламенели ненатуральным румянцем, губы походили на сосиски, обмазанные кетчупом, и все лицо покрывал слой пудры с перламутром. Фигура старшей из сестер Барашковых пряталась под длинной лохматой шубой, к ней прилагались узконосые розовые туфли на металлическом каблуке.

Некоторые девушки, чтобы выглядеть эффектно, перегибают палку и смахивают на ночной кошмар. Вот и Лизавета ухитрилась использовать все самые вульгарные приемы, поэтому напоминала сейчас фею дорог — ночную бабочку, мечту неразборчивого дальнобойщика. Мне стало понятно, почему таксисты требовали от юной леди показать, есть ли у нее деньги. Кто их знает, шлюх, довезешь ее до места, а у нее не найдется ни копейки. Еще предложит расплатиться натурой, а не все мужчины соглашаются на такое, кое-кому не нужен секс, многие больше нуждаются в звонкой монете.

— Увези меня побыстрее отсюда, — зашипела Лиза, косясь на охранника, маячившего у супермаркета. — Вот уж хам! Не впустил меня в магазин, пригрозил полицию вызвать, завизжал: «Тут приличный район, вали в свое Хрюкино-Брюкино клиентов ловить». Я так замерзла! Зуб на зуб не попадает.

— Так ты же в шубе! — удивилась я. — В ней и в мороз тепло, а сейчас уже начало весны.

Лиза зашмыгала носом.

— Манто Нюрочкино, бабушка его никогда не носит, вот я и одолжила шубейку без спроса. Она вязаная, в дырки между петлями ветер задувает, у меня кожа уже задубела. Во!

Барашкова развела в стороны полы шубы, и я ойкнула. Под манто на Лизе не было никакой одежды, только черные прозрачные чулки с широкой ажурной резинкой, ну и розовые остроносые лодочки на шпильке.

— Ты забыла про белье и платье? — ошарашенно спросила я, когда Лизавета снова закуталась в манто. — И цвет туфель никак не сочетается ни с... э... одеждой, ни с имиджем.

— Поймай скорее такси, — лязгая зубами, взмолилась Барашкова, — по дороге все объясню. А розовые лодочки — это мой пунктик. Обожаю такие, другие не ношу.

Я в считаные минуты остановила машину и поманила Лизу. Но завидев оригинально наряженную девицу, пожилой водитель закапризничал:

— Не повезу. Мне не по дороге.

Я начала уговаривать его:

— Это не то, что вы подумали, Елизавета приличная девушка. У нас была тематическая вечеринка под названием «Любовь на улице». На моей спутнице маскарадный костюм.

— Деньги покажи, — буркнул водитель.

Я послушно открыла кожаный, с логотипом известной фирмы кошелек, подаренный мне на день рождения владельцем фирмы «Бак».

— Садитесь, — смилостивился дедок. — Только обе назад.

Мы устроились на сиденье, и Лиза спросила:

— Ты в курсе, чем я занимаюсь?

— Заочно получаешь образование и работаешь в сфере рекламы, — ответила я.

Барашкова скорчила гримасу.

— Да. Я подрабатываю у матери в фирме. Скукотень и дребедень! Мучаюсь на службе до шести, потом начинается счастливая жизнь. Я солистка группы «Конфетка». Слышала про такую?

— Нет, — не подумав, ляпнула я. И тут же попыталась исправить оплошность: — Десять месяцев в году я летаю по свету вместе с Франсуа, некогда ходить на концерты.

— Мы пока не добились большой популярности, — призналась Лизавета. — На телепрограммы нас не приглашают, мы работаем в основном по клубам, не отказываемся от корпоративов. Я со школьных лет по кабакам пою, выступала с разными коллективами.

— И как родители к твоему увлечению относятся? — осторожно осведомилась я.

Лиза рассмеялась.

— Мать у меня лояльная, ничего не запрещает, только говорит: «Не пей и не прикасайся к наркотикам». Но я же не дура! Видела, что с людьми кокаин, героин и даже экстази делают. Мне такого не надо. Впервые петь меня позвал сосед по квартире...

Барашкова начала плавный рассказ, который мне пришлось слушать. А куда деваться? Такси застряло в пробке, и у Лизы было в избытке времени для изложения своей истории.

...Когда Катя, ее мать, познакомилась с Леонидом Барашковым, она жила с Лизой в коммуналке и работала без устали, чтобы прокормить себя и дочь-подростка. Соседи в квартире подобрались дружные, никаких склок между ними не бывало.

Лизочка с детства обожала петь, и однажды Илья, парень, живший в самой маленькой комнате густонаселенной коммуналки, предложил девочке выступать по вечерам с его группой. Катя категорически запретила дочери даже думать об этом, но Елизавета с пеленок отличалась хитростью. Она пообещала матери не иметь дел с Илюшей, а через неделю отпросилась на день рождения к подружке. Явившись назад под утро и протянув Катерине стопку купюр, юная певица сказала:

— Ничего со мной не случилось. Музыканты с посетителями клуба не общаются, для лабухов отдельный вход, а к сцене никого из посторонних охрана не подпускает. Вот я сколько за ночь заработала. Тебе месяц за такую сумму пахать надо.

Последний аргумент убедил вечно нуждающуюся в деньгах Екатерину. Лиза стала выступать с Ильей и его приятелями.

Спустя пару лет в жизни девочки произошло два знаковых события. Одно, как водится, хорошее, второе плохое: ее мама вышла замуж, а сосед-музыкант скончался от передозировки, его коллектив развалился. Лиза не стала долго горевать, нашла другой ансамбль и хотела начать с ним работать, но неожиданно столкнулась с проблемой по имени Леонид Барашков.

Отчим имел свое мнение относительно судьбы падчерицы и сказал ей:

— Ты еще маленькая, изволь слушать старших.

Непривыкшая к таким заявлениям и с малолетства самостоятельно зарабатывающая деньги Лиза было взбрыкнула. Но она и представить себе не могла, на что способен клан ее новых родичей...

В этом месте рассказа я вспомнила свой переезд в квартиру к Нюрочке и подавила вздох. Да уж! Если Барашковы чего-то захотят, то непременно добьются своего.

...Лизочка и ахнуть не успела, как ее, хроническую двоечницу, получившую школьный аттестат со сплошными тройками, поставленными добрыми педагогами исключительно из жалости, пристроили в институт.

— Петь можешь сколько угодно, — заявил Леонид, — но в свободное от учебы время. Я тебя удочерил, дал свою фамилию, поэтому несу за твою судьбу ответственность. Изволь получить образование, без диплома в наше время никуда.

Мать, влюбленная в мужа, поддержала его. Представляете, как разозлилась Елизавета, мечтавшая о сцене?

Через год студентку Барашкову вышибли из вуза за хроническое непосещение лекций. Лиза полагала, что Леонид разозлится и скажет жене: «Сама занимайся своей дочерью, я умываю руки».

Ан нет! Барашков устроил ее в другой институт. Но ситуация повторилась с добуквенной точностью. Четыре раза отчим молча устраивал неразумное чадо в разные учебные заведения. Он не орал, не ругал Лизу, спокойно говорил:

— Ничего, попробуй заново.

В конце концов до Елизаветы дошло: надо получить диплом, иначе она до пенсии будет кочевать по вузам. Окончательное решение сцепить зубы и пройти ухабистый путь науки девушка приняла после того, как услышала от Барашкова фразу:

— Когда я пойму, что ты образумилась, вздохну спокойно. Принеси мне диплом, а потом живи своим умом.

Сейчас Лиза заканчивает институт и вот уже год работает в агентстве, которым руководит ее мать. Леонид оказался хитрее, чем полагала падчерица, и явно вознамерился сделать из нее заурядного человека. Но Лиза не бросает пение. Она обожает сцену и, между прочим, неплохо зарабатывает. Леонид с Катей ведут себя мудро — не протестуют против увлечения девушки, даже рекомендуют коллектив «Конфетка» приятелям, которые устраивают вечеринки. Похоже, родители ждут, когда Лизавете самой надоест скакать по сцене.

Лизе страстно хочется пробиться на музыкальный олимп, но для этого необходимо снять клип и запустить его на телевидении. У «Конфетки» элементарно нет на это денег. Леонид же, услышав от падчерицы просьбу о кредите, сказал:

— Я не готов спонсировать твою идею. Тебе уже не двадцать лет, пора подумать о замужестве, о детях. Пора стать серьезной и понять: карьера певицы — не твой путь.

Чего-чего, а серьезности у Лизоньки нет вообще, она по складу характера авантюристка, склонная принимать спонтанные решения. Обзаводиться потомством она не собирается, младенцы ей категорически не нравятся. А вот идея найти супруга пришлась девице по вкусу. Маленькая деталь: муж ей нужен очень богатый, ему предстоит оплачивать певческую карьеру жены.

Глава 18

Лиза отлично знает, что завидные кавалеры на дороге не валяются, поэтому решила не пускать дело на самотек, а начала окучивать огород разными способами — выбросила на брачные интернет-сайты объявления и обратилась к профессиональной свахе.

Буквально через день ей стало понятно, что в Сети водятся странные, по большей части ненормальные дядечки. А вот сводница ее не разочаровала. Вчера она дала клиентке телефон некоего Валерия, тридцатилетнего владельца трех автосалонов, который мечтает жениться на актрисе.

Не откладывая дела в долгий ящик, Елизавета позвонила кандидату в женихи, а тот сообщил, что у него завтра день рождения, и если новая знакомая согласна, они могут отметить его у Валерия дома.

— Познакомимся, поболтаем спокойно, — сказал торговец машинами. — В ресторане ведь не поговорить, кругом народ толчется. Хочу предупредить: я отдам предпочтение девушке, готовой на экстравагантный поступок, которая может выкинуть нечто из ряда вон выходящее, поразить меня. Если ты из таких, то приходи. С силиконовой блондинкой, не способной сесть на мотоцикл, или со скромницей, считающей, что сексом можно заниматься исключительно ночью, в темноте, под одеялом, в пижаме из шелка, я связывать свою судьбу никогда не стану. Ищу рисковую спутницу жизни без комплексов.

— Так это я! — обрадовалась Лизочка.

— Вот и отлично! — воскликнул в ответ Валерий.

Рассказчица на секунду умолкла, и у меня появилась возможность вставить словечко.

— И ты решила удивить парня по полной программе? Отправилась к незнакомому человеку в шубе на голое тело?

— Еще на мне чулки, — на полном серьезе сказала Лизавета, — и туфли. Красивые? Обожаю розовый цвет, эта обувь мне очень к лицу.

Я решила не обращать внимания на заявление про шпильки, которые «очень к лицу», и предостерегла дуреху:

— Этот Валерий мог оказаться маньяком!

— Сваха гарантировала честность женихов, она их тщательно проверяет, — отмахнулась Барашкова.

— Ты совсем безголовая, — пробормотала я.

Лицо Лизы исказила судорога, она сжала кулаки.

— Не смей так говорить! Я совершенно нормальная, ясно? Это ты дура полная!

Я отодвинулась от Барашковой подальше. Сейчас у девицы был такой вид, словно она еле сдерживается от желания поколотить меня.

Елизавета медленно втянула носом воздух, потом осторожно выпустила его через рот.

— Извини, я вся на нервах. Ты права, это тупая затея. Но еще пару часов назад она казалась мне забавной. Представляла, как я зайду в прихожую Валерия и — опля, шубу с плеч долой. То-то мужик обалдеет. Но меня впустила горничная, наряженная в длинную, в пол, черную юбку, белую блузку и крохотный фартучек, она сказала мне: «Раздевайтесь, гости в столовой». А на вешалке четыре манто — соболя и леопард. Я-то предполагала поразить хозяина, а не прислугу, поэтому сказала ей: «Позовите Валерия сюда, сообщите, что приехала Лиза». Горничная рожу скорчила, но развернулась и по коридору потопала. Вот тут я и сообразила, что к чему и куда: на длинной юбке домработницы был разрез, из него торчала ее голая задница.

— Прикольно, — хихикнула я, — слышала про такие вечеринки.

Лиза привалилась к дверце.

— У меня не мозг, а компьютер. Я еще ничего сообразить не успела, а мозг уже команду дает, распоряжается моими ногами-руками-языком. Пока домработница за Валерием шастала, я убежала. Хотела такси взять, но водитель попросил деньги показать. Тут-то я и опомнилась, что сумочки нет. Или в машине, на которой к Валерию ехала, забыла, или у него в прихожей оставила. Хорошо, мобильник в кармане шубы оказался. Ну, ничего, первый блин комом. Свахе я такой разбор полетов устрою!

Шофер припарковался у тротуара.

— Приехали, — обрадовалась я. — Сколько с нас?

Пока я отсчитывала купюры, Лиза продолжала возмущаться сводницей:

— Элитное агентство называется... Берут прорву денег за подбор кандидатов, обещают учесть твои интересы, а подсовывают мужика, у которого прислуга с голой задницей. Я девушка из приличной семьи!

— Те, кто хорошо воспитан, в шубе на голое тело в гости не поедут, — неожиданно влез в наш разговор водитель. — Глянь на себя в зеркало! На кого ты похожа? Тьфу прямо! Если б моя дочь...

Лицо Лизы снова свело судорогой, и в следующую секунду она молча вцепилась шоферу в затылок. Он заорал. Я обомлела, но сумела оторвать Барашкову от мужика. Вытолкала ее на улицу и быстро протянула водителю деньги.

— Извините. Не поднимайте шума, Лиза ничего плохого не хотела. Я тут добавила вам за стресс.

— Вали отсюда! — заорал шофер, выхватывая из моей руки ассигнации. — Кошки драные! Сучонки!

Я живо выскочила на тротуар, автомобиль рванул с места и скрылся за поворотом. Лизавета стояла молча. Ее трясло, как в лихорадке.

— С ума сошла? — заорала я. — Разве можно на людей бросаться?

— А что такого я сделала? — с вызовом спросила Барашкова.

— Забыла? — зашипела я. — Налетела на таксиста, расцарапала ему шею. Он мог в полицию заявить.

— Ерунда, — отмахнулась Лизавета. — Терпеть не могу, когда меня оскорбляют. Он первым начал. Кто просил его мораль читать? «Если б моя дочь...» Сколько я тебе должна?

— Три тысячи, — ответила я. — Сюда входят и деньги, которые я дала шоферу за молчание.

Елизавета сердито засопела. Мы молча вошли в дом, я сняла сапоги, выпрямилась... и вдруг Лиза обняла меня.

— Степочка, прости меня, — тихо сказала она. — Спасибо, что выручила, сейчас долг верну.

У меня ужасный характер, подчас самой от себя плакать хочется, сносит иногда крышу. Поверь, я стараюсь не психовать, но как будто свет в голове выключается, стоп-кран срывает, и тащит меня по кочкам. Я тебя люблю, ты мне теперь родная, я готова с тобой дружить. Ну, извини дуру!

Я погладила Лизу по спине.

— Забудь. У всех бывают сумрачные дни, когда дождь льет без перерыва. Но скоро произойдет нечто хорошее, засияет солнышко.

Лизавета поцеловала меня в щеку.

— Ты прелесть! Сделаешь мне макияж?

— Сейчас? — уточнила я.

— Нет, завтра, около трех дня. О'кей?

— Конечно, — пообещала я и пошла в свою комнату.

* * *

На следующий день в районе полудня я, вооруженная полученным утром от Филиппа удостоверением сотрудницы радиостанции, благополучно миновала охранника у входа в офисное здание и остановилась на первом этаже возле большого стенда. Ну, и где тут агентство «Кадр»? Куда мне направляться? О, да здесь находятся конторы нескольких фирм, оказывающих пиар-услуги!

Внимательному изучению плана помешал телефонный звонок. Я увидела на экране имя «Дарья Мамонтова» и удивилась. Чего хочет маникюрша, подруга Иры Куликовой? Я уже отдала ей телефон покойной. Надеюсь, Даша не рассчитывает заполучить меня в постоянные клиентки? Я не из тех, кто доверяет свои драгоценные лапки первому попавшемуся мастеру.

— Привет, — прочирикала Даша. — Ты где?

— На работе, — ответила я.

— А конкретнее? — спросила она.

Голос ее показался мне каким-то странным. Я решила уточнить:

— Дарья, это ты?

— Кто ж еще? — сказала Мамонтова. — Не узнала?

— Вроде ты не шепелявила, — протянула я.

— У меня передний зуб на штифте, — пустилась в объяснения она. — Откусила за завтраком булочку, он и выпал. Я это, не сомневайся, из-за дырки пришепетываю. Так где ты находишься территориально?

Я, все больше недоумевая, назвала адрес и добавила:

— Я в рекламном агентстве «Кадр». А в чем дело?

— Супер! — обрадовалась Мамонтова. — Сейчас подъеду туда, сходим в кафе, поболтаем.

— Нет, — отказалась я, — не сегодня. У меня дел по горло. Давай созвонимся на неделе, совместим графики.

Любой человек, услышав заявление «совместим графики», сразу поймет: с ним не хотят встречаться, но Даша заныла:

— Ну пожалуйста, мне очень нужен твой совет.

— Прости, не сегодня, — терпеливо ответила я.

— Речь идет о большой проблеме, — настаивала Мамонтова.

— Меня не отпустят с совещания, — соврала я, — оно продлится часа три.

— Попробуй отпроситься! — стонала Дарья.

— Нет, — рассердилась я, — работа есть работа. Развлекаться мне некогда. Мы едва знакомы, у тебя, думаю, есть более близкие подруги, обсуди свою проблему с ними.

Не желая слышать ответ прилипчивой девицы, я сбросила вызов и вновь уставилась на план офисного здания.

— Степа? — воскликнул рядом знакомый голос. — Ты как сюда попала?

Я оторвалась от изучения плана и увидела Катю, жену Леонида. Час назад мы с ней обсуждали за завтраком выбранную мной вчера квартиру, и я не ожидала увидеть ее здесь.

— А что ты тут делаешь? — задала я свой вопрос.

Катерина засмеялась.

— Работаю в агентстве «Кадр».

— Не может быть! — подпрыгнула я.

— Почему? — удивилась она. — Это прекрасная фирма с замечательной репутацией. В этом году мы отмечаем двадцатилетие, собираемся устроить масштабный праздник.

— И давно ты там служишь? — спросила я.

— Двенадцатый год, — охотно пояснила Екатерина. — Пришла простым клерком, теперь генеральный директор.

— Вот здорово! — обрадовалась я. — Наверное, ты знаешь всех сотрудников?

— Хорошее предположение, — развеселилась мать Лизы. — Я их всех принимала на работу. Текучка у нас минимальная, коллектив большой, но очень дружный, владелец агентства замечательный человек. А почему ты спрашиваешь?

Я слегка замялась. Значит, Алена и Екатерина были знакомы. Еще бы, ведь служили в одной конторе. И если учесть, что Катя после развода Барашковых стала женой Леонида, то не она ли та самая таинственная N, его любовница? Беседовать с ней сейчас нельзя, необходимо соблюдать осторожность.

— Эй, ты замерзла? — подмигнула мне Катя. — Стоишь, молчишь... Хочешь чашечку кофе? Пошли в мой кабинет, угощу вкусным латте.

Я встряхнулась, поняла, что удостоверение корреспондента радиостанции не понадобится, и неожиданно ощутила прилив фантазии.

— Фирма «Бак» собралась проводить ежегодную церемонию. Мы вручаем лучшему сотруднику кубок и в прошлый раз обращались к Дмитрию Барашкову. Собственно говоря, тогда мы с ним и познакомились. Не пойми меня превратно, Роман Глебович остался доволен праздником, но наш босс не любит дважды прибегать к услугам одного и того же человека. Звягин частенько говорит: «Как только рекламщики понимают, что заполучили постоянного клиента, они наглеют, начинают косячить и накручивать бюджет».

— Не все такие, — слегка обиделась Катя, входя в лифт.

Я последовала за ней.

— Это не мое мнение, а шефа.

— Куда ты шла? И как могла забыть, где я работаю? — удивленно спросила Катя. — Я говорила в твоем присутствии о своей службе.

Мне пришлось быстро искать правильный ответ.

— Я вроде слышала название конторы, где ты начальник, но не придала информации значения. Сейчас направлялась в офис «Арно». Он на третьем этаже?

— Верно, — настороженно подтвердила Катя, — это наши конкуренты.

Я приободрилась. Молодец, Степа, хорошо, что успела немного изучить план здания, продолжай в том же духе.

— Я торопилась в «Арно», но столкнулась с тобой и сразу поменяла свои намерения. Зачем отдавать выгодный заказ на сторону, когда есть родня?

Подъемник остановился и раздвинул двери, мы с Катей двинулись по коридору.

— Думаю, твой шеф останется доволен, — проговорила мачеха Надюши, впуская меня в свой кабинет, — я сама займусь вашим мероприятием.

Я изобразила смущение.

— Извини. Еще одно из правил Романа Глебовича звучит так: никогда не имей дела с руководителем рекламной конторы. Звягин велел мне найти в качестве организатора женщину среднего возраста с хорошо подвешенным языком и стажем работы в фирме не менее пятнадцати лет, ну и плюс креативность мышления и профессионализм.

— Есть такая, — кивнула Катя и нажала на кнопку селектора. — Софья Яковлевна, зайди.

— Можно через десять минут? — прокряхтели из аппарата.

— Да, пожалуйста, — разрешила Катя и посмотрела на меня. — Сонечка здесь со дня основания. Пришла на должность секретаря, выучилась, набралась опыта, сейчас самый ценный наш кадр. Семьи у Софьи Яковлевны нет, работа для нее составляет смысл жизни. Надеюсь, твой Роман Глебович найдет с Вайнштейн общий язык.

Я не смогла удержать возгласа:

— Вайнштейн?

— Что-то не так? — нахмурилась Екатерина. — Твой босс антисемит?

— Нет, нет, — затараторила я, — Звягин интеллигентный человек, для него национальность не имеет значения. Просто я вчера проводила собеседование со стилистом Кириллом Вайнштейном. Подумала сейчас, вдруг это сын твоей Софьи Яковлевны. Забавное совпадение получится.

— У Сонечки нет семьи, — повторила Екатерина. — Вайнштейн совсем не редкая еврейская фамилия. Но спроси у Сони про этого Кирилла, вероятно, они дальние родственники. Из близких у нее лишь племянница была, но та давно погибла.

— Думаю, не надо никому сообщать в твоей конторе о нашем родстве, — сказала я. — Не хочу, чтобы об этом узнал мой шеф. Еще обвинит меня в том, что я решила использовать служебное задание в личных целях.

— Нет проблем, — кивнула Екатерина, — фамилии у нас разные, ты не Барашкова.

Глава 19

Софья Яковлевна сразу повела себя так, словно мы знакомы с пеленок.

— Пошли, Степочка, — взяла она меня под руку. — Экая ты тощенькая, все ребра наружу. Сейчас угощу тебя настоящим штруделем и замечательным кофе. За вкусной едой проблемы быстрее решаются. А по моему виду понятно — я прекрасно умею выбирать угощение, а значит, отлично справлюсь с любой задачей.

Вайнштейн громко рассмеялась, и ее грудь размера этак пятого плавно заколыхалась. Я невольно улыбнулась. Сотрудница агентства вывела меня в коридор и потащила вперед, безостановочно болтая о всякой ерунде.

От шумно-веселой дамы сильно пахло мятной жвачкой и каким-то лекарством, очень знакомым, похоже, микстурой от кашля на основе аниса. Уж не знаю, почему, моя Белка называет это средство каплями датского короля.

Латте, принесенный секретаршей, и кусок бисквита с горой жирного, разноцветного крема, извлеченный Софьей Яковлевной из холодильника, оказались гаже некуда. Но я, помня о том, что необходимо подружиться с дамой, мужественно уничтожила и то и другое, хотя на штрудель торт походил, как я на носорога.

— Еще кусочек? — прищурилась хозяйка кабинета, увидев, что я опустошила картонную тарелочку.

— Спасибо, — улыбнулась я, — мне не следовало вообще ничего есть.

— И почему? — удивилась Софья Яковлевна.

— Я стала быстро полнеть, — соврала я. — Еще год назад преспокойно завтракала-обедала-ужинала, в промежутках перекусывала сладким, и вес не менялся. А теперь килограммы прямо налипают к бокам.

Вайнштейн похлопала себя по бедрам.

— В двадцать лет я могла пролезть между железными прутьями любого забора, а сейчас не во всякую калитку войду. Объем увеличивается не от еды, а от прожитых лет. Но тебе пока можно не волноваться. У вас уже есть пожелания по рекламной акции?

Я выбросила одноразовую посуду в мусорную корзинку.

— Начальство пока велело найти агентство. Шеф сказал: «Мы им заплатим нехилые деньги, вот пусть сами и думают».

— Логично, — согласилась Софья Яковлевна. — Если расстегиваешь кошелек, то не стоит самому напрягаться.

На меня снизошло вдохновение.

— Единственное, с чем Роман Глебович определился, так это с местом, где должны снимать рекламный ролик. Сначала он предложил в качестве площадки клуб «Буль», сказал: «Отличное помещение, десять лет назад я там частенько бывал». Но я выяснила, что «Буль» прекратил существование, и тогда босс заявил: «Значит, используем кинотеатр «Ленинград».

Вайнштейн облокотилась о стол.

— Почему там?

Я быстро обернулась и зашептала:

— Не хочу сплетничать, но наш шеф человек со странностями...

— В моем кабинете толстые стены и дверь, — перебила меня рекламщица, — можешь не волноваться, посторонние наш разговор не услышат. А начальники все со своим сдвигом. Наша Екатерина, например, ненавидит молодых женщин, в «Кадре» всем сотрудницам за сорок и больше. Даже секретарше ближе к пятидесяти. Странно, что она согласилась иметь дело с тобой, хорошеньким девушкам Катя сразу пинок под зад дает. Какие бы университеты симпатяшка ни заканчивала, Барашкова в агентство ее не возьмет, будь у нее рекомендации хоть от самого президента.

На этот раз я удивилась искренне.

— Пока мы шли по коридору, нам попались два или три парня лет тридцати. Они с нами здоровались, я думала, это ваши сотрудники.

— Так то мальчики... — многозначительно процедила Софья Яковлевна.

— Вот странность, — продолжала я недоумевать.

Софья Яковлевна вынула из ящика изящный портсигар.

— Не против, если я подымлю? Нервы сигаретами успокаиваю. Врач вообще-то велел мне одно новомодное лекарство пить. У нас оно не продается, мне его из-за границы привезли, но я решила, что курение меньшее зло, чем антидепрессант.

— Обожаю сигаретный дым! — снова самозабвенно соврала я, ощущая, как слопанный кусок «штруделя» неподъемным кирпичом давит на желудок. — Вы правы, табак намного лучше, чем таблетки. Это же растение, а не химия, которая губит человечество.

Вайнштейн с наслаждением затянулась и выпустила дым через ноздри.

— Приятно встретить единомышленника. А то сейчас народ на курильщиков, как на гадов, бросается, требует нас в резервации отправить.

Я старательно сдерживала кашель, а Софья Яковлевна, почувствовав во мне родственную душу, решила пожаловаться:

— Наша Катя с возрастом не в лучшую сторону меняется. Хотя, если честно, и смолоду особой любви к красивым и хорошо одетым женщинамколлегам не испытывала, вечно их подставляла. Меня только не трогала, я же далеко не красотка, так, носатенькая еврейка, во мне она соперницы не видела. А остальным доставалось. Причем Катерина настолько хитро всегда орудовала, что и не подумаешь про ее неприязнь. Даже я не сразу сообразила, что к чему, когда...

Собеседница отвернулась к окну и замолчала.

— Барашкова вас чем-то обидела? — предположила я.

Вайнштейн посмотрела на меня.

— Ты еще молодая, слушай советы, что мать дает. Мне моя мамуля давно про то, что Катя за штучка, втолковывала, но я отмахивалась, говорила: «Ты ничего не понимаешь, она прекрасная подруга». И только в последнее время до меня, старой дуры, дошло: права была Сара Абрамовна. Катя всю жизнь прикидывается. И вот теперь она решила, что пора и меня выгнать вон. Скажи, почему ваша фирма собралась такой лакомый заказ в «Кадр» отдать? Оцениваешь, каково нынче положение рекламного бизнеса в России?

— Трудное, — кивнула я. — Прошли те дни, когда бизнесмены деньги мешками пиарщикам тащили и безоглядно верили: если над Тверской повесили растяжку «Покупайте конфеты «Гав-гав», они самые вкусные», то народ про другие сладости забудет и за упомянутым товаром сломя голову кинется. Мне в принципе все равно, к кому обратиться, шеф дал карт-бланш. Просто кто-то ему ваше агентство посоветовал. А чем вас оскорбила Барашкова?

Софья Яковлевна встала, открыла шкаф, достала с полки темно-коричневую непрозрачную бутылку без наклейки, сделала прямо из горлышка несколько больших глотков, вытерла губы тыльной стороной ладони и сказала:

— Нервы совсем ни к черту. Стоит чуть разволноваться, ноги трястись начинают, руки дрожат. Спасибо, умные люди надоумили к гомеопату обратиться, он микстуру выписывает, которая меня реанимирует.

Я решила не выпадать из придуманного образа и кивнула:

— Лучше травы, чем таблетки.

Вайнштейн взяла из вазочки на столе конфету, сунула ее в рот и снова села в кресло.

— Ты умная девочка. Повторяю, всегда слушай свою маму!

— В моем случае не стоит отмахиваться от советов бабушки. Мои родители погибли, когда я была совсем маленькой, не помню их, — уточнила я, ощутив крепкий аромат мяты, исходящий от собеседницы.

— Прости, дорогая, — всполошилась Софья, — я не знала, что ты сирота!

— Совершенно себя таковой не ощущаю, — успокоила я Вайнштейн. — У меня есть бабуля. И много подруг.

Хозяйка кабинета резко выпрямилась.

— Подруги... Они главное зло! Ты мне сразу понравилась, поэтому кое-что сейчас тебе объясню. Не торопишься?

Я поспешила с ответом:

— Нет!

Софья Яковлевна откинулась на спинку громоздкого офисного кресла, а я приняла позу суслика, который внимательно прислушивается к окружающим его звукам, и стала внимать рассказу начальницы отдела.

...Агентство «Кадр» основал Исаак Соломонович Ройзман. Некогда он был студентом Сары Абрамовны, матери Софьи — та работала педагогом в консерватории. Ройзман получил диплом в начале девяностых годов. Ну и кому тогда в России были нужны бессмертные творения Чайковского-Рахманинова? Исаак, умный мальчик из хорошей еврейской семьи, живо понял, что умрет с голоду, если не сменит профессию, и отправился искать работу на только что открывшийся продуктовый рынок. Нет, Ройзман не стал торговать куриными окорочками, у него был другой план.

В бывший СССР в те времена хлынул поток дешевой импортной еды. Харчи брались невесть откуда, и на упаковках не было русского перевода. Хозяева ларьков не владели иностранными языками, и если покупательница, решившая приобрести нечто вкусное, спрашивала: «А что вон в той коробке, печенье?» — торговец задумчиво чесал затылок и отвечал: «Вроде того». Сколько раз люди прибегали потом на оптушку и устраивали скандалы. Взяли пельмени, бросили их в кипяток, и выяснялось, что купили... миндаль в белом шоколаде. Или покупали лапшу, насыпали в суп, а из кастрюли лезла обильная пена. Вермишель-то на самом деле оказывалась стиральным порошком! Хорошо, если на банках-коробках было нарисовано то, что находится внутри, но подчас под крышкой с изображением аппетитных ломтиков саляли обнаруживались чипсы. И о чем люди должны были думать, если на жестянке красовалась кошка? Внутри корм для животных? Или колбаса из Мурки?

Исаак быстро просчитал конъюнктуру и предложил торговцам свои услуги. Ройзману, прекрасно владевшему немецким, французским и английским языками, не составляло большого труда объяснять полуграмотным бизнесменам, что у них лежит на прилавках. Выпускник консерватории стал хорошо зарабатывать, а продуктами его снабжали бесплатно благодарные клиенты.

Как-то один из них пожаловался Исааку, что слишком уж много народа торгует сосисками, у него падает объем продаж. На следующий день Ройзман привел в ларек бродячую собаку и посоветовал владельцу точки, что надо делать. Несколько раз в день хозяин колбасного магазинчика ставил пса на возвышение и кричал:

— Лучшие продукты наши! Сейчас Малыш это докажет!

И кидал псу кусок сардельки. Собачка с урчанием сжирала еду, покупатели смеялись и неслись к прилавку.

Видя, как бойко завертелись дела у конкурента, другие аборигены оптушки тоже начали советоваться с Ройзманом, и через год Исаак открыл при рынке агентство «Кадр». Софья Вайнштейн, сидевшая тогда без работы, стала первым сотрудником конторы, Исаак предложил дочери своей любимой преподавательницы весьма скромный оклад.

Когда в рекламном агентстве появилась Катя, это было уже успешное предприятие с немалым штатом, собственным офисом и отличной репутацией. Исаак лично руководил работой, Сонечка считалась его правой рукой. Ройзман прекрасно относился к сотрудникам, у него имелся лишь один пунктик — он не выносил даже запаха алкоголя. Человек, замеченный в употреблении спиртного, изгонялся из «Кадра» сразу и навсегда...

Софья Яковлевна встала, снова приложилась к бутылке с успокаивающей настойкой и продолжила рассказ. А я все так же внимательно слушала.

Катя вела себя скромно, всем улыбалась, была услужлива и быстро подружилась с Сонечкой и ее коллегой Раей Самойловой. Женщины сообща ходили обедать, проводили вместе свободное время. Потом Екатерина нашла выгодного клиента — Леонида Барашкова. Тот начал делать крупные заказы, рейтинг Кати в коллективе здорово вырос.

Вскоре владелец «Кадра» ее повысил, назначил начальником одного из отделов.

Спустя некоторое время после того, как Катя получила должность, Исаак Соломонович вызвал к себе Сонечку и сказал:

— Хочу поручить тебе очень деликатное дело. Но нужно сохранять тайну, правду никому сообщать нельзя.

— Хорошо, — кивнула Вайнштейн, — слушаю.

И тогда Ройзман рассказал ей такую историю.

У Барашкова, лучшего клиента агентства, возникли проблемы в семье. Алена, его жена, долго лечилась от наркомании и в конце концов смогла победить зависимость. Сейчас она не прикасается к героину, но Леонид боится, что супруга, сидя постоянно дома, затоскует, почувствует себя ненужной и вновь кинется к дилеру. Вернуться на телевидение, где работала много лет, она не может — у Елены Борисовны там плохая репутация. К тому же ремесло репортера связано с большим нервным напряжением, вероятен даже стресс, а значит, Алена может опять потянуться к наркотикам. Отправить супругу в абы какую фирму Барашков опасается, неизвестно, какие порядки там будут, вполне вероятно, что на рабочих местах выпивают, а кое-кто не стесняется угощать коллег травкой. Вот у Ройзмана здоровая обстановка, и Барашков, учитывая хорошие отношения с владельцем агентства, откровенно с ним поговорил. Исаак пошел ему навстречу и сегодня принял Елену Борисовну на работу.

— Ясно, — пробормотала Сонечка.

— Приглядывай за Аленой, — велел хозяин «Кадра». — Увидишь нечто странное, сразу мне докладывай. И вообще, подружись с ней, у дамочки нет близких знакомых. Барашков нам очень нужен. Ну, ты знаешь, какие заказы он и его отец делают.

Софья выполнила указание шефа. Сначала она приглашала Алену вместе пообедать исключительно из-за распоряжения Ройзмана, но потом поняла, что супруга Леонида ей нравится, и между ними завязались искренние дружеские отношения. Перекусывать Елена Борисовна ходила теперь в приятной компании: Софья, Рая, Катя, и Сусанна Вайнштейн. Последняя была племянницей Софьи Яковлевны, дочерью ее рано умершего брата.

Именно этой, ставшей почти неразлучной компании хозяин поручил подготовку десятилетнего юбилея агентства. Совместное дело еще теснее сплотило приятельниц, они стали часто задерживаться после работы, совещались, как лучше организовать торжество. И всегда в районе восьми в офисе «Кадра» появлялся Леонид, который привозил торт, пирожные, конфеты и говорил:

— Девушки, я украду свою жену? Вот вам выкуп.

Как-то раз Алена зашла в кабинет к Софье и смущенно попросила:

— Можно я сегодня не останусь вечером на совещание? У Лени день рождения, мы идем в ресторан.

— Конечно, — кивнула Сонечка, — никаких вопросов. Почему ты не предупредила нас заранее о торжестве? Приготовили бы подарок, сочинили поздравление. У тебя замечательный муж, мы все его обожаем. Я тебе завидую.

Алена вдруг расплакалась. Соня быстро заперла кабинет, начала утешать Барашкову, расспрашивать ее. Та откровенно рассказала о своем героиновом прошлом и завершила исповедь фразой:

— Леня меня не бросил, зубами из болота вытаскивал. А когда вытащил, его любовь иссякла.

— Не говори глупости, — попыталась утешить ее Соня, — за сто километров видно, как муж тебя обожает.

— Было у нас сильное чувство, — согласилась Алена, — но сейчас все, конец. Мы давно вместе не спим. Я на Леню не в обиде, он герой, не отвернулся от опустившейся бабы, сражался за меня. Но, видно, я ему физически противна стала. Леня очень нашу дочь любит, ради Надюши, чтобы та от развода родителей не страдала, на все готов. На все, но не на близость со мной. Конечно, он мужчина, и... и поэтому у него есть любовница.

— Ты уверена? — удивилась Соня.

— Да, — кивнула Алена. — По мелким признакам заметно. Похоже, у нее тоже дочка растет. Один раз Леня дома в прихожей какую-то бумажку обронил и не заметил. Я подняла, думала, вдруг что-то важное, а там счет из магазина «Рок-н-ролл в подарок». Муж купил гитару, туфли и платье с корсетом. Размер обуви ни мне, ни его матери не подходит, Надя учится в Англии, ей там всю одежду воспитатели приобретают. И наряд с оголенными плечами ни я, ни тем более свекровь не наденем. Девчонку любовницы он порадовал. Со мной рвать отношения, если снова на иглу не сяду, он не намерен, но я ему теперь вообще не нужна. Что делать-то, Соня? Я, когда из героинового тумана выплыла, поняла, как мужа люблю, и вот теперь такое.

— А ты с Леней откровенно поговори, — посоветовала Вайнштейн, — честно его спроси обо всем.

— Как-то боязно, — поежилась Алена...

Софья Яковлевна примолкла, вновь глотнула из бутылки успокаивающую настойку и пробормотала:

— Все беды от того, что люди нормально беседовать друг с другом не умеют. Ну, слушай дальше.

Глава 20

Софья сразу сообразила, кто является любовницей Барашкова, — Екатерина. Как она это поняла? Ну, подозрения роились в голове старейшей сотрудницы «Кадра» давно. Порой, например, она обращала внимание на быстрые взгляды, которыми обменивались Леонид и Катя. Нет, они держались официально, никакого панибратства и в помине не было, но глаза их выдавали. Один раз Барашков, забывшись, положил руку на плечо Екатерины, причем как-то по-мужски, по-хозяйски, что ли! А еще на ужине, который бизнесмен давал после завершения очередного большого совместного с агентством проекта, куда позвал весь топ-менеджмент, Софья услышала, как официант спросил у Кати:

— Вам положить ризотто с морепродуктами?

Та замешкалась с ответом, а вот Леонид, сидевший рядом, отреагировал мгновенно:

— Нет, нет, у нее аллергия на морских гадов.

Откуда бы Барашкову знать об этом? И почему он так забеспокоился о здоровье сотрудницы рекламной фирмы?

Сложив все вместе, Софья сделала выводы, но никому о них не сообщила. Частная жизнь Кати и бизнесмена ее не касалась. И, конечно же, она не собиралась выкладывать свои соображения Алене.

За несколько дней до юбилея фирмы жена Барашкова снова вошла в кабинет Сонечки, но на этот раз глаза у нее горели.

— Спасибо тебе! — зашептала Алена. — Я потолковала с мужем откровенно, и мы решили начать жизнь заново. Леня оставит свою любовницу, говорит, она ему только для постели нужна, а сердце его со мной. Надеюсь, мы с тобой после моего ухода сохраним дружбу?

— Ты собралась покинуть агентство? — удивилась Соня. — Почему?

Барашкова пожала плечами.

— Таково Лёнино решение. Не знаю, что ему в голову взбрело, но он сказал как отрезал:

«Немедленно увольняйся». Еле-еле его уговорила подождать, пока юбилей фирмы отпразднуем. Объяснила, мол, не могу коллег подвести, я же одна из организаторов торжества. Ума не приложу, с чего вдруг он так себя ведет. Может, поругался с Исааком? Никому пока не говори о моем уходе, хочу, чтобы десятилетие «Кадра» нормально прошло.

Вечером Софья, идя домой, поскользнулась в метро на мокрой плитке, упала и сломала шейку бедра. Вместо праздника она очутилась на больничной койке и перенесла тяжелую операцию по замене сустава.

Но на том ее несчастья не закончились. Когда ее из реанимации перевели в обычную палату, врачи очень осторожно, не сообщая никаких деталей, известили пациентку о смерти ее племянницы:

— Сусанна стала жертвой наезда, девушку сбила машина.

Первой посетительницей, которой разрешили навестить больную, оказалась Раиса. Вайнштейн категорически потребовала:

— Рассказывай, что знаешь о кончине Сусанны.

— Ой, нет! — испугалась приятельница. — Доктор запретил говорить на эту тему.

— Немедленно говори, — приказала Софья, — иначе я с тобой более никогда дел иметь не стану.

— Сусанну похоронили за счет Ройзмана, Алена арестована, Леонид подал на развод, — перечислила шокирующие новости Самойлова.

— При чем здесь Барашкова? — изумилась Соня. Коллега покраснела, но начала рассказывать.

— Надеюсь, вечер прошел нормально, — прошептала Вайнштейн, услышав шокирующую информацию, — мы так тщательно его готовили...

Она опять приложилась к микстуре и закусила ее мятной конфеткой. Я с удивлением смотрела на даму. Ей поведали об ужасном происшествии, а ее волновал лишь состоявшийся праздник.

Софье Яковлевне нельзя отказать в наблюдательности — заметив мою реакцию, она криво усмехнулась.

— Прямо читаю твои мысли: ну и ну, племянница погибла, а тетушка не о ней думала. А эта девчонка из меня всю кровь выпила! Вечно по мужикам шлялась, с тринадцати лет только о сексе думала. Мой брат из-за дочери четыре инфаркта заработал, пятый его убил. Мне пришлось за Сусанной приглядывать. Я упросила Исаака потаскушку в «Кадр» взять, чтобы та под моим надзором была, но девица имела свою квартиру, после службы бесконтрольно творила, что хотела. Ну ни одного мужика мимо не пропускала! Я миллион раз пожалела, что в агентство ее привела. Умоляла негодяйку хоть под коллег не укладываться, а та смеялась: «Тетя, ваши убогие мужики никому не нужны, успокойся». Я очень боялась, что Сусанна на празднике устроит себе яркое приключение и меня вконец опозорит. Ну, так оно и вышло. Ладно, продолжу, скоро тебе все ясно станет...

Самойлова заверила Софью, что никто не заметил, когда Барашкова приняла наркотики. И люди не видели, как уехала Алена. О происшествии сообщили утром. Ройзман хотел скрыть информацию про героиновую зависимость Алены от коллектива, но она как-то просочилась, и сотрудники азартно чесали языками. Сама же вечеринка прошла великолепно. Случился лишь один скандал, который вспыхнул из-за Сусанны, но Раиса его быстренько загасила. Дальше гримерки, где переодевались артисты, свара не выкатилась.

— Моя племянница затеяла с кем-то разборки? — испугалась Вайнштейн. — Что она выкинула?

— Ты меня неправильно поняла, — перебила Рая, — я сказала «из-за Сусанны». Во всем виновата певичка из группы, которая наш народ развлекала. Помнишь, Соня, как Екатерина усиленно советовала этот коллектив пригласить? А Сусанна вдруг тоже его нахваливать начала.

— Естественно, — кивнула Софья Яковлевна. — Племянница говорила: «Ребята прекрасно играют, не капризные, исполнят, что захотим, денег просят умеренно, не пьют, ведут себя прилично». Мы и согласились. Я еще подумала: одной проблемой меньше. В ансамбле, кажется, три парня и две девушки.

— Правильно, — кивнула Раиса и поморщилась. — Солистки одна постарше, Эжени Ракова, другая совсем юная, похоже, школьница, Элиза Фролова. Сомнительно, что у красавиц в паспортах указаны такие звучные имена, скорей всего певички придумали псевдонимы, а вот фамилии наверняка настоящие. Руководитель группы Илья, симпатичный юноша, играл на гитаре. Иногда он откладывал инструмент и шел танцевать с гостями. Парень делает это профессионально, а Сусанна, как все знают, занималась балетом. Короче, Илья постоянно приглашал ее, и их танцы были уж слишком откровенными...

Коллега сыпала деталями, и Софья как будто видела все собственными глазами, словно тоже присутствовала на вечеринке.

...Через какое-то время приехало шоу мыльных пузырей со своими музыкантами, и группа Ильи отправилась отдыхать. Раиса пошла к ним в гримерку — хотела удостовериться, что ребятам дали поесть, — и застала драку: Эжени Ракова таскала за волосы невесть как оказавшуюся в комнате артистов Сусанну, вопя во все горло: «Не лезь к чужому парню!»

Остальные музыканты веселились и разнимать девиц не спешили. Сам виновник скандала мирно лежал на диване и читал какой-то журнал.

Самойлова прикрикнула на девчонок, быстро вывела Сусанну в коридор и накинулась на нее:

— С ума сошла? Хочешь загубить праздник? Зачем полезла к артистам? Какого черта кокетничаешь с Ильей? Думаю, у него есть девушка — Евгения, с которой ты повздорила.

— Эжени ему никто! — затопала ногами Сусанна.

— А ты откуда знаешь? — удивилась Раиса.

И Вайнштейн-младшая выложила правду. Она некоторое время назад познакомилась с Ильей в клубе, где выступала его группа, они весь вечер танцевали. А потом поехала с парнем на чью-то дачу, где оказалась с ним в постели.

— Прямо так сразу? — не выдержала Раиса. — Через час после знакомства?

Сусанна подбоченилась.

— Сейчас не каменный век, по сто лет не ухаживают. У нас любовь. Илья сказал, что у него никого нет. Мы уже две недели вместе!

— Огромный срок, — хмыкнула Самойлова, — пора свадьбу играть и детей заводить.

— Вот и рожу шесть штук, а ты старой девой умрешь! — заорала Сусанна и убежала.

На крик из гримерки вышла Евгения.

— Держи своего парня на цепи, — сердито посоветовала ей Раиса. — Внуши ему, что если станет к сотрудницам фирмы-заказчика приставать, его на корпоративы приглашать не будут.

— Он не мой, — вполне спокойно ответила девушка.

— Чего тогда в драку полезла? — не поняла Самойлова.

— Илья жених Элизы, — объяснила Ракова, — и мне за нее обидно стало. Это вы своей сотруднице вдолбите, что нечего на чужих мужиков вешаться. Встала перед сценой и давай жопой вертеть. Ей еще мало досталось.

— Немедленно прекрати! — разозлилась Раиса. — Не вздумай при всех опять с кулаками на Сусанну лезть. Иначе ни копейки за выступление не получите. Обойдетесь авансом.

Евгения смерила Самойлову презрительным взглядом и скрылась в гримерке.

После того как завершился общий концерт, музыкальная группа снова вышла на сцену, но из солисток в ее составе осталась одна Ракова.

Раиса разозлилась, пошла за сцену и, когда Илья в перерыве между песнями спустился глотнуть воды, накинулась на него:

— Что вы себе позволяете? Сначала одна нахалка в драку полезла, а теперь второй на месте нет!

Парень спокойно возразил:

— Зря кипятитесь. Девочки слегка поспорили, ничего страшного не случилось. Они отношения при публике не выясняли.

— Все из-за того, что ты потаскун! — взорвалась Раиса.

— Стоп! — разозлился Илья. — Это не ваше дело. В личные отношения не имеете права лезть. Замечания можете делать лишь по творческим вопросам.

— Хорошо, давай про твою работу! — взвилась Самойлова. — Где вторая солистка?

— Элиза работает только в первом отделении, — недрогнувшим голосом заявил Илья, — во втором Эжени поет одна. Мы об этом предупредили Екатерину. И Сусанна в курсе.

— А если я проверю? — прищурилась Рая. — Пойду и спрошу у Кати?

— Флаг вам в руки, — пожал плечами Илья. — Кстати, нам платят за выступление, а не за количество народа на сцене. Сколько песен обещали, столько и исполним. Мы никого не обманываем. Вы лучше не к артистам придирайтесь, а за официантами и барменами приглядывайте, они мастера клиентов надуть.

— У нас алкоголь запрещен, — перебила его Раиса.

— Круто! — ухмыльнулся Илья. — Вы тут, типа, общество трезвости? Чего ж тогда кое-кто из мужиков «Антиспирт» глотает и лакричные конфетки грызет? Знали, что на тусовке не нальют, с собой ханку притащили и потихоньку ее жрут. Вечно у вас артисты дрянь, за своими понаблюдайте и не обрадуетесь.

Раиса испугалась. Если Исаак Соломонович заметит кого-то из сотрудников пьяным, быть беде. И она насела на музыканта.

— Кто из наших приложился к бутылке?

— Информаторам вообще-то отдельно платят, — хохотнул Илья. — Но ремесло доносчика не мое, сами выясняйте.

Самойлова помчалась искать ответственных за вечеринку. Но подруги словно сквозь землю провалились. Все, к кому Рая обращалась с вопросом, отвечали:

— Только что видели Катю (Алену, Сусанну), вот здесь стояла, а куда потом делась, не знаю.

Мобильные телефоны коллег не отвечали, Рая изнервничалась до предела. И вдруг увидела Екатерину — та как раз вошла в зал.

— Где ты была? — налетела на нее Раиса.

Катя приложила палец к губам.

— Тсс. Не надо шуметь. Ноги устали от каблуков, хотела шпильки на балетки сменить, ходила в машину. Вот, видишь?

Екатерина приподняла подол длинной юбки, продемонстрировала Самойловой черные туфельки на плоской подошве и сообщила:

— У нас форс-мажор. Сусанна напилась.

— Не может быть! — подпрыгнула Рая.

— Увы, — сказала Катя. — Не представляю, где она спиртное раздобыла.

— Музыкант Илья сказал, что кто-то из наших мужчин с собой водку принес, — пробормотала Рая.

— Вот свиньи! — разозлилась коллега. — Если Исаак узнает, непременно их выгонит. Еще и Сусанку напоили, мрази!

— Точно? — засомневалась Самойлова. — Никогда Вайнштейн в пристрастии к алкоголю замечена не была.

— Но это не значит, что девчонка его не употребляет, — справедливо возразила Екатерина. — Я за балетками прямо так, в платье, побежала. Моя машина стоит почти у входа, вот я и не надела пальто, но пока до тачки добралась, замерзла, села внутрь погреться. Гляжу, мимо Вайнштейн идет, пошатывается. Без пальто, шапки, шарфа, в босоножках. Я окно открыла и крикнула: «Сусанна, что случилось?» Та обернулась, икнула и матом меня послала. Водкой от нее так несло, что я на расстоянии запах почуяла.

— И ты не остановила девушку? — удивилась Раиса. — Разрешила ей уйти в таком виде?

— Не успела, — вздохнула Катя, — сидела без туфель, дала ногам отдых. Пока балетки натянула, выскочила из автомобиля, Сусанны и след простыл, она куда-то делась. Я покричала с минуту и сюда вернулась. Пусть она простудится — покашляет, почихает, потемпературит. Авось тогда сообразит, что лучше не бухать...

Самойлова прервала повествование, искоса глянула на Софью, неподвижно лежавшую на больничной койке, и тихо добавила:

— А утром нам сообщили, что Сусанну задавила Алена. Барашкова, оказывается, в наркотическом опьянении села за руль, а плохо державшаяся на ногах Сусанна в неположенном месте в неурочный час переходила дорогу. Их словно притянуло друг к другу.

Приятельницы поболтали еще немного, и Раиса ушла.

Екатерина в больницу к Софье не наведывалась, но изредка звонила, рассказывала, как много на нее навалилось работы. Сообщила среди прочего, что Ройзман после юбилея затеял перестройку агентства, перетряхнул всю структуру, вместо отделов теперь создаются департаменты, и Сонечка будет главой одного из них. Вайнштейн ни секунды не сомневалась, что ее никогда не выгонят со службы, поэтому слушала Катю вполуха. Рая больше в ее палате не появлялась и по телефону подругу не беспокоила. Соня на Самойлову обиделась и сама ей звонить не стала.

Когда Софья наконец-то вернулась в «Кадр», ее ожидал большой сюрприз. Ройзман сделал свою старейшую сотрудницу начальником департамента элитных заказов, и теперь Вайнштейн предстояло иметь дело лишь с вип-клиентурой, всякой мелочовкой занималась Раиса. Сам Исаак Соломонович решил отойти от дел — он, мол, устал. Ройзман купил в Израиле дом и уехал туда вместе с пожилой матерью, но остался владельцем «Кадра», получал доход, хотя в дела некогда любимого детища больше не вмешивался. Генеральным директором, то есть человеком, который отныне царствовал в агентстве, стала Екатерина.

Глава 21

В первый год после своего назначения Катя сменила почти всех прежних сотрудников, не тронула лишь Сонечку с Раисой и постоянно подчеркивала, что очень любит подруг, всегда готова поддерживать их в любых начинаниях, считает настоящими профессионалами и близкими ей людьми. Но совместные походы после работы в кафе прекратились. Рая и Соня теперь лишь изредка выбирались поужинать вдвоем, а Екатерина спешила домой к молодому мужу. Да, да, ей повезло не только стать большой начальницей, она наконец нашла и личное счастье — оформила брак с Леонидом Барашковым, бывшим супругом Алены. О наркоманке в офисе не вспоминали, как, впрочем, не говорили и о Сусанне Вайнштейн. Да и кому было трепать языками? Весь кадровый состав агентства полностью сменился. А Рая и Соня никогда не вспоминали о трагедии.

Еще через год близкие отношения Раечки и Софьи Яковлевны дали трещину. Нет, женщины не конфликтовали, у них просто не стало времени на общение. А в прошлом году Самойлова уволилась — ее переманили конкуренты, хозяева внушительного холдинга, имеющего представительства по всей России. Раисе предложили должность генерального директора московского отделения. Софья была очень удивлена, когда приятельница, с которой она общалась исключительно на работе, неожиданно позвонила ей в выходной день и, как встарь, предложила встретиться в их любимом заведении. За чашечкой кофе она и рассказала о своем решении сменить место работы.

— Подумай как следует, — предостерегла ее Софья. — В «Кадре» ты много лет, пользуешься авторитетом, занимаешь престижную должность, имеешь стабильный оклад. А что ждет тебя на новом месте? Там чужие люди, не все будут по отношению к тебе доброжелательно настроены.

— Зато по статусу я стану равной Катьке, — фыркнула Рая. — И оклад в два раза больше, чем сейчас, и сама себе хозяйка. Я не нанималась рабой у Барашковой пахать. Это ты подумай как следует. Екатерина спит и видит, как нас вон вышвырнуть, но понимает: Ройзман не разрешит. Поэтому напрямую, как с остальными, не действует, выдавливает по миллиметру. Со мной она справилась, следующая на очереди ты.

— Не неси чушь, — остановила некогда близкую подругу Соня, — тебя никто не трогал.

Раиса схватила ее за руку.

— Генеральным директором «Кадра» предстояло стать тебе. Но ты, на беду, сломала ногу. Исаак назначил Катю исполняющей обязанности. Ройзман ждал тебя. И что дальше? Катерина за полгода привела море клиентов, переманила в «Кадр» фирму «Вкусная водичка», торговый центр «Бородино», затем к нам перешли мебельные салоны Селезнева. Когда ты наконец появилась на службе, Исаак и думать забыл, что планировал поставить тебя во главе агентства. Тебе отдали вип-отдел, мне вообще мелочовку.

— У нас хорошие отношения с Исааком, но он не станет жертвовать бизнесом ради дружбы, — вздохнула Софья, — Катя отлично работает, по заслугам и награда.

— Берегись, Сонюшка! — воскликнула Самойлова. — Не знаю, за что нас с тобой Катька возненавидела, но меня она в такие условия поставила, так замечаниями и придирками замучила, что я еле удерживалась от подачи заявления об увольнении. По ее словам, на меня постоянно клиенты жаловались, вроде бы я какие-то косяки допускала. Только не было ничего такого! Но мне работа нужна, вот я и держалась за место. Тогда Катерина новый ход, как от меня избавиться, придумала: отправила поздравлять с юбилеем наших заклятых друзей из «Лидо». Сказала: «Сама не могу, придется тебе идти и подарок им от нас вручать. Оденься пошикарней, брюлики повесь, поулыбайся их хозяину, поумничай там, пусть мужик обзавидуется, какие в «Кадре» люди служат». Конечно, я постаралась произвести неизгладимое впечатление. И мне это удалось. А через неделю владелец «Лидо» позвонил мне и предложил перейти в его контору на должность генерального директора. Вот как Катька все ловко устроила, — резюмировала Раиса.

— Не делай из нее гения интриг, — засмеялась Вайнштейн. — Ну как она могла организовать твой переход к конкурентам? Да и зачем это ей?

Самойлова сложила руки на груди.

— На первый вопрос ответа не знаю, а на второй имеется. Кто у меня сейчас в «Кадре» заместитель?

— Юра, — ответила Софья Яковлевна. — Приятный юноша, но ему не хватает опыта. На мой взгляд, следовало назначить на эту должность Маркову. Но у нас в руководстве мало мужчин, думаю, поэтому твоим заместителем парнишка стал.

— Какая фамилия у Юры? — перебила Раиса.

— Барашков, — ответила Соня. — А что?

— Господи, как ты ухитрилась выжить в «Кадре»? — вздохнула Самойлова. — Юрий родственник Катьки, чего она не скрывает. Да и как правду закамуфлировать, если фамилии у них одинаковые?

— Не думала на эту тему, — призналась Софья.

— Наивняк ты, — укорила ее Раиса. — Теперь вспомни имя нашего нового главбуха.

— Валерия Львовна Барашкова.

— А главного художника как зовут? — продолжала Самойлова.

— Петя Барашков, — пробормотала Вайнштейн.

— Начальника отдела перевозок? — не успокаивалась Рая.

— Зинаида Сергеевна Барашкова.

— Ну, ясно? — усмехнулась Раечка. — Екатерина очень родственная дама. Так что у Марковой, пусть она хоть наизнанку вывернется, шансов сделать карьеру в «Кадре» нет, разве что она за какого-нибудь Барашкова замуж выскочит. Когда мне в замы Юру определили, я уже тогда все поняла. Собирайтесь, Раиса Ивановна, с вещами на выход... Выпереть меня по собственному желанию не удалось, вот Катька и устроила мне новое место. Не спрашивай как, не знаю. Имей в виду, ты на вылет следующая.

Вайнштейн не поверила Рае, подумала, что та переметнулась к конкурентам из-за высокой должности и большого оклада, а теперь пытается сохранить лицо, обвиняя Екатерину в интригах. Ну да, если Самойлова подалась за длинным рублем и местом начальника, то она вульгарная перебежчица и предательница, а коли ее выжила Катя, то, согласитесь, это другое дело.

После ухода Раисы ее кресло занял Юрий. Галина Маркова, считавшая себя кандидатом на освободившуюся должность, тоже ушла, вместо нее появилась Алина. А теперь угадайте фамилию новенькой...

Софья Яковлевна возмутилась поведением Кати и написала Исааку гневное письмо. Ройзман прислал ответ, состоящий из одного слова: «Разберусь». А в конце недели Екатерина пришла в кабинет к Вайнштейн, тщательно закрыла дверь и отчеканила:

— Если у тебя есть претензии к стилю моего руководства, то имей смелость высказать мне их в глаза. За моей спиной плести интриги и жаловаться тайком хозяину недостойно. Похоже, многолетняя дружба для тебя ничего не значит.

— Неужели ты вспомнила о наших приятельских отношениях? — воскликнула Соня. — Раечке ты тоже о них говорила, когда ее из «Кадра» выживала? Сейчас за меня взялась? Еще одному Барашкову ставка нужна?

Нелицеприятная тогда получилась у них беседа, они наговорили друг другу массу гадостей. Софья Яковлевна в конце концов потеряла самообладание и крикнула:

— О своих родственниках ты отлично печешься! Ну да, у тебя их армия, а у меня была одна Сусанна. И где она теперь?

Катерина отшатнулась к двери, взвизгнула:

— При чем тут я? Девчонка напилась на вечеринке и попала под машину. Кто в этом виноват? Что тебе Райка наболтала? Кинозвезда наша, все в камеру лезла с идиотской улыбкой... Да, я член большой семьи, мне повезло. А ты одна. Но это не повод Исааку врать. Имей совесть, скажи, кто из Барашковых плохо работает? Ты меня просто ненавидишь за то, что я генеральный директор, а ты сама всего лишь начальник отдела. А не надо было ногу ломать!

Выпалив последнюю фразу, Екатерина выбежала из комнаты, а Вайнштейн разрыдалась. Плакала она долго, никак не могла успокоиться. И вдруг сквозь слезы увидела, как в кабинет снова входит Катя. Барашкова бросилась обнимать Софью, просить прощения, достала из кармана крохотную бутылочку коньяка и сказала:

— Давай успокоим нервы.

— У нас на фирме строгий сухой закон, — напомнила Соня.

— Но мы-то начальство, — улыбнулась Катерина. — Давай тяпнем и помиримся. Готова взять в агентство любого твоего человека, приводи хоть сейчас.

Софья Яковлевна опрокинула рюмочку. Коньяк горячим комком проскользнул по пищеводу, упал в желудок и разлетелся в нем огненными каплями. Вайнштейн вообще-то не употребляла спиртное. И почему она в тот день согласилась выпить стопочку? Просто подруга, когда-то близ-

кая, вложила пластиковый стаканчик в ее руку
и сказала:

— Скорей глотай, станет легче.

И ведь действительно отпустило. Раздраже-
ние и злость исчезли без следа. Правда, вместо
них появилась безграничная усталость, захотелось
спать, предметы перед глазами стали расплывать-
ся. А до слуха долетел еле различимый голос Кати:

— Сонюшка, ну и развезло тебя! Ты обедала
сегодня? Ложись скорей на диванчик. Эй, Маша, принеси подушку и плед из моего кабинета,
у Вайнштейн давление поднялось, ей отдохнуть
надо...

Софья Яковлевна в очередной раз прервала
рассказ и направилась к никелированному агрега-
ту, стоящему неподалеку на маленьком столике.

— Хочешь кофейку? Сейчас сама тебе эспрессо
сделаю.

— Спасибо, у меня от него сердце слишком
сильно колотится, — поспешила отказаться я.

Хозяйка кабинета включила чайник, бросила
в чашку пакетик, залила его кипятком и опять вынула бутылку темного стекла.

— Тогда попробуй чай с моим успокаивающим.
Поверь, вкуснее его ничего нет. Если не хлеб-
нешь, честное слово, я навсегда обижусь. Ну, давай, давай!

Мне пришлось взять чашку и сделать крохотный глоток. Это был противный жидкий напиток,
щедро сдобренный каким-то алкоголем. Спиртное
имело необычный вкус, который не смогла пере-

бить даже отвратительная заварка. Я ощутила присутствие аниса и передернулась.

Как только Софья Яковлевна, отхлебнув в первый раз свое гомеопатическое «успокаивающее», внезапно начала безудержно болтать, я удивилась, а по мере продолжения беседы изумлялась все больше и больше. Вайнштейн говорила о таких вещах, о которых даже самому близкому другу не всякий человек расскажет. А я для нее посторонняя, к тому же потенциальная заказчица. С чего вдруг она принялась откровенничать, нелицеприятно высказываться о Екатерине? Но сейчас нашелся ответ на этот вопрос.

К сожалению, и в фэшн-мире встречаются девушки, которые используют виски, джин и прочие крепкие напитки в качестве снотворного или антидепрессанта. Путь красавиц в мир большого алкоголя начинается с невинного коктейля, выпитого в момент стресса. Принятая доза неожиданно расслабляет и успокаивает. Поэтому, понервничав в следующий раз, девица опять тянется к какому-нибудь «Мохито». Да, на первых порах ей делается хорошо от простой смеси. Но очень скоро для достижения нужного эффекта понадобится две дозы, три, четыре... «Мохито» перестанет работать, бармен предложит водочки... Оглянуться не успеешь, как бутылки дома будут повсюду, и утро станет начинаться с глотка спиртного, налитого дрожащей рукой в стакан для зубных щеток.

Интересно, Катерина специально, с дальним расчетом, предложила Софье успокоиться коньяком после неприятной беседы? Или понятия не имела, во что могла вылиться ее дружеская забота?

За все время, что я живу в доме Барашковых, я не видела, чтобы кто-либо из членов семьи баловался крепкими напитками. Впрочем, пиво они тоже не употребляют. Илья Львович чаеман, для него в буфете держат банок сорок разных сортов чая. Нюрочка обожает травяные напитки, сама их составляет. Катя с Леонидом пьют за завтраком какао, а на ночь по стакану молока с медом. Ужасная гадость, на мой вкус, но им это очень нравится. От Кати никогда не пахнет мятной жвачкой, я ни разу не замечала у нее бегающего взгляда, трясущихся рук или безумной жажды по утрам.

А вот Софья Яковлевна на моих глазах многократно прикладывалась к «успокаивающему». Думаю, в темно-зеленой бутылке у нее коньяк, сдобренный какой-то травяной отдушкой. Сейчас в магазинах можно найти любой алкоголь, и Вайнштейн подыскала настойку с запахом, смахивающим на лекарственный. А потом аромат выпитого она забивает мятными конфетами. Надо сказать, весьма успешно. Сначала-то я подумала, что женщина принимает нечто вроде капель датского короля, а потом жует жвачку. И лишь сейчас, пригубив ее чай, с запозданием сообразила, что к чему. Очевидно, у меня в роду были жирафы, иначе б до меня намного раньше дошло, почему глаза собеседницы постепенно краснеют, а движения делаются суетливыми.

Хозяйка кабинета шумно вздохнула, наклонила бутылку с «лекарством» над чашкой, одним глотком выпила содержимое, икнула и слишком громко сказала:

— Катька привела в фирму свою дочь Лизку. Нереально глупая девица! В голове у нее труха, рекламным бизнесом она заниматься не желает, зато поет в какой-то группе «Воющие сиськи» и считает себя Селин Дион. А уж какая хитрая! При матери одно говорит, без нее другое. Понятненько мне стало... ик... ик... куда ветер... ик... дует! Хочешь еще чайку? Очень вкусный... ик...

— Нет, — решительно отказалась я. — И вам больше не надо.

— Почему это? — возмутилась мадам. — Мой кабинет, мои напитки, все тут пока мое. И я отсюда не уйду. Я Катьке не Райка! Где мои к-к-капельки?

Мне стало понятно, через пару минут Вайнштейн вольет в себя еще одну порцию коньячной смеси и станет невменяемой, поэтому, отбросив всякие предосторожности, я спросила напрямик:

— Может, вы помните, какое платье, а главное, какие туфли были на Екатерине в день десятилетнего юбилея агентства до того момента, как она продемонстрировала вам ногу в черной лодочке?

Вайнштейн закрыла глаза, уронила подбородок на грудь, издала похожий на хрюканье звук, подняла веки и заорала:

— Туфли? Платье? Боишься меня, сучонка? И правильно, трясись!

Дверь в кабинет приоткрылась, на пороге появилась Лиза.

— Степа, ты? — удивилась она.

Я не успела ответить. Софья Яковлевна резко встала, выбросила руку вперед и завопила:

— Райке ты должность устроила, а меня вон гнать? Ни хрена не выйдет! Да я... тебя... да я... тебе... Катька, кинозвезда ты наша! На экране больше всех мелькала.

— Ой, мама... — прошептала Лиза и прикрыла рот рукой.

Вайнштейн сделала шаг, пошатнулась и рухнула на пол.

Глава 22

Я кинулась к упавшей Софье, присела около нее и убедилась, что она дышит. Вернее, храпит. Вайнштейн напилась до свинского состояния.

Лиза бросилась в коридор. Спустя минут пять комната стала наполняться народом. Прибежала и Катя, она сразу сказала:

— Степа, можешь зайти в мой кабинет?

Я кивнула.

— Что случилось? — спросила она, когда мы вошли в ее офис. — Выпьешь чаю?

— Спасибо, нет, — отказалась я. — Софья Яковлевна предложила мне кофе и угостила тортом. Потом мы стали беседовать, а Вайнштейн постоянно пила, как она говорила, успокаивающее.

Затем вдруг вскочила, закричала и упала. Как произошло падение, видела Лиза.

— И что она говорила перед тем, как рухнуть? — жадно поинтересовалась Барашкова.

— Пардон, я не разобрала, — соврала я, — несла какую-то чушь.

Катя сложила руки на столе.

— Прошу у тебя прощения. Отвратительная ситуация. Оказывается, почти вся фирма обсуждает привычку Сони наливаться спиртным. Начальник, как водится, узнает обо всем последним. Я взяла на работу много родственников, они в курсе нашей многолетней дружбы с Вайнштейн, вот и не хотели меня расстраивать. Очень глупо! Коллеги проводили с Софьей воспитательные беседы, пытались объяснить ей, что пить нельзя. И что получилось? Хорошо, что Вайнштейн скрутило при тебе. Ты, Степанида, родной человек, позор внутри семьи останется.

— Конечно, — пообещала я, — мы, родня, должны поддерживать друг друга.

Лицо Катюши разгладилось.

— Еще раз извини. Ты замечательная девочка.

— Ты ни в чем не виновата, — потупилась я.

— Я несу ответственность за сотрудников, — помрачнела Катя. — Конечно, мы Соню в беде не бросим. Найду ей хорошую клинику, мы оплатим лечение. Твоим заказом займется Лиза.

— Лиза? — переспросила я.

— Моя дочь, — уточнила Екатерина. — Это не первая ее работа с клиентами. Елизавета креативна, с богатой фантазией, трудолюбива. Пока Софья Яковлевна будет бороться с проблемой, Лизонька заменит ее на посту начальницы отдела. А вот и она. Лиза, ступай со Степой в вип-переговорную и начинайте работу. Прежде чем наш юротдел займется составлением договора, необходимо понять, чего именно хочет «Бак».

— Ладно, — тоскливо протянула креативная и трудолюбивая новая глава отдела фирмы.

— Дорогая, Степа наша родственница, косяков быть не должно, — строго заявила мать.

— У меня сегодня концерт, — заныла дочка, — ребята ждут.

— Милая, мы давно договорились, что хобби не должно мешать работе. — Глаза Екатерины сузились. Затем она чуть повысила голос: — Галина, подайте в первую переговорную ваш замечательный фирменный чай.

— Конечно, уже завариваю, — отозвалась из-за незакрытой двери секретарша.

— Двигаем, — пробубнила Лиза, хмуро глянув на меня. — Налево, третья дверь.

Когда Галина принесла поднос, дочка генерального директора злым голосом приказала:

— Оставь, сами чашки возьмем.

Помощница Кати быстро удалилась.

— Надеюсь, ты не хочешь наливаться этим дерьмом? — спросила Лизавета. — Галка делает бурду, кладет сахар прямо в заварку.

— Фу! — в тон ей воскликнула я.

Пару секунд мы сидели молча, потом Лиза прошептала:

— Тебе охота сейчас о делах тереть?

— Нет, — тоже тихо пробормотала я. — Вообще-то у меня свободный месяц, я ищу квартиру. Роман Глебович меня отпустил. А потом его злая муха укусила, и он приказал мне в «Кадр» ехать.

— Сколько дней у тебя есть на подготовку рекламной кампании? — деловито осведомилась Елизавета.

— Два месяца, — ответила я.

У Лизы загорелись глаза.

— Есть отличная идея...

И тут у нас одновременно зазвонили мобильные. Лиза вытащила телефон и отошла к окну, а я осталась на прежнем месте. Увидела на экране знакомые цифры, подумала, что опять меня достает полоумная Дарья, подруга покойной Ирины, и сердито сказала в трубку:

— Хватит трезвонить, надоела. Если не прекратишь, будет плохо.

— С кем это ты такая суровая? — ответил Филипп.

— Ой, привет! — обрадовалась я. — Представляешь, ко мне привязалась невменяемая девушка по фамилии Мамонтова...

Журналист молча выслушал мой рассказ и стал меня успокаивать.

— Начало весны провоцирует обострение душевных заболеваний. Нам в эфир в марте звонит рекордное количество шизиков. Не обращай внимания, ей скоро надоест. Как насчет поесть вместе? Я разузнал много интересного.

Я покосилась на Лизу и поняла, что она увлечена своим разговором.

— Я тоже не зря время провела.

— Где пересечемся? Ты в каком районе? — деловито осведомился Филипп.

— Пока сижу в переговорной агентства «Кадр», но надеюсь в ближайшее время удрать, — поделилась я планами.

— Сворачивай беседу, если она пустая, — распорядился Корсаков. — Через сорок минут подъеду к ресторану «Глупый гусь», он в трех шагах от тебя. Займу лучший столик, подтягивайся.

— Постараюсь не задерживаться, — обрадовалась я.

— Не обещай невозможного, — засмеялся Филипп, — девушки всегда опаздывают.

Меня неожиданно укусила ревность. И много у владельца радиостанции знакомых девиц, не приходящих вовремя на свидание?

— Молчание знак согласия, — весело сказал Корсаков и повесил трубку.

— Так что за прекрасная идея залетела в твою голову? — осведомилась я, когда Лиза вернулась к столу.

Барашкова схватила чашки и быстро вылила их содержимое в кадку с фикусом.

— Эй, там же горячая вода, — напомнила я. — Не жаль растения? Говорят, они способны ощущать боль.

— Фигня, — отмахнулась Елизавета, — этому точно плохо не станет, оно искусственное.

— А выглядит, как настоящее, — восхитилась я.

— В общем, так. Времени у нас навалом, — тоном Лисы Алисы, упрашивающей Буратино купить ей поесть, продолжила Лиза, — и мы с тобой родня...

Я заулыбалась. Похоже, фраза «мы с тобой родня» служит в клане Барашковых паролем. Тот, кто ее произносит, абсолютно уверен, он получит помощь и содействие по полной программе.

— Короче, я прикрою тебя, — чирикала Лизонька, — ступай по своим делам. Я здесь посижу часок, затем матери отчитаюсь, совру, что мы обо всем договорились, а детали будем обмозговывать на неделе. Видишь, как я тебя люблю? А вот ты ко мне не очень внимательна. Вчера обещала макияж сделать, и фигушки. Сегодня история повторилась. Забыла, о чем мы накануне вечером договаривались?

— Черт! — вырвалось у меня. — Наверное, пора идти в аптеку за таблетками от маразма. Пожалуйста, не сердись!

Елизавета хитро улыбнулась.

— Я не обидчивая, но злопамятная. За тобой должок будет. О'кей?

— Ладно, — кивнула я, — еще раз извини.

Лиза вскочила.

— Поедешь не на общем лифте, — предупредила она, распахнула дверь, выглянула в коридор, поманила меня рукой и показала пальцем на стеклянную створку в конце галереи.

Я кивнула, на цыпочках добежала до двери и обернулась. Лизочки и след простыл. Она не собиралась задерживаться в переговорной! Оставалось лишь удивляться ее умению добиваться своего. Елизавета так повернула дело, что я испытываю к ней благодарность за то, что вырвалась из агентства. Интересно, как бы она отреагировала, ответь я: «Нет. Надо сейчас составить план сценария. Будем работать до вечера». Точно бы не обрадовалась, потому что у хитрюги полно своих планов на вечер.

Глава 23

Лестница привела меня в общий холл, я вышла на улицу и начала осматриваться. Филипп сказал, что «Глупый гусь» находится совсем неподалеку от офисного здания.

— Девушка, как пройти к метро? — прохрипел древний старичок, опиравшийся на палку.

Он был одет в черный пуховик с накинутым на голову капюшоном, ладони его прятались в варежках, на ногах были зимние кроссовки, очевидно, подарок любимого внука.

— Вон там, видите, подземный переход, — ответила я.

— Очки для дали дома позабыл, — проскрипел дедок, — перед глазами туман, мне уж восемьдесят пятый годок. Покажи, девочка, еще раз.

— Надо пройти вперед, — уточнила я, — никуда не сворачивая, метров триста.

Дедуля задрал голову, его лопатообразная борода затрепетала на ветру.

— Туда, внучка?

— Нет, не налево, прямо, — повторила я.

— Не понимаю, — испуганно прокашлял он. — Прямо куда?

Ну кто разрешил пожилому человеку одному отправиться в дорогу? Я взяла бедолагу под руку.

— Давайте провожу вас.

— Спасибо, деточка, — обрадовался старичок. — Только доведи меня до кассы, где пятачки меняют, дальше я сам почапаю.

— Теперь в подземке карточки, — испытывая острую жалость, сообщила я.

— Чего только не придумают, — задудел пенсионер. — Компьютеры, мобильные телефоны, айпады, айфоны... А теперь еще и в подземку по карточкам?

Я постаралась не рассмеяться. Дедушка знает про планшетник и сенсорный телефон, а об отмене пятачков не слышал? У него точно есть внуки, любители гаджетов, они, наверное, возят престарелого родственника на машине, присматривают за ним.

Почему я так решила? Большинство пенсионеров одеваются аккуратно, но не современно. Вон идет пожилая женщина в добротном пальто из драпа. Оно не мятое, все пуговицы на месте, но сразу понятно: вещь приобретена в те времена, когда я под стол пешком ходила. Сейчас верхнюю одежду шьют из других материалов, и у нее дру-

гой силуэт. К тому же на голове у старушки ша-
почка из мохера, явно связанная собственноруч-
но. Такие уж сто лет не носят. Бабулька в драпо-
вом пальто явно существует на не очень большую
пенсию. А мой старичок наряжен в совершенно
новый, отнюдь не дешевый пуховик. И джинсы
у него модные, их автор известный дизайнер, он
вшивает лейбл сбоку штанины, на уровне коленки, а не сзади на кармане, как делают многие.

Ну-ка, погляжу, что у моего спутника за кроссовки? Ого! От производителя самой дорогой
мужской обуви! В России этот бренд представлен слабо, он стоит запредельно дорого. Нет, этот
старик никак не может один бродить по Москве,
он явно удрал от своей сиделки. И у него должен
быть мобильный. Знаете, такая трубка с огромными кнопками и записной книжкой, где сохранен
один номер под грифом «внук Вася». Надо попросить у старика сотовый и попытаться связаться
с его родными.

— Простите, пожалуйста, нет ли у вас с собой
телефона? — вежливо осведомилась я.

— Позвонить хочешь? — прохрипел дедок. —
Сейчас поднимемся в квартиру, аппарат на тумбочке стоит. Вон мой дом.

— Где? — обрадовалась я.

— Сюда повернуть надо, — уверенно заявил
старик, — красное здание из кирпича. Из метро
я всегда иду здесь.

— Вы же искали подземку, — удивилась я.

Пенсионер закряхтел.

— Думаешь, я из ума выжил? Нет, мне не станция нужна, а магазин, который называется «Метрополитен», он в доме на первом этаже открыт. Вышел я на улицу и растерялся, а сейчас дорогу вспомнил. Налево нам.

Дед вдруг сильно дернул меня за руку и приказал:

— Открой дверь.

— Уверены, что тут живете? — усомнилась я. — Здание вроде подготовлено к выселению.

— Соседи новые квартиры в глуши получили, а я не съеду, — заявил дедок. — Помоги мне наверх вскарабкаться, лестница крутая.

— Конечно, конечно, — кивнула я.

Мы вошли в темный подъезд, я споткнулась о какую-то доску и удивилась.

— Как вы тут живете? Похоже, здесь электричества нет. Хорошо, окно есть, через него свет проникает.

Старичок с молниеносной скоростью схватил меня за плечи, придавил к стене и неожиданно звонким голосом спросил:

— Разнюхиваешь чужие тайны?

— Дедушка, вы что? — испугалась я. — Отпустите меня!

— Конец тебе, крошка, — заявил он и попытался вцепиться в мое горло.

От ужаса у меня появились недюжинные силы, и какое-то время мы со стариком молча боролись. Потом его рука оказалась около моего лица, и я, недолго думая, впилась в нее зубами. В нос ударил запах нового мужского парфюма от «Бак». Но радоваться тому, что продукцией родной фирмы пользуются даже сумасшедшие, я не стала, а изо всех сил сжала челюсти. Дед взвыл и отпустил меня.

Дальнейшее помнится смутно. Вроде я сильно ударила психопата ногой, пнула его в живот, и противный старикашка остался лежать без движения...

В себя я пришла на проспекте, когда увидела Филиппа, который вылезал из своего джипа. Журналист показался мне самым прекрасным человеком на свете, и я кинулась к нему с криком:

— Фил!

Корсаков обернулся.

— Степа, что произошло? У тебя рот в крови!

Я сбивчиво залепетала:

— Старик шел мимо... Я его пожалела... А он в подъезд! Я его пнула... Он упал, лежит там... Я его убила! Убежала, а он остался там на полу. Что, если я лишила его жизни?

Корсаков притянул меня к себе, я уткнулась носом в его кожаную куртку, вдохнула запах туалетной воды, которую производит злейший конкурент фирмы «Бак», и успокоилась.

Последний раз нечто подобное я испытала лет в семь. Я тогда здорово расшалилась, бегала по нашему «Кошмару», налетела в холле на хлипкий столик и повалила его. Никакой особой трагедии в происшествии не было бы, но, на беду, за пять минут до этого один из постояльцев поставил на него свой дорогой фотоаппарат. Ясное дело, он рухнул на пол и разбился. Слышали бы вы, как орал гость! Он схватил меня за косу и дергал изо всех сил. Я еле-еле освободилась и бросилась искать бабушку. Белка в своей комнате проверяла счета. Выслушав зареванную внучку, Изабелла Константиновна быстро приподняла край свисавшей до пола скатерти и велела: «Скорей залезай в домик, тут тебя никто не найдет, а я пойду и разберусь». Я юркнула в убежище, увидела, как кружевная ткань вернулась на место, и неожиданно поняла: все хорошо, теперь я в полнейшей безопасности, Белка меня защитит, не даст в обиду.

— Убила и съела? — выдернул меня из воспоминаний голос Корсакова.

Я всхлипнула.

Филипп погладил меня по голове.

— Извини, я глупо пошутил. Почему у тебя рот в крови? Ударилась? Выбила зуб?

— Укусила его, — прошептала я.

Корсаков открыл заднюю дверь джипа, усадил меня на сиденье, велел спокойно рассказать, что произошло. Потом вышел на улицу и, приказав мне сидеть в машине, удалился.

Я завернулась в плед, лежавший рядом, и опять затряслась. Время тянулось и тянулось. Наконец журналист вернулся и отрапортовал:

— Труп укушенного тобой старичка сбежал. Вероятно, решил сэкономить деньги и время родственников, поэтому сам направился на кладбище, чтобы закопаться. Успокойся, от пинка и укуса еще никто не умирал. И, пожалуйста, за-

помни: старость не гарантия порядочности. Если
к тебе обратился за помощью немощный дедушка,
то вполне вероятно, что он решил пристать к симпатичной девушке. Сделай одолжение, никогда
не ходи с посторонними людьми в малолюдные
места. Впрочем, со знакомыми тоже, потому что
даже хорошо известный тебе человек может пре-
поднести неприятный сюрприз. Понятно объяс-
няю?

Я сбросила плед.

— Это человек хотел меня убить!

Филипп вытащил из держателя бутылку воды,
открутил пробку и протянул мне.

— Держи. У некоторых людей к старости начинается безумие, тебе, на беду, повстречался сумас-
шедший.

Я сделала несколько больших глотков.

— Нет, он не псих. И до преклонных лет ему далеко. Пока тебя не было, я успокоилась и все поняла. Я ведь заметила новую куртку, дорогие джинсы,
эксклюзивные ботинки... Но подумала, что у старичка любящие внуки, которые балуют любимого
деда. Мне бы включить ум! Капюшон, надвинутый
так, что нельзя рассмотреть глаза и верхнюю часть
лица, карикатурно широкая борода, закрывающая
подбородок... Руки у лжепенсионера оказались
очень крепкие. Нет, это был не немощный старик,
а мужчина, который и правда хотел меня задушить.
Может, он наемный киллер?

Филипп на секунду отвернулся, потом снова
посмотрел на меня.

— Степа, от профессионала нельзя избавиться, укусив его за ладонь и пнув коленом в живот. Натренированный наемник не обратит внимания на такие мелочи. Душить объект голыми руками просто глупо. Во-первых, убить человека подобным образом совсем не так просто, давным-давно придуманы подсобные средства, облегчающие сей процесс. Во-вторых, место для нападения очень уж неудачное. Дом подготовлен к сносу, а в центре Москвы ветхие здания разбирают быстро, труп бы непременно вскоре нашли. Лучше было бы организовать несчастный случай — шла Степа по платформе метро, и толпа смела красавицу на рельсы, прямо под поезд. Ну и наконец, самое главное. Зачем кому-то тебя убивать? Ты имеешь в любовниках женатого человека? Занимаешь престижную должность, о которой мечтают другие? Застраховала свою жизнь на большую сумму в пользу мужа или какого другого родственника? Владеешь чужими секретами и пытаешься заработать шантажом? Обладаешь немалым состоянием, а наследники ждут не дождутся момента, когда увидят тебя в гробу? Работаешь на иностранную разведку? Перешла кому-то дорогу? Украла деньги? Конфликтуешь с людьми?

— По всем вопросам — нет, — ответила я. — Случаются, конечно, и у меня трения с подругами и недопонимание с коллегами по работе, но потом мы миримся и вместе идем в кафе.

Филипп погладил меня по голове.

— Учитывая твой отрицательный ответ и сложив раз, два, три вместе, делаем вывод: ты встретилась с психом. Постарайся забыть эту историю, но сделай из нее правильные выводы.

— Везет мне в последнее время на шизиков, — пожаловалась я.

— Начало весны, — улыбнулся Филипп. — Ладно, проехали. Рассказывай, как сходила в рекламное агентство.

Я переключилась на другую тему:

— Узнала много интересного. Знаешь, кто генеральный директор агентства «Кадр»? Екатерина Барашкова, нынешняя жена Леонида Ильича, мачеха Нади. Думаю, она и есть любовница, которая решила подставить Алену. Вероятно, дело обстояло так. Леонид порядочный человек и считает семью самым главным в жизни. В свое время он очень любил Алену, не бросил ее, когда у нее начались проблемы с наркотиками, сражался за жену, постоянно укладывал на лечение в разные больницы. Но он мужчина, ему нужен секс, поэтому завел любовницу. Не знаю, была ли Катя первой и единственной или одной из многих, но то, что Леонид относился к ней по-особенному, мне стало понятно из откровений пьяненькой Софьи Яковлевны Вайнштейн.

— Так-так, действительно интересно, — кивнул внимательно слушавший журналист. — Продолжай.

— А еще я теперь знаю, что до того, как Екатерина вышла замуж за Барашкова, она с дочкой жила бедно, ей приходилось работать в нескольких местах. Конечно же, ей хотелось устроить свою судьбу, опереться на крепкое плечо, найти девочке отца. И тут на ее горизонте появляется Леонид, мужчина интеллигентный, очень неплохо обеспеченный, одним словом, жених без материальных и жилищных проблем. Но — маленькая деталь: у него есть законная супруга-наркоманка, за судьбу которой он несет ответственность. Наверное, Катерина рассчитывала на скорую смерть Алены. Героинщики долго не живут, либо умирают от передозировки, либо погибают от разных болезней, вызванных инфекцией. Вот только жена избранника оказалась на редкость живучей. И, о ужас, ей удалось выздороветь. Леонид попал в щекотливое положение: супруга нуждалась в его поддержке, но и Катя тоже ждала помощи от любимого человека...

Я немного помолчала, собираясь с мыслями, а затем продолжила:

— Алена рассказала Полине Дородновой, обретенной на зоне подруге, о том, как проходила ее семейная жизнь после удачной реабилитации. Они с мужем жили в одном доме, но — как друзья, общались, словно добрые соседи, интимных отношений не поддерживали. И так продолжалось довольно долго. И вот как-то раз супруги, крепко поругавшись по этому поводу, очутились в одной постели. Наутро Леонид сказал жене: «Давай попробуем начать все заново. У нас есть дочка, и хотя бы ради нее надо попытаться все наладить. Но имей в виду: если ты опять сорвешься, это будет конец. Я с тобой разведусь». Да, забыла упомянуть. На тот момент Елена Борисовна больше года не прикасалась к наркотикам и работала в агентстве «Кадр». Давай не станем давать оценку Леониду, который пристроил законную супругу в контору, где успешно делала карьеру его любовница. Но, с другой стороны, найти место для бывшей наркоманки, долгое время не работавшей, а мотавшейся по клиникам, практически невозможно. Не знаю, что Барашков пообещал Ройзману за такую услугу, но Исаак Соломонович согласился помочь своему лучшему клиенту. Ты меня слушаешь?

— Очень внимательно, — подтвердил Филипп.

— Тогда идем дальше. Думаю, Леонид поговорил с Катей, объяснил ей суть дела. Наверное, сказал что-то вроде: «Дорогая, нам надо расстаться. Мы с Аленой решили попытаться склеить семью. У нас растет дочь, за Наденьку у меня сердце болит. Развод стал бы шоком для девочки, она ничего не знает о наркомании матери. Давай останемся друзьями». Ну и так далее. И я полагаю, что Барашков рассказал любовнице про поставленное им жене условие: если она снова берется за шприц, немедленно последует развод. Но Екатерина не собиралась упускать свое счастье, в ее голове оформился коварный план.

Глава 24

Корсаков положил руки на руль.

— Катя решила подставить соперницу.

— Точно, — кивнула я, — все гениальное просто. Бессонными ночами на зоне Алена шаг за шагом восстанавливала события рокового дня — юбилейного праздника фирмы. Она тогда выпила стакан сока, который имел странный вкус. Не знаю, какое лекарство Катерина подлила или подсыпала в напиток, но оно затуманило Барашковой сознание. Алена только в заключении вспомнила, что ее к тому же на вечеринке укусила оса. Но насекомые тут ни при чем, они в конце ноября не летают. Ясно, что неприятное ощущение возникло у Алены от сделанного ей укола.

Я перевела дух и заговорила дальше:

— Раиса Самойлова в какой-то момент праздника потеряла из виду всех его организаторов, не могла найти ни Сусанну, ни Катю, ни Алену. Потом выяснилось, где находилась Вайнштейн: за кулисами дралась с Эжени, солисткой ансамбля «Авва», выступавшего на корпоративе. Певичке не понравилось, что раскованная племянница Софьи Яковлевны кокетничает с Ильей, руководителем коллектива. Вроде парень был любовником подружки девушки, вот она и решила проучить нахалку Сусанну. Раиса продолжала искать коллег и в конце концов увидела Екатерину. А та рассказала, что встретила совершенно пьяную Вайнштейн, которая без верхней одежды, в одном вечернем платье и босоножках, выскочила на улицу. Мол, она попыталась остановить ее, но Сусанна убежала. Сама же Катя, оказывается, устала ходить на высоких каблуках и пошла сменить обувь на более удобную, лежавшую в ее машине. Чтобы убедить Раису в правдивости своих слов, она задрала подол и продемонстрировала черные балетки. Внимание! Алена утверждает, что именно такие туфельки были на ней в тот праздничный день!

— А на самом деле Катя отвела жену своего любовника в автомобиль, села за руль, намеревалась устроить незначительное ДТП, допустим, слегка помять бампер о фонарный столб, потом перетащить одурманенную Барашкову на водительское сиденье, анонимно звякнуть в милицию, сообщить о происшествии и исчезнуть, не дожидаясь патруля? — спросил Филипп.

Я кивнула.

— Вроде того. Мы с тобой эту версию уже обсуждали. Но на проезжую часть неожиданно выскочила пьяная Сусанна. Дальнейшее известно: Леонид взбесился и отрекся от Алены. Семья не стала нанимать ей опытного адвоката, а бесплатный защитник не особенно боролся за клиентку.

— И капкан захлопнулся, — усмехнулся Филипп. — Дело быстро передали в суд, ни один человек не обратил внимания на нестыковки.

— Екатерина благополучно вышла замуж за Барашкова и живет с ним счастливо. — Я тяжело вздохнула. — Ну и в жуткую ситуацию попала!

— Почему? — пожал плечами Корсаков. — На мой взгляд, у второй супруги Леонида все сложилось прекрасно. Она заполучила обеспеченного мужчину, обзавелась семьей, Елизавета обрела отца. Прямо толстый слой шоколада, никакой жути.

Я опять почувствовала озноб.

— Я говорила о себе. Что мне-то теперь делать? Смотри, что выходит. Алена отсидела срок за другого человека, потеряла семью, уважение и любовь близких, упала на самое дно жизни, а настоящий преступник, убийца Сусанны Вайнштейн, живет припеваючи. И вот Барашковы — Нюрочка, Илья Львович, Леонид — взяли меня в свой дом, окружили вниманием, заботой, кормят-поят, денег за постой не берут. А как я их отблагодарила? Разрыла старую историю, вытащила чужой скелет из мрака на свет и выставила на обозрение. Ну и кто я после этого?

— Если смотреть на дело под таким углом зрения, то получается не очень красиво, — медленно произнес Филипп. — Но давай глянем под другим углом. Алена не сделала ничего плохого. Она выбралась из плена героина, надеялась, что снова воссоединится с мужем и дочкой, которую вернут из Англии, а ее подставили под обвинение в убийстве, судили, отправили на много лет на зону. Ей-то каково... И еще подумай о Наде. Она-то должна знать, что ее мать стала жертвой хитрой интриги.

— Может, ты и прав. Сейчас Надюша полагает, что ее мать покойница, — напомнила я. — Леонид с отцом решили: лучше объявить Алену мертвой, соврать окружающим про ее гибель под колесами. Оба прекрасно понимали, что ДТП, пусть даже с убитым пешеходом, не заинтересует прессу. Алена ведь не звезда, обычная женщина. Кстати, Сусанна тоже простая девушка, поэтому и о ее смерти не писали в газетах. Нюрочка и Надюша ни с кем из «Кадра» не общались. Ну как до них дойдет правда? Хотя, конечно, она могла всплыть, но ведь не всплыла. Подозреваю, что никто из семьи, кроме Ильи Львовича с сыном, ну и, естественно, Кати, замутившей всю историю, не знает истины. А Екатерина, как ты понимаешь, крепко прикусила язык.

Филипп вдруг положил мне руку на плечо.

— Только сейчас мне в голову пришел вопрос. Барашковы очень сплоченный клан, по твоим словам, они всегда вместе, в горе и радости. Как же Илья Львович и Леонид сумели выкрутиться? Ложь ведь надо было чем-то подкреплять, раз Алена погибла, ее пришлось бы хоронить...

Я пожала плечами.

— Наденька в то время была в Англии, ей о кончине мамы сообщил школьный психолог. Но девочка не ощутила большого горя, ведь, по сути, она совсем не знала родительницу. Алена сначала носилась по командировкам и не имела времени на воспитание ребенка, а потом, когда у нее начались проблемы с наркотиками, дочь спешно отправили в Великобританию. Между прочим, Нюрочка по сию пору боится, что во внучке проснутся гены матери, постоянно твердит Наде о вредности наркотиков и пытается оградить ее от всего, что, по ее мнению, с ними связано. И еще. Анна Константиновна сказала мне о похоронах невестки следующее. С далекой Камчатки прилетела мать Алены, которая после кремации увезла урну с собой, пожелав упокоить прах дочери на местном кладбище.

— Удобно, — кивнул Филипп. — Готов спорить, что «мать Елены» — нанятая актриса, а гроб в крематории не открывали. Небось Илья Львович сказал присутствующим: «Тело моей бедной снохи сильно пострадало, а мы хотим, чтобы вы запомнили Алену красивой». Наслышан о таких историях, за не очень обременительную сумму в морге покупают чей-то невостребованный труп и хоронят его, не поднимая крышку домовины. Бизнесмен Барашков вполне мог провернуть нечто в этом роде. В середине девяностых несколько крупных криминальных авторитетов «умерло», они были погребены под плач родственников, а потом их видели, кого в Европе, кого в Америке.

— Что же мне делать? — пробормотала я, думая о своем.

— В жизни всегда приходится выбирать, на чьей ты стороне, — жестко сказал Филипп, — с теми или с другими. У тебя два варианта: либо ты хранишь тайну Барашковых и не помогаешь Алене, либо рассказываешь правду про то, что случилось с Еленой Борисовной, и топишь Катю. Илья Львович и его сын не знали, что затеяла Екатерина, были искренне уверены — Алена взялась за старое. Они хотели оградить семью от позора и пересудов, поэтому инсценировали «смерть» матери Нади. Ну, не получается в жизни, как в пословице про волков и овец. Но знаешь, а ведь рассказывать-то тебе пока нечего. Что, собственно, есть у нас на руках? Болтовня Полины Дородновой про розовую туфельку? Рассказ пьяненькой Софьи Яковлевны Вайнштейн? — Филипп усмехнулся. — Нельзя строить обвинение на зыбучем песке. Софья алкоголичка, ее словам веры нет. И заметь: она сама на праздничном вечере не присутствовала, описывала ситуацию с чужих слов, передавала рассказ Раисы Самойловой. Так что тебе обязательно надо побеседовать с этой особой. Скажи, а черные балетки редкость? Их выпускает только одна фирма?

— Конечно, нет, — снисходительно ответила я. — Удобные туфельки без каблука придумала Роз Пети, мать знаменитого танцовщика Ролана Пети. А модными они стали в тысяча девятьсот пятьдесят шестом году, когда Брижит Бардо надела их в фильме «И бог создал женщину». Одно время про балетки забыли, но сейчас они снова на пике моды. Черных на рынке огромное количество, это же базовый цвет. А что?

Филипп открыл бардачок и начал в нем рыться.

— Почему ты подумала, что Раиса увидела на ногах Кати туфельки Алены? Вполне вероятно, что та имела такие же собственные?

Я замерла. Вот уж действительно...

Филипп перестал копаться под торпедой и посмотрел на меня.

— Нет ответа. А знаешь, почему? Да потому, что ты заранее решила: Катя виновата. Вот и подгоняешь факты под эту версию. Надо встретиться с Раисой. У тебя здорово получается раскручивать людей на беседу, ты лихо разговорила Вайнштейн, думаю, сможешь и Самойлову вызвать на откровенность.

Я смутилась.

— Особой моей заслуги тут нет, Софье Яковлевне развязал язык алкоголь. И ты прав, нельзя принимать всерьез слова, сказанные спьяну.

Корсаков откинулся на спинку кресла.

— Ты редкая женщина, из породы тех, кто умеет признавать свои ошибки. Так как, пойдешь к Раисе?

— Да, — твердо ответила я, — хочу понять, что случилось с Аленой. И если мать Нади понесла наказание незаслуженно, я расскажу о том, что узнала, Илье Львовичу и Леониду. Но как мне попасть к Самойловой?

— Дай-ка подумать... — протянул Филипп.

И тут из моей сумочки донесся звон мобильного. Я вытащила трубку и услышала голос Лизы:

— Степа! Помнишь, как ты два раза меня подвела, обещала и не сделала макияж? Ты обязана мне помочь! Немедленно! Сейчас!

— Извини, некрасиво получилось, — попыталась я остановить Лизавету.

Куда там! Она затараторила со скоростью обезумевшей сороки:

— А я оказала тебе услугу! Отпустила заниматься личными делами, не стала задерживать для обсуждения рабочих вопросов!

— Что ты хочешь? — перебила я Лизу. И выслушала в ответ ее рассказ.

Лизонька мечтает найти богатого мужа, способного спонсировать ее певческую карьеру. Такие мелочи, как внешность, возраст, род занятий и привычки будущего супруга, для нее не имеют ни малейшего значения, важно только состояние банковского счета: чем он больше, тем лучше. Ради возможности снять клип и засветиться со своими песнями на телевидении Лиза готова бежать под венец с любым представителем сильного пола, лишь бы он владел бездонной казной. Сегодня ей снова позвонила сваха и предложила встретиться с самым настоящим олигархом. Жених прибыл в Москву из США, чтобы найти себе жену, американская супруга ему категорически не нужна. Встреча состоится через полтора часа в пафосном ресторане.

— По-моему, не стоит спешить на свидание. Ты уже один раз, закутавшись в шубу, сбегала по наводке этой мадам к странному парню, — постаралась я образумить Лизу.

— Глупости! — закричала она. — Если я случайно столкнулась с идиотом, это не значит, что все вокруг такие. Ты обещала помочь! У меня форс-мажор!

Я молча ее слушала.

Поиск богатого мужчины Елизавета ведет широко. Кроме свахи, чьи услуги стоят совсем не дешево, дочь Кати задействовала Интернет и вчера выловила там жирную рыбку.

Некий парень пригласил Лизоньку сегодня в кино. О себе он написал: «Занимаюсь бизнесом, имею машину, дачу, квартиру. Материальных проблем у меня нет, как и жены. Увлекаюсь пением. Подробности на моей страничке «ВКонтакте».

Лиза пошла по указанному адресу, увидела фото вполне приятного молодого человека и узнала: друзья зовут его Вик, полное же имя бизнесмена Виктор Юрьевич Семенов.

Глава 25

— Это может быть он! — все более возбуждаясь, заявила Лизонька.

— Кто? — не поняла я.

— Ну ты даешь! — возмутилась она. — Юрий Семенов — миллиардер из «Форбса», а Виктор, вполне вероятно, его сын. Отчество и фамилия совпадают.

Я решила вылить на раскипятившуюся певицу немного холодной воды.

— У нас в бутике на входе дежурит охранник Юрий Семенов. А его полный тезка рулит на складе каром. Имя с фамилией не редкие.

— Понимаю, — неожиданно согласилась Лиза, — но проверить надо. Вик написал, что он, как и его отец, бизнесмен. Мне хочется узнать побольше подробностей.

— Ну так спроси парня прямо, — посоветовала я.

— С ума сошла? — взвизгнула Лизавета. — Подобные кадры боятся нарваться на охотницу за папиными сокровищами. Знаешь, сколько рыщет вокруг девиц с жадными ручонками?

Мне стало смешно, себя-то Лиза таковой не считает. А она тараторила без умолку:

— Интернет хорошая вещь, но не может заменить личного общения. Если сесть в кафе, посмотреть друг другу в глаза, поговорить, то многое станет ясно. Может, Вик однофамилец богатого Семенова. Но вдруг нет? Ты согласна?

— Правильная идея, — одобрила я.

— Отлично, — ликовала Лиза, — собирайся.

— Куда? — удивилась я.

— Вик через сорок минут будет около кафе «Батарейка», — скороговоркой выпалила Лизонька.

Я чуть не свалилась с кресла.

— Так ты мне предлагаешь идти на свидание с ним?

— А кому еще? — начала злиться Лизавета. — Сама я побегу к американцу. Случайно две перспективные встречи по времени совпали. И ни одну пропустить нельзя. Ну не разорваться же мне!

— Замуж ты тоже за обоих выйдешь? — не утерпела я.

— Не получится, — с откровенной досадой сказала Лиза, — придется выбирать. А выбрать надо того, кто богаче. Твоя задача узнать простую вещь: Вик сын миллиардера или нет.

Следовало деликатно прервать наиглупейший разговор, но я почему-то продолжила его:

— Мы с тобой не слишком похожи, кандидат в мужья сразу увидит подмену.

— Я не отправляла Вику своих фоток, только написала, что я стройная блондинка, — радостно сообщила Лизонька.

Но я не удовлетворилась ее ответом.

— Предположим, Вик из той самой богатой семьи. И что? На первое свидание притопаю я, а на второе совсем другая девушка? Как ты объяснишь это парню?

— Не твое дело, — отрезала Лиза. — Как-нибудь справлюсь с этой задачей.

Я взглянула на молчавшего Филиппа, вспомнила его слова про то, что в жизни всегда приходится делать выбор, и решительно произнесла:

— Нет. Перенеси встречу с Семеновым на другой день.

— Это невозможно! — заорала Лиза с такой силой, что мне пришлось отодвинуть трубку от уха. — Никогда! Сын олигарха не захочет иметь дело с капризной девчонкой! И ты уже пообещала мне пойти на свидание.

— Когда? — изумилась я.

— Только что! — снова завопила Лиза. — Сама же минуту назад сказала: я согласна.

Я попыталась образумить собеседницу:

— Ты говорила, что лучше выяснять подробности биографии Вика при личной встрече. Я согласилась с этим.

Но Лиза, не обратив внимания на мои слова, продолжала возмущаться:

— Вот ты какая? Мы самые близкие родственники! Живем вместе! Я считаю тебя сестрой! Неужели тебе трудно? Что сложного — посидеть с парнем в кино и поговорить с ним? Думаешь, приятно вот так деньги на клип искать? Ни папа, ни мама помогать не хотят, дед считает вокал глупым занятием. Меня хотят похоронить заживо в конторе у матери! Я там умру! Надю они уже довели до больницы, заставили ее учиться на переводчицу, и у нее нервные припадки начались, теперь я на очереди. Степочка, пожалей меня, пожалуйста! Я могу только на тебя рассчитывать! Ты же добрая... умоляю... мой клип... последний шанс... так хочется...

Елизавета разрыдалась.

— Ну, ладно, ладно, — забормотала я, — хорошо, успокойся. Через сорок минут буду у кафе «Батарейка». Я знаю, где оно находится. Уже спешу. Как я узнаю Вика?

— Он будет в серой куртке, синих джинсах, в руках пакет с надписью «Фонд спасения африканских сусликов», — всхлипнула Лизавета.

Хм, один ноль в пользу того, что Вик — отпрыск олигарха, сейчас богатые люди вовсю говорят о том, как помогают Черному континенту. В благотворительности, прямо как в фэшн-бизнесе, каждый сезон появляется новый тренд.

Заботятся то о тиграх, то о пандах, теперь вот — о сусликах.

Лизин плач сменился очередными криками, но уже на другую тему:

— Я тебя обожаю! Ты лучшая! Чмоки-чмоки-чмоки! Увидимся вечером!

— Уходишь? — спросил Фил, когда я положила телефон на место.

— Обещала помочь Лизе, — обтекаемо ответила я.

— Похоже, девица талантливый манипулятор, — вздохнул Корсаков. — Не получилось добиться желаемого криком, быстро сменила тактику, надавила на жалость и получила свое. Степа, научись твердо говорить людям «нет». Завтра пойдем к Самойловой? Прямо с утра?

— Хорошо бы, — обрадовалась я. — Но как мы попадем к Раисе?

— Не волнуйся, я решу эту проблему, — пообещал Филипп. — Будь осторожна на свидании. Не соглашайся, если парень пригласит тебя к себе домой попить кофейку.

— Ты прямо как моя бабушка, — захихикала я. — Хотя Белка в последнее время перестала говорить мне эту фразу. Мы с Виктором Семеновым встречаемся в центре города, кафе расположено в паре шагов от метро, кругом будет полно народа, молодой человек не сможет сделать мне ничего плохого.

— Знала бы ты, сколько девушек и женщин испарилось без следа в дневное время прямо у входа в подземку, — покачал головой Корсаков. — Для похищения это самое удобное место: в многолюдной толпе никто не заметит, как некий мужчина уводит симпатичную блондинку. Свидетелей потом не найти, следов нет.

Я отмахнулась.

— Ой, перестань, пожалуйста, ничего со мной не случится. Если не верить в беду, то она и не придет.

* * *

Точно в указанный час я, слегка запыхавшись от бега, остановилась у входа в «Батарейку». Начала озираться по сторонам и увидела тощего парня, одетого так, как описывала Лиза. Но в руках у него ничего не было, и я обрадовалась — это не Вик! Не хотелось отправиться в кино с человеком, который мыл голову неделю назад, а ботинки в последний раз чистил перед Новым годом.

В кармане заработал мобильный, я вынула телефон.

— Ты где? — зашипела Лиза.

— Возле кафе, — ответила я.

— Он пришел? — еще тише спросила она.

— Вижу одного кадра. Одежда похожа, однако пакет отсутствует, — отрапортовала я. — Может, мне лучше сразу уйти?

— Не вздумай! — испугалась Лиза.

— Джинсы и куртка с дешевой барахолки, ботинки из Китая. Сын олигарха скорей удавится, чем возьмет в руки подобные вещи, — доложила я свои наблюдения.

— Оставь свои модные замашки! — взвизгнула Лизавета. И тут же понизила голос: — Ты, Степка, наивняк. Очень часто обеспеченные ребята на первую свиданку специально наряжаются в барахло — проверяют, как девчонка отреагирует. Не обращай внимания на внешность, изучай внутренности. Давай, начинай!

Из трубки полетели гудки. Отличный совет я сейчас услышала, жаль, не прихватила из какой-нибудь клиники томограф, без него будет трудно разглядеть внутренности Вика.

Парень в джинсах порылся в кармане куртенки, достал оттуда очки, водрузил их на нос и стал до невероятности похож на «ботаника» Шурика из бессмертной комедии «Операция «Ы». Затем он с радостной улыбкой подошел ко мне.

— Ты Лиза? Сразу тебя узнал. Извини, про пакет забыл. Пошли!

— Куда? — предусмотрительно спросила я.

— Я билеты в кино купил, — сообщил «ботаник». — Правда, не в «Гелиос», а в «Румбу». Тут совсем недалеко. Доедем быстро, я тебя за пять минут докачу. Вон моя машина припаркована.

Я окинула взглядом бесконечные ряды разномастных автомобилей, покорно ждущих своих хозяев, улыбнулась и решила пошутить:

— Ну, и где «Мерседес»?

— У меня другая марка, — на полном серьезе ответил спутник. — Стоит у оранжевой тумбы.

Я скосила глаза влево. Действительно, в десяти метрах от нас возвышалась здоровенная тумба цвета взбесившегося апельсина, а около нее застыл громадный чудовищно грязный джип. Отчего-то затрапезный вид иномарки сразу убедил меня: тарантайка принадлежит моему собеседнику. Ведь если человеку не приходит в голову привести в порядок волосы и почистить обувь, то помыть автомобиль он тоже не догадается.

— Хороша? — спросил сзади «Шурик».

— Ничего, — ответила я и шагнула вперед.

— Эй, ты куда намылилась? — занервничал Вик. — Я здесь.

Я обернулась на звук. Справа, в противоположной стороне от замурзанного джипа, стояла еще одна оранжевая тумба, а возле нее сверкало начищенными боками нечто несусветное. Видели ли вы когда-нибудь монстра под названием «каблук»? Два посадочных места впереди, сзади железный коробок. На таких авто владельцы уличных палаток развозят хлеб, стиральный порошок, газеты и прочий мелкий товар. Около «каблука», эпатажно выкрашенного в ядовито-розовый цвет, и стоял страшно довольный Вик.

— Мне сесть сюда? — оторопело спросила я.

«Ботаник» кивнул.

— Пешком ходить не в кайф, так что устраивайся. Ну, давай, а то скоро сеанс начнется!

Я плюхнулась на продавленное кресло. Колени оказались на уровне носа. Ой-ой-ой, похоже, пассажирское сиденье набито не поролоном, а гайками! Вдобавок в колымаге воняло кокосом, а я терпеть не могу этот запах.

— Вперед! — заорал Вик и нажал на педаль газа.

Мотор взревел, повозка затряслась, чихнула, пукнула и стартанула с места. Я вцепилась в какую-то хрень. Что будет, если железный конь развалится прямо на дороге? Глаза сами собой зажмурились. Потом приоткрылись, я искоса посмотрела на Вика и опять перепугалась.

«Ботаник» выглядел странно. Его очки сползли с переносицы, рот приоткрылся, левая рука вцепилась в руль с такой силой, что побелели костяшки пальцев, правая дергала рычаг переключения скоростей. Что поделывают ступни парня, не видно, но его колени, обтянутые протертыми от старости джинсами, беспрестанно двигаются. Вот опускается правая нога, и мое тело тащит вперед сила инерции, я наваливаюсь на торпеду, но в ту же секунду начинает работать левая нога «Шурика», отчего меня встряхивает, как кошку в эпицентре землетрясения.

Вик лихо перестроился в левый ряд и начал шумно возмущаться:

— Кругом одни козлы! Эй, пустите! Подвиньтесь! Уйди вправо! Ау, ты выпил тормозной жидкости? Ага, вот и кинотеатр...

Радостно засмеявшись, Вик резко взял вправо. Окружающие машины шарахнулись в стороны.

— Дебилы! — констатировал водитель, пересекая дорогу наперерез движению. — Не умеете ездить, не садитесь за руль! Купили права, оставайтесь дома! Все, можно выходить!

Я вылезла из «каблука», постаралась устоять на дрожащих ногах и спросила у кавалера:

— Давно ты за рулем?

— Целую вечность, уже третий месяц, — на полном серьезе ответил он. — Я, знаешь ли, человек обстоятельный. На курсы сходил и самым честным образом, без взяток, получил удостоверение шофера. Ну, двигаем в зал.

Мысленно дав себе слово более никогда не приближаться к «каблуку» ближе чем на километр, я посеменила за парнем в фойе.

— Поп-корн будешь есть из большого ведра? — деловито осведомился Вик. — Не стесняйся, я не принадлежу к тем, кто экономит на девушках.

— Спасибо, воздушная кукуруза не моя еда, — возразила я. — И газировку не предлагай.

— О, ты ее тоже любишь? — обрадовался «ботаник», совершенно не слушая меня. — Супер! Какую предпочитаешь? Лично я тащусь от апельсиновой.

Не обращая на меня внимания, Вик сцапал одной рукой упаковку с поп-корном, другой прихватил пластиковую бутылку, сказал продавщице: «Ей то же самое, вот деньги» — и порысил в зал.

Я ринулась за своим спутником. Хорош кавалер! Вежлив и мил! А еще он толстокожий носорог — я сверлю взглядом его спину, но Вик даже не поежился. Больше всего мне хотелось развернуться и уйти. Но ведь тогда я подведу Лизу!

Глава 26

Пока я пыталась справиться с эмоциями, сын олигарха несся по залу, бормоча себе под нос:

— Десятый, одиннадцатый... О! Сюда, Лиза, не отставай! Ау, ты где?

— Ты вспомнил, что пришел сюда не один? — съязвила я.

— Наши места в центре, — не заметив моего недовольства, сообщил Вик и полез по узкому проходу, рассыпая поп-корн и командуя: «Уберите ноги, подвиньтесь...»

— Ты сейчас прольешь газировку, — предупредила я, увидев, что он наклонил открытую бутылку.

— Я никогда ничего не роняю, не разбиваю, не ломаю, не проливаю, — занудил Вик и моментально облил брюки лысому деду.

— Молодой человек! — возмутился тот. — Осторожней, вы меня облили!

— Я? — изумился Вик. — Садись, Лизка, мы дочапали.

— Вы, — не успокаивался дедок. — Извольте извиниться.

— Прошу прощения, — неконфликтно отреагировал «Шурик». И добавил: — Наверное, вы перепутали, я очень аккуратен, никогда ничего ни на кого не лью.

— Вода из вашей бутылки, — перебил его дедок.

— Это не совсем верное утверждение. Давайте сначала определим, является ли данная бутыль моей, — с уморительно серьезным видом занудил

Вик. — Я приобрел газировку в холле, сейчас выпью ее и вышвырну тару. Значит, я временный владелец и не могу отвечать за того, кто изготовил бутылку со слишком широким горлышком, из которого, вопреки моей осторожности, выплескивается содержимое. Равным образом я не могу нести ответственность за последствия, если некое лицо, имея преступные намерения, использует данную тару в качестве хранилища жидкой взрывчатки, имея цель взорвать жилой квартал густонаселенного города. Могу лишь подтвердить: я на несколько минут стал временным обладателем бутыли, но она была взята мной с целью получения лимонада. Вот газировка моя, я ее выпил. Я будущий адвокат, поэтому люблю точные формулировки. Ясно?

Дедок разинул рот и судорожно закивал. Да уж, понятно, почему старичок лишился дара речи, я его хорошо понимаю, Вик сейчас продемонстрировал высший пилотаж истинного зануды.

— Дорогая, я был убедителен? — повернулся ко мне спутник. — А где твоя кукуруза?

— Не люблю поп-корн, — терпеливо повторила я.

— Но я его тебе купил! — вскинулся Вик.

— Значит, я забыла ведро у продавщицы, — сладким голосом протянула я.

«Шурик» подскочил.

— Сейчас сбегаю и принесу.

Я потеряла терпение.

— Не надо, я ненавижу ее! Если еще соленая, то куда ни шло, но с сахаром, как у тебя, — полный кошмар.

— Молнией донесусь, — пообещал Вик, быстро удаляясь. — Деньги-то заплачены! И не маленькие! Значит, кукуруза наша.

Я заскрипела зубами. Похоже, этот идиот совершенно не слышит окружающих. Ведь сказала ему русским языком: такую еду не люблю.

В зале погас свет, на экране замелькали надписи.

— Подвиньтесь, уберите ноги, дайте пройти, — раздалось в темноте.

Я вскипела. Серия вторая: «Ботаник» возвращается». Но про себя констатировала: он живо управился, мухой слетал.

Темная фигура медленно двигалась по ряду. Потом замерла около деда, который, напряженно выпрямившись, уставился на экран. Старичок решил получить удовольствие на все потраченные деньги, поэтому тут же зашипел на Вика:

— Немедленно сядьте!

— Ни хренашечки в темноте не видно, — сдавленным голосом ответил парень. — Вот козлы, людям сесть не дают. Эй, скажи, это тебя я водой облил? Ну когда мы с моей герлой шли?

— Да, — зашипел дед, — имел место такой хамский поступок.

— Супер! — обрадовался, как детсадовец, Вик. — Значит, я в свой ряд попал.

Кресло заскрипело под тяжестью владельца «каблука», мне в руки ткнулось ведро.

— Лопай, как ты хотела, с тройным сахаром, — громогласно заявил Вик. И тут же начал комментировать происходящее на экране: — Вау! Он с автоматом! Ща начнет всех мочить!

Я поставила емкость с кукурузой под сиденье и решила сосредоточиться на кино. Надеюсь, «Шурик» приобрел билет не на фильм ужасов? Девушек нужно водить на романтические комедии. Перед глазами возникло название фильма: «Мясорубка-3».

Тяжелая рука опустилась мне на плечо и стала нашаривать застежки на куртке. Я скинула липкую лапу.

Вик противно захихикал и повторил атаку.

— С ума сошел? — сквозь зубы процедила я.

— Ты че, Лизка, заболела? — обиженно осведомился «ботаник».

— Я абсолютно здорова. А вот у тебя беда с головой! — разозлилась я.

— Обиделась, что я тебя не вечером в кино повел? — забубнил Вик. — Но я не могу пойти на одиннадцатичасовой сеанс! Правда, не получается, не дуйся, работа такая.

— Сиди молча! — велела я.

— Молодые люди, перестаньте разговаривать, — громко сделал замечание дедок. — Из-за вас ничего не слышно.

— Уши мыть надо, — в несвойственной ему грубой манере огрызнулся Вик. — Ну, Лиза, дай я тебя поцелую...

— Что ты себе позволяешь? Я не обнимаюсь с первым встречным!

— Постель еще не повод для знакомства? — заржал «ботан». — А кто час назад со мной трахался и замуж просился? Знаешь, Лизка, ты рискуешь!

Я на секунду потеряла дар речи, потом обрела:

— Я? Трахалась с тобой?

— А кто ж еще? — заржал Вик. Потом схватил меня за плечи, развернул к себе...

Именно в эту секунду экран вспыхнул ярким светом, и я заорала — лицо «ботаника» было намазано черной краской.

— Сейчас же прекратите, — загудел дед.

— Вау! — одновременно вскрикнули мы с Виком.

Повисла тишина.

— Где ты так вывозился? — отмерла я. — На себя не похож. Если это прикол, то он удался. Ты удивил меня по полной программе.

— Ваще-то я негр, — ответил Вик. — Мама у меня белая, а папа из Ганы. А ты не Лиза!

Я испугалась.

— Лиза я.

— Не, моя другая, — защептал парень, — на тебя совсем не похожа. Это какой ряд?

— Не помню, — ошарашенно ответила я.

Мой сосед повернулся к деду:

— Слышь, на хрена ты меня обманул?

— Вы о чем, молодой человек? — нервно спросил старик. — Не мешайте, сейчас будет моя любимая сцена — насильник распиливает свою жену.

— Ты сказал, что я пролил воду, — загудел тот, кого я приняла за Вика, вернувшегося с попкорном.

— Угу, — пробурчал дедок, с наслаждением пялясь на экран, — было такое.

— Вот я и решил, что сел в свой ряд, — сообщил парень, вставая, — около нас с Лизой тоже старый пень устроился.

И тут я сообразила, в чем дело:

— Мой знакомый тоже пролил на старика газировку. Это просто совпадение.

— Фу-ты, блин! — гаркнул чернолицый парень, встал и, сопя, стал выбираться к проходу.

Мне стало смешно, неожиданно вернулось хорошее настроение.

— Дайте пройти, уберите ноги, подвиньтесь, — донеслось слева. — Вот идиоты, в темноте из-за них ходи.

Кто-то опять остановился напротив деда.

— Чтоб тебя разорвало! — мигом отреагировал старикан. — Хватит туда-сюда бегать!

— Я на вас лимонад пролил? — спросил Вик.

— Да! — заорал пенсионер. — И что?

— А ничего, — мирно ответил «ботаник». — Просто я хотел убедиться, что в свой ряд зашел. Темнотища кругом, служащей с фонариком нигде нет. На, Лизка, держи свой поп-корн. Как хотела, с тройной солью.

Я запихнула и это ведро под сиденье. Просто день сурка какой-то!

— Я тоже решил такой взять, — зашептал Вик. — Знаешь, ты права, соленый вкусней. Вау, как он ее! Пилой! У-у-у! Круто! По башке топориком! Чпок, чпок! Видишь, череп раскололся. Натурально снято, хотя с ошибками — мозги при травме не так выглядят...

— Захлопнись, — буркнула я, стараясь не смотреть на экран.

— Подвиньтесь, уберите лапы, хорош сопеть... — донесся слева знакомый баритон.

Я схватила «ботаника» за рукав.

— Ты Вик?

— Нет, Наполеон Бонапарт, — торжественно заявил мой спутник.

— Прекратите разговаривать! — взвился дедок. — Я жалобу напишу в ЦК КПСС!

— Куда? — изумилась я. — Цекапес? Это что такое?

— Потом объясню, — шепнул Вик, — в двух словах не получится. Но если коротко, вспомним начало двадцатого века. Съезд РСДРП проходил в Лондоне и...

Я пнула его ногой.

— Продемонстрируешь интеллект позже.

— Это на тебя я воду пролил? — прогремело сбоку.

— Ненавижу вас! — простонал дед. — Жаль, что уже не тридцать седьмой год!

— Значит, да, — обрадовался тот, кто только что ушел к своей девушке. — Я в нужный ряд попал. Лизка, ты где?

— Здесь, — помахала я рукой.

— Как жизнь? — осведомился чернокожий парень.

— Супер! — ответила я.

— Че поделываешь? — не успокаивался он.

— Кино смотрю, — окончательно развеселилась я.

— Слышь, верни поп-корн, а? А то моя девчонка в обидках, — попросил дурачок.

— Нет проблем, — заверила я, наклонилась и вытащила из-под сиденья ведро. — Держи. Только скажи своей подружке, пусть верхний слой стряхнет, туда пыль могла попасть.

— Сам позабочусь, — пообещал незнакомец. — А то, если Лизке че посоветовать, она из вредности все наоборот сделает. Чмок тебя!

— Чмусеньки, — ответила я.

Темная фигура полезла назад, споткнулась о ноги деда и просыпала на него горсть кукурузы.

— Эт-та чего? — осведомился старик.

— Жуй, дедуля, — мирно сказал парень, — считай, что тебя угостили.

— С кем ты разговаривала? — ошарашенно спросил Вик.

— Забудь, — сказала я.

— Нет, я настаиваю на ответе, — начал кипятиться «ботаник».

— Мама у него москвичка, а папа из Ганы, — представила я парня.

— Понятно, — кивнул Вик. — Я вообще-то не ревнив, но мне не нравится, когда к моим девушкам козлы пристают. Но если он твой знакомый, то я молчу.

Мне показалось правильным сказать:

— Я не твоя девушка!

— Давай разберемся в сути вопроса, — загудел «ботаник», — а для начала определим понятие собственности. Итак, если...

— Ребята! — ожил дедок.

— Ну, что еще? — возмутился Вик. — Опять мешаем?

— Чем вы меня угостили? Очень вкусное, белое, на языке лопается, — заискивающе поинтересовался старичок.

— Поп-корн, — хором ответили мы с «Шуриком».

— Чего? — не разобрал дедок.

— Воздушная кукуруза, — улыбнулась я.

— Надутая? Как шарик? — попытался разобраться сосед.

«Ботаник» обрадовался случаю продемонстрировать эрудицию:

— Хотите, объясню процесс ее приготовления?

— А у вас еще такая есть? Может, натрусите чуток? — спросил дедуля.

Я наклонилась и вытащила второе ведро.

— Вот! Угощайтесь!

— Спасибо, возьму жменьку, — обрадовался сосед.

— Забирайте все, — разрешила я.

— Право, мне неудобно, вы деньги платили, — застеснялся пенсионер.

— Не люблю поп-корн, — успокоила я его.

Дедок пришел в восторг.

— Правда? Не из жалости угощаете?

— Нет, ешьте на здоровье, — сказала я.

— Ну, прямо повезло! — еще больше обрадовался дедуля. — Эх, жизнь-жестянка... Я ведь работал честно и еще помню, в сорок первом году...

— Так относительно съезда коммунистов, — перебил деда «ботаник». — В Лондоне...

— Хочу посмотреть кино, — решительно оборвала я эрудита.

Считается, что болтливее женщин нет никого на свете, но Вик и дед полностью опровергли это умозаключение. Оба сейчас готовы к бою — старичок в благодарность за поп-корн решил рассказать свою биографию, а Вик вознамерился прочитать лекцию по истории.

— Уберите ноги, подвиньтесь, хватит сопеть... — донеслось слева.

Я закрыла глаза. Точно, день сурка в разгаре. Мой новый знакомый возвращается! Интересно, какова причина на сей раз? Он пошел пописать и вновь перепутал ряды? И я хорошо знаю, о чем парень спросит старичка.

— Эй, дед, — загремело рядом, — я на тебя поп-корн просыпал?

— Точно, внучек, — согласился пенсионер, — здесь твое место.

— Лизка! — окликнул меня негр.

Я помахала рукой.

— Здесь.

— Не мое ведро дала, с соленой кукурузой. Лиза злится. Давай сделаем ченч, — попросил афророссиянин.

Я дернула дедулю за рукав.

— Поменяйтесь с ним кукурузой.

— Нет, — уперся старикан, — мне самому нравится, первый раз ее ем.

— Получите взамен точь-в-точь такое же ведро, — успокоила его.

— Тогда зачем махаться? — вполне логично поинтересовался дедулька.

— Что здесь происходит? — задергался Вик.

— Фу, вспотел, — буркнул парень и втиснулся на диванчик рядом со мной. — Лизка жуткая вредина. Уже два часа ноет: то поп-корн соленый, то «мерс» грязный, а я черный. Прямо устал. Можно с вами посижу?

— Диван только на двоих, — занервничал Вик. — Кстати, билеты не дешевые.

— Тебе че, жалко? — спросил новый сосед. — Всего на секундочку пристроился. Лиз, ты не против?

— Не-а, — помотала я головой. Отняла у деда ведро со сладкой кукурузой, сунула его москвичу-африканцу, а старичку вручила забракованный незнакомой девушкой поп-корн с тройной солью.

— О-о-о, солененький, — пришел в полнейший восторг пенсионер, — типа воблы. Пива только не хватает.

— Это легко исправить, — заржал негр и выудил из кармана банку. — Держи, дедушка, кушай на здоровье. В таком возрасте уже все можно, беречь нечего, органы от старости сами рассыпаются.

— Ну, ребятки, вы мне прям день рождения устроили! — ликовал дедуля. — Надо ближе познакомиться. Вас как зовут?

Мы с темнокожим парнем одновременно ответили:

— Лиза.

— Симон.

— А я дядя Миша, — представился пенсионер.

— Вы кино смотреть не будете? — зашипел Вик. — Там уже восемнадцатому человеку ноги отпилили!

— Помню, как в сорок втором году, — завел свою партию дядя Миша, — нашли мы под Москвой...

— Ах вот ты где! — завизжали сбоку. — Козел! Бабник! Сволочь! Так и знала! Носом почуяла!

Я повернула голову на звук. На экране бушевал пожар, и красное зарево осветило зрительный зал. Темнота рассеялась, стало хорошо видно, как по узкому проходу к нам пробирается тощая девчонка. Длинные, слишком белые, чтобы быть натуральными, волосы свисали почти до пояса. Лично я терпеть не могу особ, которые распускают патлы по плечам. Нет, если ты сидишь в своей спальне, то делай, что хочешь, но в метро или в троллейбусе очень неприятно тыкаться лицом в чужую гриву, даже если хозяйка удосужилась ее с утра помыть.

Девица поравнялась с дедом, стали видны слипшиеся от туши ресницы, черные «стрелки» вокруг глаз и синие тени. Просто ужас! Взгляд, как из танка! Еще у красавицы были пунцовые щеки. То ли она перестаралась с румянами, то ли покраснела от ярости. С силиконом в губах она тоже сильно переборщила — просто клюв утенка получился. И разве можно такой кошмар покрывать малиновым блеском?

— Кобель! — звонко выкрикнула она, тыча в деда Мишу рожком мороженого. — Привел меня в киношку — и давай хрен знает куда бегать. Попкорн он, видишь ли, покупает... Вижу я теперь твою кукурузу! Ща как врежу, мало не покажется!

— Девушка, — испугался божий одуванчик, — я вас не обманывал.

— Молчи, мухомор убогий! — заорала Лиза. — Бухаешь тут и продолжай!

— Не трогайте дядю Мишу, — вмешалась я, — лучше сядьте на свое место.

Симон схватил мою руку и благодарно пожал ее. Многочисленные перстни, которыми были унизаны его пальцы, оцарапали мне кожу.

— Точно получишь! — пошла вразнос его девица.

Я закрыла глаза и начала медленно считать до десяти.

— С ума сошла? — закричал Вик. — Больная, да?

Я прекратила сеанс аутотренинга и увидела, как по рубашке «ботаника» медленно сползает шарик

шоколадного мороженого. Очевидно, Лиза решила швырнуть рожок в Симона, а попала в Вика.

— Я, по-твоему, психованная? — заорала
она. — А ты пидор! Моего парня к себе на диван
усадил!

— Эй, спокойно, — с испугом откликнулся Симон, — ничего личного, просто я решил отдохнуть.

Девчонка выставила вперед тощие руки и вон-
зила длинные гелевые ногти в Вика. «Ботаник»
тут же схватил красотку за плечи. Мы с Симоном
предпочли не вмешиваться — если двое дерутся,
третьему лучше не лезть. А вот дядя Миша попытался защитить Семенова.

— Эй, шмакодявка, — приказал он, — оставь
парня, сядь, дай кино доглядеть.

Куда там! Лиза с азартом вырвала клок волос
из головы Вика, тот вскочил и потащил фурию
в сторону. В проходе заметался луч фонарика —
дежурный работник кинотеатра наконец-то стрях-
нул с себя сон и вспомнил о своих обязанностях.

— Лиза, — заорал Вик, — не уходи, я скоро
вернусь! Какая полиция? Эй, не заламывайте мне
руки.

Я обрадовалась. Вот и славно, «ботаника» скру-
тила охрана.

— Супер! — возликовал Симон. — Избавился,
наконец. Уж как она мне надоела... Хуже жвачки.
Выдра противная! Вчера познакомились на кон-
церте, а сегодня она уже характер показывает. Я,
кстати, лидер группы «Тяжелый череп». Хочешь,
дам автограф?

— Нет, спасибо, — отказалась я.

— На диске, — подмигнул мне Симон. — Они в машине лежат.

— Не интересуюсь музыкой, — соврала я.

— Да ты че? Правда? Даже в машине не слушаешь? — изумился Симон. — Мы в чартах первые! Могу на концерт провести. Неужели не слышала про нашу группу?

— «Битлз» знаю, — ядовито ответила я, — еще «Роллинг Стоунз» и «Лед Зеппеллин». А «Безумный череп» как-то мимо пролетел.

— Тяжелый, — поправил меня Симон.

— Что? — не поняла я.

— У меня тяжелый, а не безумный череп, — пояснил парень.

— Хочешь таблеточку аспирина? — ядовито спросила я. — Слопаешь, и голова будет как новая. Черепу полегчает. — В ту же секунду мне стало неудобно за грубость, и я сказала: — Извини, Симон. Твоя музыка, наверное, замечательная, просто у меня нет слуха.

Парень крякнул.

— Вообще-то я Сергей. Симон — псевдоним. В шоу-бизе почти всегда имена меняют, была Лизка Петрова по паспорту, а стала Элиза. Так красивее, и народу больше иностранные имена нравятся.

Я вздрогнула. Элиза? Почему это имя показалось мне важным? У меня нет знакомых Элиз.

И тут в зале ярко вспыхнул свет.

— Дурацкое кино, — сказал дядя Миша. — Ни хрена не понял — кто, кого, зачем пилил?

Надо же, старичок умудрился все-таки следить за происходящим на экране. Я же не видела ничего, зато отлично отдохнула и славно повеселилась. Правда, не выяснила, является ли Вик сыном олигарха, но непременно совру Лизавете, что парень гол как сокол. С таким экземпляром никогда не стоит иметь дела, даже если у него гора денег размером с Луну.

— Пойдем в ресторан? — предложил Симон. — Ты мне нравишься.

— Нет, мне домой пора, — ответила я и улыбнулась. Не стоит обижать Симона, он милый.

— Ты мне правда понравилась, — настаивал Симон. — Очень. Совсем не скандальная. Когда заварушка началась, ты даже не занервничала. Отвезу, куда скажешь. Я тебя уже люблю!

— Извини, меня дома муж ждет, — соврала я.

— Жаль, — расстроился музыкант. — Если передумаешь, звони. Вот визитка.

Я попрощалась с Сергеем и дядей Мишей, вышла на улицу и поежилась. Холод незамедлительно пополз под короткую куртку, ветер ударил в лицо. Прижав локтем сумочку, я развила реактивную скорость. У метро есть одно положительное качество — там тепло.

— Лиза! — донеслось с дороги.

Я невольно замедлила бег — за последние два часа я уже привыкла откликаться на это имя.

У тротуара остановился снежно-белый «Бентли» с нарисованным золотой краской тигром на капоте. Стекла дверей стекли вниз, появилось лицо страшно довольного дяди Миши.

— Мы едем в ресторан, а потом к нему на концерт, — заорал пенсионер.

Симон, сидевший за рулем, закричал:

— Пока, крошка! Ты ранила мое сердце! Непременно увидимся снова!

Я помахала парочке рукой.

— Удачного вам вечера. Дядя Миша, повеселитесь там от души.

«Бентли» рванул с места, а я нырнула в подземку.

Глава 27

Утром, сев в джип Филиппа, я стала безостановочно зевать. Корсаков сперва молчал, потом осведомился:

— Поздно легла?

— Вроде нет. Но едва начала засыпать, как позвонила бабушка и разбудила, — пожаловалась я. — Она и Дима улетели на Мальдивы, там Барашков устраивает театрализованное представление для топ-менеджмента какой-то компании, готовой выкинуть около миллиона долларов, чтобы устроить праздник для своих служащих высшего звена. Я очень рада за бабулю — она поплавает в теплом океане, поест восхитительно свежие морепродукты. И вообще, на экзотических островах в начале весны намного лучше, чем в Москве. Но Белка забыла посмотреть на часы и лишила меня сна.

— Ага, — пробормотал Филипп. — Ты готова к разговору с Раисой?

— Нет, — призналась я.

— Надо, чтобы она рассказала нам подробности о том, как десять лет назад прошел юбилей агентства, — напомнил Корсаков.

— Основную задачу я помню. Но каким образом вызвать Самойлову на беседу? — пригорюнилась я. — Думаю, она вообще откажется принять незнакомцев.

— Вот тут ты ошибаешься! — весело воскликнул Филипп, припарковываясь возле старого московского особнячка. — Нас с нетерпением ждут в десять ноль-ноль. Слушай внимательно: я старший следователь ОБЭПа, Степанида Козлова моя помощница.

— Кто ты? — не поняла я.

— Аббревиатура ОБЭП расшифровывается как отдел борьбы с экономическими преступлениями, — уточнил Корсаков. — У Раисы Ивановны есть приятель, Владимир Куркин. Мужика арестовали за шантаж. Дело мутное, еле движется. Мы с тобой приехали задать Самойловой вопросы о вымогателе. Такова легенда.

— Откуда ты все это знаешь? — восхитилась я.

Корсаков округлил глаза.

— Забыла про радиопрограмму? У меня полно друзей во всех органах власти.

— Ты просто гений! — воскликнула я.

Фил открыл дверь джипа.

— Вылезай, потом поболтаем. Разговор с Самойловой поведу я, ты помалкивай.

— Такое поведение полностью соответствует моим желаниям, — обрадовалась я.

Первые десять минут в кабинете Раисы Ивановны ушли на приветствия и общие вопросы про ее знакомство с Куркиным. Затем Филипп сказал:

— Значит, ваши отношения с Владимиром Петровичем исключительно приятельские?

— Да, — кивнула Самойлова. — Мы дружим... э... лет десять... Вроде так, точно не помню. Владимир приятный человек. Я знаю, что он бизнесмен, торгует канцтоварами, о вымогательстве ничего не слышала.

С лица Филиппа исчезла вежливая улыбка.

— Хотите сказать, что никогда не помогали Куркину?

— Конечно, нет! — занервничала Самойлова.

— Дела о шантаже сложные, — вздохнул Филипп, — очень часто преступник остается на свободе, потому что его жертвы не хотят огласки и не рассказывают о том, как платили немалые суммы, поскольку боятся раскрыть собственные тайны. Но! — Корсаков вынул из сумки айпад и продолжил: — Но, на наше счастье, существуют банковские документы. Десять лет назад на счет госпожи Самойловой стали поступать регулярные платежи.

Лицо Раисы покрылось красными пятнами.

— Сначала взносы были скромные — сто, двести долларов, — спокойным тоном говорил «старший следователь ОБЭПа». — Затем суммы выросли — пятьсот, шестьсот, семьсот...

— Это не то, о чем вы подумали, — сказала Самойлова.

— Да ну? — прищурился Филипп. — Вы имели... впрочем, и сейчас тоже имеете... всего один источник дохода. Работали долгое время в агентстве «Кадр», потом перешли в «Лидо», зарплату вам перечисляют на карточку. Мужа у вас нет. Непонятно, откуда взялись суммы, которые перед вашим уходом из «Кадра» достигли двух тысяч баксов. Вы вносили их сами, через кассу своего банка, очень аккуратно, пятнадцатого числа каждого месяца. Замечу, что вы никогда не меняли деньгохранилище, пользовались более двенадцати лет одним и тем же. Интересная деталь! Куркин требовал от своих жертв расплачиваться с ним четырнадцатого числа. Почему он выбрал именно этот день, непонятно, да и неинтересно. Важно одно — вы пополняли счет пятнадцатого. Ситуация некрасиво выглядит! И напрашивается вывод: Владимир Петрович отдавал своей подельнице ее долю, а та сразу несла деньги в банк.

Я не понимала, куда клонит Фил, но решила подать голос:

— Да, именно так!

Теперь Самойлова стала стремительно бледнеть.

— У вас есть последний шанс спасти себя, — вкрадчиво продолжал журналист. — Куркин пока молчит, но очень скоро ему предложат сделку: он сдает сообщников и получает минимальный срок. А вот его подельникам тогда не поздоровится. Пятнадцать лет!

— Сколько? — прошептала хозяйка кабинета, сжимаясь в комок. — За что?

Филипп закрыл айпад и с сочувствием произнес:

— Раиса Ивановна, я вас хорошо понимаю. Вы тяжело и много работаете, имеете на руках двух внучек от дочери, которая бросила своих детей и усвистела невесть куда. Девочки растут, им хочется иметь то, что есть у других детей. Вам никто материально не помогает.

Глаза Самойловой наполнились слезами.

— Это так. Я из кожи вон лезу.

Корсаков закивал.

— Кстати, Куркин вас обманывал. Сам получал десятки тысяч, а помощнице сбрасывал крохи. А еще я понял, что вы устали ему прислуживать, ведь пару лет назад «левые» денежные поступления прекратились. Вы перешли из «Кадра» в «Лидо» и более не связываетесь с шантажом. Похвальное решение. Но ответ за старые прегрешения придется держать. И что будет с внучками? Расскажите обо всем честно, и сделку предложат не Куркину, а вам. Кто первый решится на откровенность, тот и будет в выигрыше.

— Я никогда не имела никаких дел с Володей, мы просто дружили, — простонала Раиса. — Ей-богу! Поверьте, клянусь собственной жизнью! Те доллары... они не от него.

Журналист встал. Я поднялась вслед за ним.

— Жаль, — печально покачал головой Корсаков. — Пятнадцать лет большой срок. Маленьким девочкам придется расти в детдоме, а там ой как не сладко. Мы хотели вам помочь, но, увы, не получилось. Козлова, уходим.

— Стойте! — выдавила из себя Самойлова. — Хорошо, я все расскажу. Но пообещайте... Это совсем не Владимир! Что будет со мной, когда вы узнаете правду? Мне просто... давал деньги хороший друг. Не Володя!

Филипп быстро сел на место.

— Раиса Ивановна, нас интересует исключительно Куркин, более никто. Если сейчас мы поймем, что вы ему не помогали, то спокойно уйдем, и вы никогда более об ОБЭПе не услышите. Ваши личные тайны никто не разгласит, нам только надо знать правду, дабы исключить вас из списка подозреваемых.

— Сейчас, сейчас... — пролепетала Самойлова. — Слушайте и постарайтесь меня понять...

Глава 28

Дочка Раисы в пятнадцать лет родила двойню, а через два года удрала из дома и исчезла навсегда. На руках у Самойловой остались крошечные девочки, которых посторонние люди считали ее собственными детьми. Рая стала бабушкой в тридцать четыре года и очень не хотела, чтобы коллеги по работе узнали правду про ее беспутную дочурку.

Маленькие дети — большие расходы. Самойлова никому в агентстве не рассказывала, что творится у нее дома и как ей трудно материально. Няня, педиатр, обувь-платьица, еда... Почти весь заработок уходил на любимых малышек, на свои нужды у Раисы оставались жалкие крохи. В ноябре, когда «Кадр» готовился к празднованию своего десятилетия, она была на грани нервного срыва из-за моральной и физической усталости. Представляете, как она «обрадовалась», узнав, что Софья Яковлевна сломала ногу и теперь часть обязанностей ляжет на ее плечи? Не дай бог, если на юбилее случится косяк! Ройзман вспыльчивый человек, уволит под горячую руку всех организаторов торжества. И где потом искать работу?

На вечеринке Самойлова пребывала в истеричном состоянии. Слегка расслабилась лишь после одиннадцати часов, когда закончилось шоу мыльных пузырей и появились фокусники. Вроде все шло хорошо. Рае захотелось на пять минут остаться в полном одиночестве. Ну и как это сделать в клубе, битком набитом людьми?

На дрожащих ногах Раиса пошла за кулисы в туалет для артистов, куда основная публика не имела доступа, а сортир оказался занят. Чувствуя, что сейчас грохнется в обморок, она толкнула какую-то дверцу и очутилась в крохотной каморке с окном, где местная уборщица держала орудия труда — швабры, тряпки, ведра.

Усевшись на подоконник, Рая прижалась лбом к холодному стеклу и бездумно устремила взгляд на улицу. Наконец она немного пришла в себя и поняла, что видит внутренний двор клуба. Где-то слева находился аварийный выход, которым не пользовались ни посетители, ни артисты, потому что железная дверь была заперта. Вспомнилось, как директор заведения, принимая у организаторов вечеринки — Самойлова пришла к нему с Катей — предоплату за мероприятие, предупредил:

— Правила требуют, чтобы ключ от пожарного выхода находился вблизи от него. Связка висит на стене в шкафчике, но вы ее не трогайте.

— А если вспыхнет огонь? — вдруг поинтересовалась Екатерина. — Мы сможем открыть замок?

Директор быстро поплевал через левое плечо.

— Надеюсь, ничего такого не произойдет. Но замок в полном порядке, я его регулярно проверяю.

— Можно и нам посмотреть? — не успокаивалась Катя.

— Конечно, — кивнул директор. — Пойдемте, я вам все покажу.

Самойлова тогда очень удивилась дотошности коллеги, но одновременно обрадовалась. Подумала: хорошо работать с человеком, который настолько ответствен. Вот и прекрасно, что Катюша желает предусмотреть любые неприятности...

В каморке было тихо и темно — Раиса не стала включать свет. Конечно, пора было возвращаться в общий зал, но сил на это не осталось. Хотелось сидеть и сидеть на одном месте, тупо глядя в окно.

А во дворе тем временем шла своя жизнь. Сначала показалась кошка, которая быстро побежала куда-то, задрав хвост. Спустя некоторое время очень медленно проехала лимонно-желтая иномарка — крохотная малолитражка из тех, что любят женщины. Большой фонарь ярко освещал территорию, и Раиса отлично разглядела машину, показавшуюся ей знакомой. Но вспоминать, где раньше видела приметный автомобиль, не хотелось.

Она бросила взгляд на часы — стрелки показывали 23.45 — и решила отдохнуть еще пять минут. Вдруг за спиной послышался тихий скрип. Кто-то открывал дверь каморки!

Самойлова выпала из нирваны, неожиданно для себя испугалась, со скоростью таракана соскочила с подоконника и юркнула в нутро стоявшего впритык к окну шкафа, где болталась чья-то грязная вонючая рабочая одежда, комбинезоны и куртки. Почему так поступила, она не смогла бы объяснить. На нее просто накатил внезапный приступ страха.

Створки гардероба плотно не смыкались, и когда щелкнул выключатель, тусклые лучи маломощной лампочки осветили Катю. Сначала обрадовавшись, Раиса хотела вылезти наружу, но через секунду поняла: дело нечисто — на коллеге вместо вечернего платья были брюки и толстый свитер.

Все организаторы явились в клуб задолго до начала юбилейного торжества. Понятное дело, они приехали не в парадном виде, привезли праздничные наряды с собой, а потом переоделись. Сама Рая прихорашивалась в каком-то закутке, а где тем же занимались остальные, понятия не имела. И сейчас ей стало ясно: Екатерина выбрала в качестве личной раздевалки чуланчик уборщицы. Но зачем ей в разгар вечеринки понадобилось натягивать повседневную одежду?

Самойлова во все глаза наблюдала за коллегой. А та отодвинула занавеску, прикрепленную к стене, сняла с крючка вешалку со своим эффектным декольтированным платьем и стала переодеваться. Потом покопалась в большой сумке, стоявшей у стены, вынула маленький клатч и убежала, забыв выключить свет.

Рая покинула укрытие, приблизилась к незадернутой занавеске и поняла, что одежда Кати вся мокрая и грязная — та явно только что вернулась с улицы. Ощутив смутное беспокойство, Самойлова присела и заглянула в ее саквояж. Внутри обнаружились всякие женские мелочи, а еще упаковка с диабетическими шприцами, туба таблеток с яркой красно-синей этикеткой, две пары ключей от машины.

Пластиковые шприцы с крохотными иглами Раю не удивили. Мало ли для чего они нужны подруге? Может, та колет себе какой-нибудь препарат. Пилюли тоже не поразили воображение — Рая знала это лекарство, сама принимала иногда этот транквилизатор, действенный, распространенный. Но зачем Кате две связки ключей? Самойлова вытащила их и посмотрела на брелоки. Один был украшен круглым медальоном, через который шла надпись «Peugeot», другой состоял из трех букв — «BMW».

Раиса впала в еще большее недоумение. То, что у Екатерины есть крохотный «Пежо», известно всем. Но при чем тут «BMW»?

Самойлова бросила ключи с медальоном назад в сумку, продолжая удивленно смотреть на второй брелок. Именно в эту секунду у нее в кармане ожил мобильный. Она вытащила трубку, взглянула на экран, увидела имя Кати и помчалась в зал.

Праздник закончился поздно. Самойлова приехала домой, швырнула платье в спальне на стул и рухнула в кровать.

Утром она вскочила с гудящей головой, бросилась в ванную, в спешке умылась, покрасилась и улетела на службу, не успев позавтракать. А переступив порог офиса, узнала новость: Алена в состоянии наркотического опьянения сбила насмерть Сусанну Вайнштейн.

Никто из сотрудников агентства не мог сосредоточиться на работе, все обсуждали страшное известие. Ройзман тоже пребывал в шоке и в конце концов отпустил всех по домам задолго до окончания рабочего дня.

Раиса вернулась домой и от нечего делать решила навести порядок в спальне. Подняла валявшееся вечернее платье, встряхнула его, собираясь повесить в шкаф, услышала тихое позвякивание, удивилась, засунула руку в карман и вынула... ключи от «BMW». Каким образом они оказались у нее?

Рая оторопела. Но потом вспомнила, как из любопытства засунула вчера нос в сумку Кати и обнаружила связки, украшенные брелоками двух разных автомобилей. Она держала в левой руке ключи от «Пежо», а в правой — от машины немецкого производства и разглядывала их. И только бросила первые назад в саквояж, как заверещал телефон. Совершенно автоматически Рая засунула ключи от «BMW» в карман и схватила мобильный. Увидев на дисплее надпись «Катя», поспешила в зал, забыв обо всем...

— Ключи ведь тяжелые, — не утерпела и перебила я рассказчицу. — Неужели вы их присутствие в кармане не чувствовали?

— Нет, — отозвалась Самойлова. — Те, что от «Пежо», выглядели обычно, а немецкий автомобиль заводится при помощи невесомой пластинки, брелок выполнен из какой-то пластмассы, он легче пушинки. Вообще-то я не сразу поняла, что это ключи. Догадалась, поскольку за пару дней до этого видела, как Ройзман включает двигатель своего «BMW» таким же устройством. Я тогда очень удивилась, а Исаак Соломонович пояснил: «Это последнее слово техники, совсем недавно появилось у немецких производителей, они всегда впереди всей планеты. Думаю, скоро все крупные автоконцерны откажутся от обычных ключей, заменят их на такие...» Ну вот, я стояла, смотрела на платье, на брелок «BMW» и...

Хозяйка кабинета замолчала.

— Вы умная женщина, — произнес Филипп, — и в тот момент что-то поняли, да?

Самойлова начала ломать пальцы на руках. Мне стало ясно, до какой степени ей не хочется говорить правду. Но куда деваться? Пришлось продолжать.

...Раиса вспомнила, откуда ей знакома желтая машинка, которая ехала по двору, — симпатичная иномарка принадлежала Сусанне. Четыре месяца назад девушка впервые прибыла на ней в офис и вызвала бурю эмоций. Коллеги стали поздравлять племянницу Софьи, а за ее спиной принялись судачить. Младшая Вайнштейн говорила, что сама накопила деньги на колеса, но ей никто не верил. Откуда у юной особы с маленькой зарплатой деньги на дорогую малолитражку? К гадалке не ходи, ей сделал презент богатый любовник. А вот цвет тачки девица выбирала сама. Подобный ярко-лимонный автомобиль на улицах Москвы встретишь не часто. Сусанне всегда хотелось выделиться из общей массы.

По-прежнему держа ключи в руках, Рая села на кровать и задала себе вопрос: если Вайнштейн задавили на дороге, то кто проехал на ее машине по двору?

Почему Самойлова не подумала, что за рулем сидела сама владелица? Следователи, опрашивавшие в офисе сотрудников агентства, сообщили, что Сусанна погибла в двадцать три часа с минутами. Точное время аварии установили со слов свидетельницы, которая курила на балконе и видела наезд. А Рая прекрасно помнила, как, сев на подоконник в каморке уборщицы, глянула на свои часы и увидела цифры: 23.45. Ну, нельзя же умереть и управлять машиной? Без пятнадцати минут полночь Вайнштейн уже лежала мертвая на шоссе. Ну и кто находился в это время за баранкой ее крошечной машинки?

Раиса попыталась сосредоточиться. Когда она в последний раз видела Сусанну? А в момент драки в гримерке музыкантов.

Едва в клубе появился коллектив, развлекавший присутствующих выдуванием огромных шаров из мыльной пены, Рая пошла проверить, дали ли группе «Авва», ушедшей на перерыв, ужин. И стала свидетельницей скандала между Сусанной и солисткой Эжени. Самойлова приказала немедленно прекратить драку, Вайнштейн убежала. Как и почему она оказалась в том месте, где случилось ДТП, Раиса не знала. Зато отлично понимала: мертвая девушка не могла управлять автомобилем. Так кто сидел в малолитражке, ехавшей по двору клуба? Напрашивался только один ответ: Катя.

Самойлова, все еще сидя в своей спальне, опять прокрутила в голове события того вечера. Вот она видит желтую машинку... Почему та ехала на общую парковку через внутренний двор, а не по шоссе? Да просто водитель не хотел, чтобы его видели. Он же не знал, что у окна чуланчика окажется Рая. Иномарка исчезла с глаз Самойловой, а через несколько минут в кладовку вошла Катя, одетая в повседневный наряд. Ее брюки и свитер были в грязи, она явно побывала на улице. А потом в ее сумке обнаруживаются ключи от двух автомобилей.

У вас еще остались какие-то сомнения? У Раисы они исчезли.

Самойлова, вертя в руках брелок с тремя латинскими буквами, закрыла глаза и продолжала размышлять.

Сусанна никому не разрешала водить свой крошечный «BMW». Отказала даже самому Ройзману, когда тот попросил дать ему прокатиться по ближайшим улицам. Исаак Соломонович страстный автолюбитель, и ему не терпелось испытать малолитражку сотрудницы. Но племянница Софьи Яковлевны твердо сказала:

— Нет. Могу вас сама прокатить. В качестве пассажира усажу любого, но за руль никогда не пущу.

Отношения между Екатериной и Сусанной с виду казались ровными, но Раиса один раз случайно услышала, как младшая Вайнштейн, разговаривая с кем-то по телефону, жалуется на Катю, и поняла: Сусанна терпеть не может старшую коллегу. Так как Катюша очутилась на месте водителя лимонного «BMW»?

Тут Рая сообразила, почему Сусанна оказалась на дороге в вечернем платье без пальто. Она ехала на своей машине, потом почему-то покинула ее и была сбита Аленой.

По какой причине Екатерина решила тайком отогнать автомобиль Вайнштейн назад к клубу? Ну, наверное, она присутствовала при наезде, а затем, неясно почему, решила представить дело так, будто Сусанна шла куда-то с вечеринки пешком.

В офисе весь день обсуждали происшествие. Катя ахала и охала вместе со всеми и не один раз повторяла: «Какой ужас! Это настоящий шок для меня! А я еще рассердилась на Сусанку: она куда-то подевалась, я бегала по клубу, решала всякие рабочие вопросы, а племянница Сонечки как сквозь землю провалилась!» То есть Катерина старательно подчеркивала, что была на празднике, молчала про то, как переодевалась в повседневную одежду и управляла желтой малолитражкой.

В голову Раисы вдруг пришло интересное предположение, перед ее глазами очень четко возникла следующая картинка: Алена делает себе укол героина, теряет человеческий облик, Катя решает отвезти ее домой. Вечернее платье оставляет в чуланчике, тайком выводит Алену через пожарный выход, усаживает в ее автомобиль, выруливает на Чапаевский проезд и — сбивает Сусанну. Поняв, что Вайнштейн умерла, она бросает Барашкову, перебирается в машину Сусанны и пригоняет ее назад...

Тут я не удержалась от вопросов:

— Если Сусанна ехала на своей малолитражке, это объясняет, почему она была без верхней одежды. Но зачем ей выходить наружу и бежать через дорогу? И по какой причине врач Тамара Николаевна Степанова, видевшая наезд, не заметила «BMW» Вайнштейн?

Филипп быстро наступил мне на ногу. Я ойкнула, поняв свою ошибку, и замолчала. Однако рассказчица не стала удивляться, откуда девушке из ОБЭПа известны детали давнего происшествия. Самойлова просто сказала:

— Не знаю. Но Екатерина мне во всем призналась.

— Так вот откуда у вас деньги! — подпрыгнула я.

На сей раз Корсаков довольно больно пнул меня под столом. И я принялась усердно кашлять.

— Она сама мне доллары предложила, — зачастила Раиса. — Я на следующий день по-дружески поинтересовалась: «Катюша, ты проехала на машине Сусанны ночью через двор, я видела тебя за рулем около полуночи. Скажи, ты никак не причастна к смерти Вайнштейн?»

— Но вы заметили лишь автомобиль, а не водителя, — поправил Филипп.

Самойлова заискивающе улыбнулась.

— Ну, про человека за баранкой я просто так сказала, не очень точно выразилась.

Я стиснула пальцы в кулак и проглотила очередную реплику, мысленно же воскликнула: нет, Самойлова специально соврала!

— А она заплакала, — частила хозяйка кабинета, — принялась умолять меня ничего никому не говорить. Подтвердила, что мои рассуждения правильны, мол, она поняла, что Алена укололась, решила тайком отвезти ее домой. Посадила на переднее сиденье ее машины, порулила по Чапаевскому, и тут откуда ни возьмись — Сусанна словно из-под земли появилась. Катя не успела среагировать... Бумс! Боже, какой ужас!

Самойлова закрыла глаза рукой.

— Я захотела помочь Кате. Она прекрасный человек, тогда одна воспитывала дочь. Поверьте, я хорошо знаю, каково это.

— Вы отдали Екатерине ключи? — жестко спросил Корсаков.

— Не сразу, — смутилась Раиса, — чуть позднее. О боже, я поняла, о чем вы подумали! Нет, нет, все не так! Катюша предложила мне левую подработку втайне от всех. Я выполняла небольшие заказы, которые не оформлялись официально. Понимаете? Клиент приходил в «Кадр», Екатерина предлагала ему хорошую скидку, но с условием, что мы не подписываем договор и оплата будет наличными. Мы с ней их потом делили.

— А почему же вы ушли с насиженного местечка? — поинтересовалась я.

Самойлова скосила глаза в сторону.

— Ну... устала я от агентства «Кадр» и честно поведала о своем настроении Катюше. В жизни время от времени надо что-то менять, иначе она превращается в болото. Барашкова имеет массу знакомых, вот и помогла мне устроиться в другое агентство.

Я почувствовала, как щеки у меня становятся горячими, и помимо воли с моих губ слетела фраза:

— Не ошибусь, если предположу, что вы, став генеральным директором конкурирующего с «Кадром» предприятия, наконец-то, спустя не один год после той аварии, вернули Екатерине ключи от «BMW»?

Глава 29

Раиса дернулась, и я поняла, что попала в точку.

Филипп похлопал ладонью по столику.

— Секундочку. А откуда взялась машина Вайнштейн?

Самойлова провела рукой по идеально уложенным волосам.

— Катя, по ее словам, увидав Сусанну в вечернем платье, без пальто, сразу сообразила, что она приехала в то место на автомобиле. Огляделась и увидела на противоположной стороне улицы, на тротуаре, лимонный «BMW». Ключи торчали в замке.

— Очень удобно, — усмехнулась я, не понимая, что меня смутило в последних словах. — А почему Сусанна покинула свою иномарку?

Раиса Ивановна развела руками.

— Неизвестно.

— А вот Софья Яковлевна Вайнштейн сказала совершенно иное. Ей вы говорили, будто искали в клубе Екатерину, а когда наконец-то нашли, та была в праздничном платье и сообщила вам, что видела сильно пьяную Сусанну, которая куда-то убежала без верхней одежды, — выпалила я.

И тут же растерянно замолчала. Один раз допустить промах можно, но дважды напортачить — полный идиотизм. Сейчас Фил опять пнет меня под столом. Но слово, как известно, не воробей.

Однако Раиса Ивановна снова не заметила моего косяка. Она опустила голову и забормотала:

— Ну... да, верно... мы так с Катюшей придумали... Решили, что полицейские начнут задавать вопросы, размышлять, как Сусанна, почти голая, дошла до Чапаевского проезда, почему не накинула пальто?.. Если б ее иномарка осталась на тротуаре, то все объяснимо. Но Катя же вернулась на ней в клуб. Конечно, она совершила ошибку, ей не следовало этого делать. Мне она объяснила свой поступок так: хотела побыстрее удрать с места происшествия. Тогда мы и придумали историю про пьяную Вайнштейн, которую всем рассказали. Если человек наклюкался, никто не станет искать логику в его поведении.

— А черные балетки? — спросил вдруг Корсаков. — Вы говорили Софье Яковлевне, что Екатерина назвала вам причину долгого отсутствия в зале — мол, устала от шпилек, вот и бегала в свою машину переобуваться. И даже показала вам туфельки без каблука.

Теперь я пнула Филиппа. Корсаков тоже хорош! Откуда следователь ОБЭПа может знать про беседу Раисы и Софьи?

Самойлова вздохнула, по-прежнему не замечая наших «ляпов».

— Повторяю, мы все придумали.

— Не вспомните, какая обувь была у Кати на ногах, когда она пришла в чулан с улицы? — уточнил Фил. — Это очень важно!

Раиса Ивановна нахмурилась, но ее лицо быстро разгладилось.

— Столько лет прошло! Точно не скажу, но, думаю, на плоской подошве. Катя не раз говорила, что не умеет водить машину в туфлях на каблуках. Неужели Софья Яковлевна так хорошо мой рассказ до сих пор помнит?

— Думаю, она его никогда не забудет, — медленно произнес Филипп. — Ведь не каждый день у женщины погибает племянница.

* * *

Когда мы снова сели в джип, Корсаков сказал:

— Хочу ответить на не заданные тобой вопросы. Почему мне в голову пришла идея проверить финансы Самойловой? Потому что я знаю, у людей есть две главные болевые точки: деньги и секс. Если желаешь разузнать о каком-то человеке нечто важное, сначала изучи его банковский счет, а потом попробуй засунуть нос в постель. Либо в одном, либо в другом месте найдешь много интересного. Где я выяснил про Владимира Куркина? Уже говорил — у меня много знакомых, готовых предоставить любую информацию.

— Пожалуйста, отвези меня домой, — прошептала я, — голова очень болит и кружится.

Фил тут же перестроился в левый ряд.

Несмотря на отвратительное настроение, я испытывала к нему благодарность. Большинство людей сейчас, услышав мои слова, стали бы задавать вопросы, предлагать таблетки, советовать посетить врача, а Корсаков сразу все понял и поступил именно так, как мне хотелось, — молча направился к таунхаусу Барашковых.

— Потом поговорим, — сказал он, когда я выбралась из машины. — Степа, сделай одолжение, пока не предпринимай никаких действий. Просто выпей чаю, ложись в кровать и поспи. Когда проснешься, позвони.

Сил что-либо ответить не нашлось. Я не смогла даже кивнуть. Повернулась и поплелась ко входу в дом, еле-еле передвигая будто свинцовые ноги.

— Степонька, тебе плохо? — запричитала Нюрочка, увидав, как я вползаю в кухню.

Я сделала гигантское усилие и выдавила из себя:

— Полный порядок. Можно глотнуть чайку? Очень устала, ходила выбирать квартиру.

Нюрочка заквохтала:

— Сейчас заварю имбирный напиток, это лучшая помощь при любом недуге. Значит, ты отказалась от идеи покупать тот ужасный пентхаус в Филях? Оксана, риелтор, нам звонила, просила на тебя повлиять. Еще она соединилась с Изабеллой Константиновной, сообщила, какую дурость собирается совершить ее внучка. А твоя бабушка, дай ей бог здоровья, ответила: «Степанида сама принимает решение, это ее выбор». Ну разве так можно? Ребенку надо помогать, направлять его...

У меня что-то случилось со слухом — речь Нюрочки превратилась в невнятное бормотание. Потом мои руки-ноги потеряли вес, а голова, наоборот, стала тяжелой, меня стало покачивать. Внезапно исчезли все звуки, и наступила темнота...

Тихое позвякивание прогнало тишину и мрак, я приоткрыла один глаз. Сквозь полусомкнутые ресницы увидела большой стол, две сидящие за ним темные фигуры и ощутила себя маленькой девочкой.

Первокласснице Козловой трудно давалась учеба. Вернувшись из школы, я часто засыпала на кухне, на софе, стоящей у окна. Пробуждение наступало вечером, я чуть-чуть поднимала веки, натыкалась взглядом на бабулю, которая читала газету, и думала с тоской: «Еще ведь надо уроки делать». Неведомая сила поднимала мою голову с подушки, я вскакивала, хватала тетради, открывала их и — бросалась целовать Белку. У нас с бабушкой похожий почерк, и очень часто она писала за меня домашние задания, решала задачки. Учителя ни разу не усомнились, что я сама корплю над упражнениями. Правда, в примерах Белка, как правило, делала много ошибок. Если честно, бабуле никогда не удавалось получить по арифметике четверку. Она горестно вздыхала, разглядывая жирную цифру «3» и надпись, сделанную красными чернилами: «Степанида, ты не выучила таблицу умножения, семью семь никогда не будет сорок семь».

Я открыла оба глаза, воспоминания словно ураганом сдуло. Действительно, я лежу на диване в кухне, но не в проданной ныне гостинице «Кошмар в сосновом лесу», а в таунхаусе Барашковых. За столом Катя и Леня пьют чай.

— Проснулась? — ласково спросила Катерина. — Подсаживайся к нам. Что ты придумала с квартирой? Оксана в шоке.

— Это мой выбор, — пробормотала я.

— Нельзя допустить, чтобы огромная сумма была выброшена на ветер, — сердито остановила меня Катя.

— Какая вам разница? — не слишком вежливо осведомилась я.

Жена Леонида укоризненно цокнула языком.

— Вот те на! Нам совсем не безразличны твои дела. Мы живем вместе, мы родня, мы одна семья.

Я встала.

— Мы больше не живем вместе. Я уезжаю прямо сейчас. Иду собирать вещи и ухожу.

— Куда? — удивился Леня. И закричал: — Мама, папа, сюда!

— Почему? — поразилась Екатерина.

— Потому, — буркнула я. — Хватит, больше никаких вопросов.

Но Барашковых нельзя остановить. На кухню примчались Нюрочка и Илья Львович, подтянулась Лиза, даже Надя покинула свою спальню. Все засуетились, заговорили разом, Леонид приказал запереть входную дверь и спрятать ключ, Нюрочка кинулась варить для меня успокаивающий чай. И без конца звучали фразы:

— Почему? Почему ты решила нас покинуть? Почему? Никуда ты не пойдешь! Изволь объяснить. Мы одна семья, родные люди... Почему? Почему? Почему?

Когда очередное «почему» раскаленным гвоздем воткнулось мне в голову, я не выдержала, зажала уши руками и закричала:

— Потому что Катя убила Сусанну Вайнштейн, подставила первую жену Леонида Алену и живет счастливо. Я не знаю, что мне делать с этой информацией, но просто не могу находиться в одном доме с убийцей и смотреть Надюше в глаза. Вы все врали! Катя обманула Леонида и его семью. А Леня с Ильей Львовичем объявили Алену мертвой. Но Елена Борисовна жива, она лежит в больнице...

Из меня полился рассказ. Понятия не имею, сколько времени я говорила без остановки, но после того, как последняя фраза слетела с языка, на кухне стало так тихо, что у меня зазвенело в ушах.

— Это правда? — неожиданно громко спросила Надя.

— Катя, Степа ведь ошибается? — пробормотал Леонид. — Детям свойственно фантазировать.

Екатерина стиснула кулаки, приложила их к груди, встала...

— Мамочка, ой, мамочка, не надо! — заплакала Лиза. — Пожалуйста, молчи, умоляю! Мне так страшно! Только ничего не рассказывай! Пожалуйста, пожалей меня!

Реакция Лизы меня удивила. Катя медленно опустилась назад на стул, проронив:

— Все эти годы я боялась, что когда-нибудь правда вылезет наружу.

Лиза завизжала и убежала, а Екатерина продолжала:

— Леня, ты помнишь, как мы познакомились? Любовь вспыхнула сразу. Но ты предупредил: «У меня жена-наркоманка. Она находится в клинике на реабилитации, это ее последний шанс, если Алена опять сорвется, я разведусь». Так?

Барашков молча кивнул, его супруга резко рассмеялась.

— Нам было хорошо вместе! Я ощутила мужскую заботу, Лиза обрела отца, а ты понял, что такое настоящая семья и женщина, которая обожает своего мужчину. Я знала: мой избранник очень порядочен и ответственен. И он не способен срезать с дерева гнилую ветвь, надо подождать, пока та сама отвалится. Я была совершенно уверена — наркоманка никогда не бросит героин, он ей все на свете заменил. И вдруг такой финт — она завязала!

Катя схватилась руками за голову и начала раскачиваться, не переставая говорить:

— Леонид устроил жену в «Кадр» и объяснил мне, что Алену с ее биографией никто, кроме

Ройзмана, не возьмет. Лёне всегда хочется быть хорошим в глазах окружающих, но обо мне, самом близком человеке, он не подумал. Каково мне было каждый день видеть Елену Борисовну, а?

Екатерина опустила руки, устремила взгляд на супруга:

— Леня, что ты мне говорил? «Сейчас развестись не могу, Алена едва пришла в себя, она не вынесет стресса и снова сядет на иглу». Ты так любил ее?

— В тот момент нет, — признался Барашков.

— Тогда почему мучил меня? — закричала жена. — Не оформил отношения со мной...

У Кати прервался голос. Леонид молчал, а его жена продолжила:

— Ты приходил к нам с Лизой, называл ее доченькой, но не расставался с Клепиковой. Алена была тебе дороже нас?

— Нет, — запротестовал Барашков, — конечно, нет.

— Да, да, да! — заорала Екатерина. — Ты находил все новые и новые причины, чтобы оттянуть разрыв. Потом вдруг заявил: «Прости, Катенька, я люблю тебя и Лизочку всей душой, но мы с Аленой решили попробовать начать семейную жизнь заново. У нас дочь, ради нее мы реанимируем наш брак. Я вас не брошу, буду помогать. И твердо обещаю: если Алена сорвется, вот тогда я точно разведусь». Высказался и ушел. А я осталась рыдать.

— Господи, сыночек, ты сказал подобное? — прошептала Нюрочка.

Леонид молчал.

Катя засмеялась:

— Можете мне поверить, слово в слово сейчас его речь передала, она у меня в мозгу каленым железом выжглась. Я всю ночь не спала, а потом сказала себе: «Я люблю Леню больше жизни. Лизоньке необходим отец, а Надюше настоящая мать. Я намного лучше Алены, поэтому должна бороться за свое счастье и победить».

— Леня, тебе следовало прийти ко мне за советом, — вмешался в беседу Илья Львович. — Я бы...

Барашков-младший вскочил.

— Папа, ты забыл? Вот здорово! Я же примчался к тебе однажды утром взбудораженный и честно сказал: «Не знаю, как себя теперь вести. Алену давно разлюбил, забочусь о ней исключительно из чувства долга и потому, что она мать Нади. У меня есть другая женщина, с которой я хочу провести жизнь, но сегодня ночью, сам не знаю как, очутился в постели Алены. Наверное, надо сказать ей, что восстановление семьи невозможно, секс ничего не значит». И как поступил ты? Прочитал мне лекцию. Бубнил: «Ни мой дед, ни отец никогда не разводились. Алена мать Нади, и она выздоровела. Надо попытаться восстановить брачные узы. Если ты сейчас оформишь развод, несчастная женщина может опять сесть на иглу. И что скажет родня? Как отреагируют все наши родственники, люди вокруг? Они скажут, что для Леонида Барашкова семья пустой звук. Запомни, сын, жену на любовницу не меняют. Встречайся с Екатериной тайно, Алена же пусть остается твоей законной супругой, тогда мы избежим пересудов». И так ты мне мозг промыл, прямо зазомбировал, что я согласился!

— Я же хотел как лучше! — возмутился Илья Львович. — Надюшу нельзя было лишать матери!

— А она у нее была, мать-то? — зло спросил Леонид. — Настоящей мамой Наде позже Катя стала.

— Господи... — всхлипнула Нюрочка.

— Боженька тут ни при чем, — отрезала Екатерина. — Добрый дедушка на небесах слишком занят, чтобы помочь женщине, которая теряет свое счастье. На бога надейся, а сам не плошай. Я придумала план, как избавиться от Алены. Все равно рано или поздно она схватилась бы за шприц, я просто ускорила процесс. Рассказать, как?

— Не надо, — с усилием произнес Леонид.

— Боишься? — захохотала Катя. — Не желаешь услышать, на что я пошла, чтобы стать твоей законной супругой? А придется! Сегодня вечер такой — сплошная правда всем в морду.

Глава 30

Я наконец опустилась на стул, а Катя тоном оратора, читающего доклад с трибуны, начала свое повествование.

Героин она приобрела через Интернет. В Сети можно найти что угодно, наркоманы открыто переговариваются на своих сайтах. Кате хватило пары дней, чтобы найти дилера. Мощный транквилизатор имелся дома в аптечке, его одно время принимала она. Сделать укол для Кати не проблема — в свое время она научилась пользоваться шприцем, когда помогала своей матери, ныне покойной, страдавшей от диабета.

Задуманную акцию Екатерина решила провести в праздничный день. То есть тогда, когда будут торжественно отмечать десятилетие агентства «Кадр». Она знала, что в клубе соберется огромная толпа: сотрудники, заказчики, партнеры. Все развеселятся, кое-кто, несмотря на строжайший запрет Ройзмана, притащит на вечеринку спиртное, никто не станет отслеживать ее передвижения.

И все шло по намеченному плану. Оцените предусмотрительность Кати! Перед началом вечера она шепнула Алене:

— Хочешь поставить свою новую машину в укромное местечко? У клуба будет много автомобилей, еще оцарапают твою «ласточку».

— Вот спасибо! — обрадовалась Барашкова. И загнала малолитражку во внутренний дворик.

— Ключи повесь на крючок около связки от пожарного выхода, — велела Катя, изображавшая из себя подругу. — Если администрация клуба подойдет ко мне и сделает замечание по поводу твоей тачки, я живо перегоню ее.

Алену странное предложение не смутило, она послушно повесила брелок на крючок. Потом Катюша подсунула жене любовника стакан сока с большой дозой транквилизатора. Елена Борисовна без колебаний выпила все и вскоре потеряла координацию движений.

— Ой, тебе надо глотнуть свежего воздуха! — засуетилась соперница, боровшаяся за свое счастье.

Она отвела плохо соображающую Алену в служебное помещение, а сама в чулане уборщицы переоделась в джинсы и свитер. Затем вколола одурманенной Алене героин, спрятала использованный шприц в свою сумку, через пожарный вход выпихнула еле-еле держащуюся на ногах Барашкову во двор, усадила в ее же машину и поехала на Чапаевский проезд. Нет, Катя не собиралась устраивать аварии, наносить ущерб здоровью соперницы.

План ее был прост, как веник. Любовница Барашкова хотела развернуть машину поперек дороги и уйти назад в клуб, до которого от того места было минут пять ходьбы, не более, быстрым шагом. Чапаевский проезд не особо загруженная магистраль, многолюдно на ней только в первой половине дня, когда работают расположенные там школа и поликлиника. Вечером же (вспомним, что речь идет о событиях десятилетней давности) движения почти нет. Екатерина полагала, что никто и ничто не помешает осуществлению ею задуманного. При себе у нее был специально приобретенный мобильный с незарегистрированной симкой, и она собиралась позвонить в милицию, сказать: «Поперек дороги стоит автомобиль, в нем женщина без сознания, пришлите кого-нибудь, пока не случилась беда». И все. Потом сотовый можно по дороге выбросить в любой мусорный контейнер.

Барашкова быстро потеряла сознание. Катя рулила по Чапаевскому проезду, и вдруг, словно черт из табакерки, перед капотом возникла человеческая фигура. Екатерина попыталась затормозить, но поздно. Послышался глухой удар.

Алена не очнулась, находясь в глубоком героиновом опьянении. Катя быстро припарковала машину у тротуара, выскочила на дорогу и онемела. Перед ней в грязи лежала мертвая Сусанна Вайнштейн.

Катерина ринулась к машине, чтобы перетащить Алену на водительское кресло, как будто та находилась за рулем автомобиля, совершившего наезд. Но от ужаса не сообразила, как надо действовать, и зачем-то распахнула пассажирскую дверцу. Алена, сидевшая, навалившись на нее, выпала на тротуар. Поднять ее у Катерины не хватило сил. И вдруг до ее слуха донесся громкий хлопок. Похоже, в расположенном на другой стороне дороги жилом доме кто-то вышел из подъезда.

Катя оглянулась, но никого не увидела. Зато заметила невдалеке яркую машинку Вайнштейн, стоявшую на тротуаре. Кинулась к ней, нащупала торчавший в замке зажигания ключ, завела двигатель и быстренько свернула в ближайший двор. Теперь оставалось лишь надеяться на то, что милиция, увидев Алену, одурманенную наркотиком, посчитает ее виновницей убийства Вайнштейн.

И ведь так и случилось! В общем, план удался: наркоманку арестовали, Леня отрекся от жены и сделал предложение Кате. Жизнь засияла радугой...

Катерина на секунду примолкла и закричала:

— Мерзкая сучка! Скотина жадная! Змея подколодная!

— Раиса Ивановна или Софья Яковлевна? — уточнила я. — Кого ты имеешь в виду?

— Обеих, — вдруг тихо и устало пояснила Катя. — Райка явилась меня шантажировать — она, оказывается, видела, как я ехала по внутреннему двору клуба в «BMW» Вайнштейн, а потом переодевалась в чулане. А еще эта гадина залезла в мою сумку и забрала ключи от «BMW»! Сосала из меня деньги не один год!

Я кивала в такт словам Кати. Ну да, все, как я и предполагала.

— В конце концов мне удалось получить ключи назад, — усмехнулась жена Леонида. — В обмен на шикарное место работы для Райки. Лучше не спрашивайте, как мне удалось пристроить мерзавку на пост генерального директора «Лидо», но я справилась. Райка отстала. Да и понятно! Я больше тысячи баксов не могла из семейной кассы тайком вынуть, а теперь у нее зарплата стала заоблачной, копейки от Барашковой ей без надобности.

Я не смогла удержать вопрос:

— А чем же вам не угодила Софья Яковлевна? Ее ведь вообще на празднике не было, она в больнице лежала.

Екатерина уперла руки в бока.

— Ага, зато безостановочно ныла: «Моя Сусанночка...» Дня не проходило, чтобы Сонька не говорила: «Живу одна, никого рядом, убили мою племяшечку».

Я отвела глаза в сторону. Ну да, очень неприятно слушать такие причитания, зная, что именно ты лишила девушку жизни.

— И ведь совсем не вспоминала Сонька, что ее Сусанночка была девкой без тормозов, — возмущалась Катя. — Сколько раз Сонька до этого в моем кабинете рыдала и причитала: «Все, пора мне перестать о потаскушке заботиться. У нее одни мужики на уме, то с одним в постель прыгнет, то с другим. За что мне это горе? Хочу жить одна, спокойно». Но стоило шлюхе под колеса попасть, как она для тетки превратилась в самую лучшую, умную, прекрасную девушку. Я чуть с ума не сошла! Знала, что Ройзман никогда Софью не уволит, мне терпеть ее придется. Слава богу, идиотка бухать начала. Спивалась она долго и только недавно человеческий облик потеряла. Но теперь конец, велено ее выставить вон.

На этой злорадной ноте генеральный директор агентства «Кадр» повернулась в мою сторону:

— Ты можешь подтвердить, что я говорю чистейшую правду. Софка на глазах у Степы в кабинете на пол свалилась и захрапела!

— Верно, — кивнула я. — Но кто поднес ей первую рюмку коньяка? Дал понять, что спиртное может снять стресс?

Екатерина сдернула с крючка посудное полотенце и уткнулась в него лицом.

— Катастрофа! — пролепетала Нюрочка. — Илюша, ты соврал мне и всей родне про смерть Алены?

— А следовало сказать правду? — взвился Илья Львович. — Опозорить и без того опозоренную Аленой семью? Разрешить Наденьке жить с мыслью о том, что ее мать убийца? Я буквально издергался, пока фальшивые похороны организовывал, а потом долго боялся, вдруг правда наружу вылезет. Знаешь, сколько мы с Леней пережили?

Анна Константиновна только тяжело вздохнула.

— Но моя мама ни в чем не виновата, — медленно произнесла Надя, — настоящая убийца Сусанны Катя.

— Что нам теперь делать? — еле слышно спросила Нюрочка.

Надежда встала.

— Степа от вас уходит, и я тут жить больше не хочу, вот. Заберу мамочку из больницы, сниму квартиру, как-нибудь устроимся.

Нюрочка зарыдала. Екатерина продолжала стоять, держа полотенце у лица. Леонид растерянно смотрел то на жену, то на мать, то на дочь. Мне стало душно. Степа, это ведь ты разрушила счастливую жизнь Барашковых!

Илья Львович встал.

— Так! На дворе ночь, сейчас никто никуда не двинется. Завтра с утра на свежую голову обсудим положение дел.

Наденька быстро подошла ко мне и схватила за руку.

— Нам больше восемнадцати лет, вы не имеете права нас задерживать.

— Дверь будет открыта, никто ее запирать не собирается, — пообещал Барашков-старший. — Понимаю, вы обе не дети. Но если считаете себя взрослыми, то и поступать следует не по-ребячьи. Убегать сломя голову глупо, дождитесь утра.

Мы с Наденькой переглянулись и в один голос ответили:

— Ладно.

Голова у меня просто раскалывалась, думать о чем-либо не было ни сил, ни желания. Кое-как я доползла до своей кровати, упала на нее, не раздеваясь, и тут же заснула.

Разбудило меня тихое попискивание мобильного.

Я села и пару минут пыталась понять, почему спала, не сняв одежду. Потом зажгла лампу на тумбочке и увидела в телефоне сообщение от Фила: «Срочно проверь почту».

В памяти сразу ожили события вчерашнего дня. Я кинулась к лежащему на столе ноутбуку. Наверное, Корсаков выяснил нечто невероятное, раз прислал мне эсэмэску в четыре утра.

Экран засветился серо-голубым цветом, и вскоре я прочла текст:

«Степа! Надеюсь, ты, очутившись в таунхаусе, сразу легла спать. Выяснились интересные обстоятельства. Я еще раз прослушал запись твоей беседы с Софьей и зацепился за ее слова, выкрикнутые в адрес Екатерины: «Кинозвезда наша». Пьяная баба могла наболтать чушь, и мы с тобой сначала не оценили слова Вайнштейн по достоинству. Ты отправилась вчера домой, а у меня времени на то, чтобы раскинуть мозгами, было в достатке. И я внезапно сообразил: на корпоративных праздниках, как правило, ведут видеосъемку, а потом монтируют кино. Почему мы не подумали об этом раньше? Так вот, я раздобыл видеоматериал и сейчас переслал его тебе со своими подробными комментариями. Все кино тебе нет надобности смотреть, хотя в почте есть и полный вариант смонтированной ленты. Но чтобы разобраться в сути вопроса, хватит отрывков, которые я выбрал».

Спустя час я, прижав к груди ноутбук, вошла в небольшой холл у лестницы, ведущей на второй этаж, и закричала:

— Все сюда! Скорей!

Послышался стук дверей, затем раздались голоса:

— Что случилось?

— Кто кричит?

— Который час?

— С ума сойти... Дайте поспать!

— Собираемся в столовой! — заорала я.

Когда Барашковы, кто в пижаме, кто в халате, появились в просторной комнате, я заговорила:

— Вы помните наш вчерашний разговор?

— Ты всегда вытаскиваешь людей ни свет ни заря из кроватей, чтобы задавать им кретинские вопросы? — возмутилась Лиза.

— Подожди, деточка, — попросил Илья Львович. — Наша семья сейчас переживает непростое время, надо сплотиться, нельзя нападать друг на друга. Помните, мы родня, остальное пустяки. Степа, что ты хочешь всем сказать?

Я храбро посмотрела в лицо Барашкова-старшего.

— Хочу продемонстрировать фильм, снятый на юбилее агентства в клубе «Буль». Смотрите на экран, я буду останавливать запись и давать необходимые пояснения.

— Вот еще, — фыркнула Лиза, — больше делать нечего. Пойду лягу.

— Сядь! — ледяным тоном приказал дед. — Полагаю, у Степаниды заготовлено нечто поражающее воображение.

Елизавета покраснела, но ослушаться старейшину семьи не посмела. Она опустилась на стул, сложила руки на столе, приняла позу первоклашки-отличницы и скорчила гримасу.

Я откашлялась.

— Перед тем как начать просмотр, хочу напомнить про туфли, найденные рядом с Аленой, и про то, как выглядело место происшествия.

Пока длился мой рассказ, Барашковы сидели тихо. Общий шумный вздох раздался после того, как я нажала на одну из кнопок клавиатуры ноутбука.

— Алена... — пробормотал Леонид. — Совсем нормальная с виду...

— Это моя мама? — спросила Надя и жадно впилась взглядом в экран.

— Обратите внимание на обувь Елены Борисовны, — продолжала я. — Видите ничем не примечательные черные балетки? Теперь посмотрите в правый угол экрана — там дана фотография розовых туфель со стразами, тех, что были обнаружены около лежащей на тротуаре без сознания первой жены Леонида. Ну как? Обувь похожа?

— Ничего общего, — пробормотал Барашков-младший.

— Отлично, — кивнула я. И добавила: — У туфель еще и другой размер. Едем дальше. Вот Екатерина в начале вечера. Что у нее на ногах?

— Серые лодочки, — подала голос Нюрочка. — Похоже, из замши. Ужасный каблук! Как на таком стоять можно?

— У них скрытая платформа, — пояснила я. — Но нас должно заинтересовать не удобство шпилек, а их внешний вид. А вот Катя в тот момент, когда все гости разошлись и организаторы тоже собираются по домам. Смотрим на ее ноги. Ну?

— Черные балетки, — опять Нюрочка ответила на мой вопрос. — Но не такие, как у Алены, а с бантиком на мыске.

— Верно, — кивнула я. — Екатерина, садясь за руль машины Алены, переоделась в балетки. Раиса Ивановна мне сказала, что Катя не умеет водить машину в туфлях на каблуках. Это так?

— Да, — вместо супруги подтвердил Леонид. — Она всегда переобувается, садясь за руль, у Катюши в салоне лежат самые простые туфельки на плоской подошве.

— Думаю, везя Алену, Катя не изменила привычке, нацепила балетки. А потом осталась в них, устав от шпилек, — подвела я итог. — Да у нее и не было ни малейшей необходимости меняться обувью с женой любовника. И как мы сейчас видели, у нее были серые туфли. Так откуда взялись розовые со стразами шпильки?

— Мне надоело, пойду лягу, — закапризничала Лиза. — Делать больше нечего, как смотреть запись столетней давности и разглядывать чужие грязные ботинки.

— Нет, ты останешься здесь, — тихо, но твердо произнесла я. А затем снова обратилась ко всем присутствующим: — Современные компьютеры очень удобны. Например, в них можно закачать программу распознавания. Я попросила свой ноутбук найти на записи вечеринки женщин, у кого на ногах были туфли, идентичные тем, что запечатлены на фото в углу экрана. Обнаружилось только одно совпадение. Вот оно.

Глава 31

Я ткнула пальцем в ноутбук.

— В розовых шпильках, усыпанных стразами, щеголяет солистка группы «Авва» Элиза Фролова, вы видите сейчас подол ее платья и ноги. Кстати, музыкальный коллектив пригласила Катя, пообещав, что ребята будут долго петь за вменяемый гонорар, и не обманула. А Сусанна горячо поддержала эту идею. Никаких проблем с певицами-гитаристами-ударником не было, кроме крохотной занозы. Вспомним, что Сусанна обожала мужчин, а руководитель группы Илья очень симпатичный парень. Ой, чуть не забыла! Илюша ведь жил в одной коммуналке с Екатериной и ее дочкой, вот почему Катя лоббировала его интересы, хотела, чтобы юноша подработал.

— В коммуналке? — удивленно прошептала Нюрочка. — Почему Катя с Лизой оказались там?

— Фильм снят десять лет назад, — пояснила я. — Леонид и Екатерина еще не оформили брак, Катя не переехала к вам. Она, бедная мать-одиночка, обитала в квартире с соседями.

— Я снял для Катерины двухкомнатную жилплощадь, — быстро пояснил Барашков-младший, — перевез их с Лизой туда.

— Но это же не отрицает факт близкого знакомства Ильи и Кати, — уперлась я. — До вашей с ней встречи мать с дочерью жили бок о бок с парнем.

— Ну да, — признал Леонид, — продолжай.

Я облокотилась на стол.

— Повторю. Илья красивый парень, к тому же выступает на сцене, что сразу повышает его рейтинг у девушек. И вот что интересно. Дней за десять-пятнадцать до праздника Сусанна пошла в какой-то клуб, познакомилась там с Ильей и в ту же ночь переспала с ним. Гитарист закрутил очередную интрижку. Вот почему Сусанна рьяно поддержала приглашение ансамбля «Авва» на вечеринку. Она прекрасно танцевала, а руководитель группы частенько спускался в зал поплясать с присутствующими на тусовке и почти все время выбирал в партнерши младшую Вайнштейн. Племянница Софьи Яковлевны отчаянно кокетничала с музыкантом, считала его своим парнем, а потом даже заявилась к нему в гримерку. Упс! В комнате полно народу, и солистка Эжени затеяла с ней драку. Оказывается, у Ильи роман с другой певицей группы, Элизой. Эжени возмущена поведением Сусанны и не отказала себе в удовольствии выдрать у нее пару локонов. Сусанна ушла, и более ее никто не видел. Ах да, еще один важный момент. Когда группа «Авва» уже после шоу мыльных пузырей, выступления фокусников и танцовщиц в перьях вновь появилась на сцене, Элизы в ее составе не было. Илья объяснил сей факт просто: девушка участвует только в первой части программы, а во второй не задействована. Так что же случилось с Сусанной? И куда делась Фролова? Об этом нам сейчас расскажет Лиза.

— Почему я? — визгливо закричала дочь Екатерины. — Меня там вообще не было! Мама, скажи ей!

Я резко выпрямилась.

— Боюсь, в этот раз тебе не удастся спрятаться за мать. Почему ты должна дать объяснения? Тому имеется не одна причина. Хорошо помню, как во время нашего недавнего разговора ты воскликнула: «Розовая обувь мой пунктик». И это правда, на тебе и сейчас домашние туфельки, как у Барби. А еще наша Лизочка обладает взрывным характером: от любой, как ей кажется, обиды она теряет голову, выдает вспышку ярости, а затем так же мгновенно остывает, просит прощения. Такая смена настроения может происходить многократно. Помнишь идиотскую историю с шубой? Мы ехали в такси, и я упрекнула тебя в безголовости. Что еще можно сказать девушке, которая отправилась к незнакомому мужчине в гости, накинув манто на голое тело? Ты сжала кулаки, разразилась гневной отповедью... а через минуту стала извиняться. Потом таксист позволил себе критическое замечание в твой адрес, и последовала молниеносная реакция — у водителя была в кровь расцарапана шея. А Лизавета, очутившись на тротуаре, бурно раскаялась в содеянном. Ты не умеешь сдерживаться и совершенно не справляешься со своей яростью. Ну и последнее. До сих пор ноутбук демонстрировал нам исключительно юбку и ноги солистки группы «Авва» в тех злополучных ярко-розовых туфельках со стразами, а сейчас я покажу вам ее лицо...

— Елизавета! — подпрыгнула Нюрочка, увидев фото целиком.

Я вздохнула. Элиза — это псевдоним.

Сидя в кино с Виком, парнем, которого Лиза велела мне проверить на предмет его родства с олигархом, я услышала от темнокожего певца

Симона фразу: «На сцене часто берут псевдоним. Была Лизка, стала Элиза» — и на секунду насторожилась. Мне следовало немного подумать, и я, вероятно, догадалась бы, кто есть кто. С другой стороны, Леонид удочерил Лизу, у нее в паспорте стоит фамилия Барашкова, я не знала, что ранее она была Фролова. Хотя ведь слышала об увлечении Лизаветы вокалом, о ее мечте снять клип и попасть в ротацию на телевидении, могла бы сообразить пораньше.

— Моя внучка пела на празднике? — с недоверием переспросил Илья Львович.

Я показала на экран.

— Вы же видите. Вопрос в другом — почему Элиза не выступила во втором отделении и как ее обувь оказалась около машины Алены?

— Лиза была на месте аварии, — сделал правильный вывод Леонид.

Та затрясла головой.

— Нет, нет, нет! Мама, скажи им! Нет, нет! Я... я... подвернула ногу... ушла домой... туфли... э... забыла их в клубе... кто надел, не знаю...

Леонид встал, подошел к приемной дочери и обнял ее за плечи.

— Я уверен, ты не хотела сделать ничего плохого. Произошел несчастный случай. Так? Я тебе помогу, выручу, но мне необходимо знать правду. Понимаешь?

Елизавета разревелась в голос.

— Не мучайте ее, — тихо произнесла Катя, — давайте я все сама объясню.

Я превратилась в слух.

...В тот злополучный вечер Лиза, певшая на сцене, прекрасно видела, как Сусанна вертится вокруг Ильи, и медленно наполнялась гневом. Илюша был ее первым мужчиной, она его обожала и — страстно ревновала. Молодой человек не отличался верностью и, хотя считал Лизу постоянной подружкой, не отказывался по-быстрому переспать с какой-нибудь подвернувшейся под руку девушкой. А еще его забавляли вспышки ярости Лизы — та в гневе могла надавать Илье пощечин, расцарапать ему лицо. Другого мужчину разозлило бы такое поведение любовницы, но Илюша лишь смеялся и говорил:

— Ты моя молодая горячая кошка!

Кроме того, Илья обожал демонстрировать свою власть над теми, кому нравился, и подчас сталкивал девушек лбами. Например, мог пригласить на вечеринку Лизу, какую-нибудь свою бывшую пассию и одну из фанаток, а потом весело посмеиваться, глядя на то, какими взглядами обмениваются красавицы. Почему же дочь Кати терпела такое к себе отношение? По какой причине не ушла от Ильи, а подчинялась ему? Не забывайте, Лиза была совсем юной, когда у нее закрутился роман с Ильей, очень его любила и хотела петь в его группе.

После первого отделения Елизавета взбесилась и высказала Илюше все, что о нем думает.

— Отправляйся в туалет! — скомандовал любовник. — Умойся, остынь, а потом возвращайся.

Лиза, зарыдав, убежала. Илья направился в гримерку, и туда заявилась Сусанна. Случилась драка, в разгар которой вошла Самойлова. Раиса приказала девицам прекратить безобразие, выгнала Вайнштейн, сделала строгое внушение Эжени и радостно хихикающему Илье, а потом удалилась. Сусанна решила вернуться, а в гримерке уже находилась успокоившаяся Лиза. Илья потер руки и сказал:

— Ну что, кошечки, будем дружить все вместе?

— Конечно, — кокетливо согласилась Сусанна. — Почему нет?

Лизавета, успевшая перейти от ярости к раскаянию, кивнула.

— Вы мои сладкие киски... — заржал Илья. — Тут пиво вообще-то есть?

— Алкоголь на вечеринке запрещен, — объяснила Вайнштейн. И, состроив музыканту глазки, проворковала: — Но для тебя я могу съездить в супермаркет. Он тут неподалеку, на пересечении Чапаевского и Ленинградки.

— Супер! — обрадовался руководитель ансамбля. — Валяй. Кто мне пива притащит, тот сегодня будет моей любимой кошечкой.

— Я тоже поеду! — вызвалась Лиза.

Илья глянул на Сусанну.

— Значит, у нас будет пара славных кисок. Ты как, согласна? Возьмешь ее с собой? Я не люблю, когда мои киски ссорятся и дружить не хотят.

— Интересное предложение, — пропела племянница Софьи. — Пошли, Элиза, моя машина стоит прямо у входа.

Почему никто из сотрудников агентства «Кадр» не заметил, как девушки выскользнули из клуба? А на многолюдных вечеринках никто друг за другом не следит. К тому же ни у Вайнштейн, ни у дочери Кати не было ревнивых поклонников, стерегущих каждый их шаг.

В клубе «Буль» было довольно жарко, Сусанна с Лизой не стали надевать пальто, менять обувь, залезли в автомобиль в чем были, ехать-то предстояло пару минут! И обе девушки не подумали о том, что придется выйти из иномарки и ходить по супермаркету без верхней одежды. В голове у них, похоже, крутились мысли о том, чем они будут заниматься втроем после окончания праздника. Не до пальто им было!

Естественно, ни одна, ни другая не знали о хитроумной задумке Кати. А та уже успела сделать Алене укол и быстро переодевалась в чуланчике. Она никак не предполагала, что весь тщательно составленный ею план может рухнуть из-за неумения дочери сдерживать свои эмоции.

Едва лимонный «BMW» вывернул на Чапаевский, как Сусанна и Лиза стали выяснять отношения. Вайнштейн проехала вперед, зарулила на тротуар и велела певичке убираться вон.

В это время Катя возле клуба грузит в машину едва стоявшую на ногах Алену, заводит мотор...

Елизавета отказывается вылезать из «BMW». Вайнштейн выскакивает из иномарки, открывает пассажирскую дверь и начинает выволакивать свою спутницу...

Екатерина поворачивает на Чапаевский проезд...

Сусанна оказалась сильной, ей удалось выдернуть Лизу из салона. Она тащит ее к проезжей части и кричит:

— Давай, давай, отправляйся пехом назад!

Катя уже едет по магистрали...

Тамара Николаевна Степанова собирается выйти покурить, ищет свои сигареты.

Лиза ухитряется вырваться из цепких рук Вайнштейн. Обе девушки находятся на краю тротуара.

А вдали уже виден свет фар автомобиля Алены, за рулем которого сидит Катя...

— Ненавижу тебя! Чтоб ты сдохла! Пусть тебя насмерть задавят, — кричит в припадке ярости Лиза.

Она что есть силы толкает Вайнштейн под колеса приближающейся машины, единственной на дороге. Сусанна не может устоять на ногах, делает пару шагов, пошатывается и начинает падать.

Катя пытается затормозить...

Лиза, понимающая, что сейчас случится несчастье, кидается к припаркованному в отдалении «BMW».

Тамара Николаевна выходит на балкон и видит, как иномарка сбивает женщину. Но Степанова не замечает ни Лизу, ни желтый автомобильчик, потому что перепуганная насмерть Фролова присела около малолитражки, а она стоит на тротуаре ближе к дому, в стороне от дороги. К тому же все внимание сотрудницы «Скорой помощи» приковано к аварии. Степанова спешит в комнату, тратит десять-пятнадцать минут на звонок колле-гам, поиск чемоданчика с лекарствами, обувание-одевание, спуск с четвертого этажа по лестнице. Да еще тяжелая подъездная дверь больно бьет ее по пальцам.

А на улице разыгрываются драматические со-бытия. Катя выскакивает на дорогу, склоняется над Сусанной.

Лиза узнает водительницу и с криком: «Мама, мама!» — ковыляет к ней. Девушка еле идет — вы-сокие каблуки подламываются, подошвы скользят.

Катя бросается помочь дочери, они вместе под-ходят к машине Алены.

Катерина открывает пассажирскую дверь, хочет перетащить соперницу на место шофера, но та па-дает на тротуар.

— Мама, мама, увези меня, — плачет Лиза. — Я не нарочно, я не хотела, не думала...

Екатерина сдергивает с ног Алены черные ба-летки и приказывает дочке:

— Надевай!

Та беспрекословно подчиняется.

Раздается грохот. Это Тамара Николаевна не удержала дверь подъезда и прищемила руку. Она дует на пальцы, вытирает выступившие от бо-ли слезы.

Катя пугается шума, хватает Лизу. Мать с доч-кой бегут к машине Вайнштейн и уезжают в бли-жайший двор. Розовые туфли Елизаветы остаются возле спящей под воздействием наркотика Алены.

Катерина не планировала посадить законную жену своего любовника в тюрьму. Лиза не знала, что в порыве неуправляемой ярости толкнет Сусанну под колеса машины, которой управляла ее мать. Никто никого не хотел убивать, все получилось случайно. Злой рок. Плохая карма. Очень неудачный день.

Катерина понимает, что ее отсутствие могут заметить участники торжества, надо срочно возвращаться в «Буль». Но еще ей ясно: Лизе сейчас нельзя показываться в клубе, ее дочь в шоке. Катя быстро довозит ее до Ленинградского проспекта, снимает с себя куртку и говорит:

— Слава богу, я догадалась поменять тебе туфли, в обуви на каблуках тебе и двух шагов по улице не ступить. А теперь все в порядке, платье у тебя не длинное, натягивай мой пуховичок и поезжай домой. Ни о чем не волнуйся, никому не говори ни слова, и все обойдется.

Насмерть перепуганная Лиза подчиняется матери.

А та, оставшись в пуловере и джинсах, рулит в «Буль», припарковывает «BMW» во дворе, никем не замеченная проскальзывает через пожарный вход внутрь, переодевается в чуланчике, спешит в гримерку и говорит Илье, что у Лизы поднялась температура, поэтому она отправила ее домой. Потом входит в общий зал.

Илья работает второе отделение с одной солисткой, о Сусанне и пиве он забыл.

Все. Остальное известно...

Катерина умолкла, стало очень тихо. Все, кто находился в столовой, тоже молчали.

Через некоторое время я решилась нарушить звенящую тишину.

— Ключи от «BMW»! В прошлый раз, когда мы беседовали, Катя не обмолвилась и словом об участии Лизы в этой истории, но она бросила фразу: «Я побежала к машине Сусанны и увидела ключи в замке». А еще раньше Раиса Самойлова произнесла: «Катерина сказала, что увидела ключи от «BMW» в замке зажигания». Помнится, меня что-то смутило в ее словах, но только сейчас я поняла, что именно. Малолитражка же заводилась карточкой с чипом, а ее никуда не надо вставлять! Шофер просто подходит к автомобилю, причем карточка может лежать в кармане. Машина сама считывает ее и открывает дверь, человеку остается лишь сесть за руль и нажать кнопку на панели, чтобы заработал мотор. Сейчас очень многие крупные производители перешли на подобную систему, а десять лет назад она только-только появилась. Модель «BMW», которой владела Сусанна, стала первой ласточкой. Так откуда же у Кати взялись ключи?

Она замялась.

— Э... э... они были в сумочке Сусанны... Я поспешила к автомобилю, а Лиза кинулась к клатчу за карточкой. То есть не так! Лизонька в невменяемом состоянии рыдала, а я помчалась за ней.

Я опустила глаза. Нет, за карточкой бежала как раз Елизавета. Похоже, она прекрасно понимала, что делает. И вполне вероятно, вовсе не в припадке ярости, а осознанно, желая избавиться от соперницы, толкнула Сусанну под колеса. Екатерина сейчас привычно покрывает дочь-убийцу.

— Что нам теперь делать? — еле слышно спросила Нюрочка.

Илья Львович встал.

— Главное, не нервничать. Мы одна семья и непременно найдем выход.

— Моя мама ни в чем не виновата! — вскричала Надя. — Катя, я не могу больше жить с тобой под одной крышей.

Илья Барашков поднял руку.

— Внимание! Я решу все проблемы. Алена получит наилучшую медицинскую помощь, мы купим ей квартиру, обеспечим материально. Степа!

Я вздрогнула.

— Да?

— Что случилось, то случилось, — заявил Илья Львович. — Ведь никто не хотел такого исхода. Очень прошу тебя, давай сохраним эту историю в тайне.

— Катя задавила Сусанну, — пробормотала я, — но она не виновата. Вайнштейн толкнула на дорогу Лиза.

— Екатерина вколола Алене наркотик! И та отсидела десять лет! — взвилась Надежда. — Что, так все и оставить? Меня лишили матери!

— Я очень старалась ее заменить, — заплакала вторая супруга Леонида.

— Мама бывает одна, — зло отрезала всегда тихая и неконфликтная Надюша. — Пусть теперь Катя столько же времени за решеткой проведет. И Елизавета вместе с ней. Это они убийцы.

— Нет, нет, нет! — закричала Лиза. — Так нельзя!

— Тише! — приказал Илья Львович. — Мы одна семья, случилась беда, давайте сплотимся. Сусанну не вернуть, годы жизни Алене тоже. Но в наших силах сделать Елену Борисовну счастливой, и мы постараемся изо всех сил. Надя, пойми, твоя мать была наркоманкой, отсюда все ее несчастья.

Глава 32

Я встала.

— Извините, Илья Львович, не могу больше вас слушать.

— Степанида, ты куда? — со страхом в голосе спросил Леонид.

Я посмотрела на него.

— Если опасаетесь, что я пойду в полицию, то зря. Никому ничего не расскажу, но прямо сейчас уеду из вашего дома. И пожалуйста, не надо обо мне больше заботиться. Надеюсь, вы сдержите свое обещание, купите Алене квартиру и обеспечите ее материально. Прощайте.

— Спасибо, Степа, — сказал мне в спину Илья Львович.

Но я не обернулась. Быстрым шагом направилась в свою спальню и — застыла. Куда же мне ехать? Прямо сейчас новое жилье не снять! Пожалуй, надо позвонить Филиппу...

Мы знакомы с Корсаковым без году неделю, но он успел стать моим лучшим другом. И, что греха таить, он мне очень нравится. Фил внимательный, добрый, понимающий, симпатичный...

Я сделала глубокий вдох. Степа, ты вроде бы влюбилась? Не слишком ли поспешно?

Медленно выдохнув, я взялась за телефон, набрала нужные цифры.

— Данный номер не обслуживается, — сообщил механический голос.

Надо же, не туда попала. Ладно, повторю попытку.

— Данный номер не обслуживается, — вновь прозвучало из трубки.

Услышав то же самое в шестой или седьмой раз, я с запозданием сообразила: Корсаков отказался от мобильного. Или у него украли телефон, и он заблокировал симку. Ничего, у меня есть адрес электронной почты, откуда сегодня ранним утром пришло письмо с фильмом.

Я поставила ноутбук на стол, быстро написала: «Фил, не могу дозвониться. Соединись со мной. Степа» — и отправила письмо. Экран мигнул, текст, набранный кириллицей, исчез. Я обрадовалась и уставилась, ожидая вызова, на телефон. Минут через пять снова посмотрела на компьютер и увидела сообщение на английском. Техническая служба сообщила, что адреса, по которому я послала письмо, не существует.

Неприятный холодок пробежал по спине. О господи, Филипп попал в беду! У него опасная работа, Корсакова похитил кто-то из преступников, кого он разоблачил в своей радиопрограмме.

Стоп, программа!

Я быстро вбила в поисковик слова «Радио «Тысяча» и очень скоро поняла: такого не существует. Но решила не сдаваться и принялась искать программу «Справедливость сто один». Потом попыталась обнаружить сведения о журналисте Филиппе Корсакове.

Тщетно. Ни один из запросов не дал результата.

Я закрыла ноутбук и растерялась. Что это значит? Может, порыться в базе ГАИ, пробить номер внедорожника Фила? Отличная идея, вот только я ни разу не посмотрела на госномер машины. И на сайт, где представлены данные москвичей по адресу их прописки, тоже бесполезно заходить — я ведь не знаю, где живет Фил, не спрашивала у него про отчество и год рождения. То есть вообще ничего о нем не знаю. Вроде у журналиста есть мать...

Да, точно! Я похвалила кашемировый свитер Корсакова, а он пояснил: «Мама из Милана привезла».

Отличная зацепка! Надо составить новый запрос... Ага, напишу: «Мама, которая купила сыну пуловер в Италии» — и отправлю это в Интернет. И тогда точно обнаружу Фила, он будет один такой с заботливой мамочкой! Ну, Степа, ты даешь, ухитрилась почти влюбиться в человека, не имея о нем никаких сведений!

В дверь тихонько постучали. Створка приоткрылась, и показалась Нюрочка с конвертом в руке.

— Степа, тебе письмо.

Я быстро подошла к ней и схватила послание.

— Спасибо. Но на нем нет ни адреса, ни марки! Только мои имя и фамилия!

— Минуту назад какой-то мальчик доставил, — заискивающе пояснила Нюрочка. — Сказал, его из бутика «Бак» прислали. Ой, котлеты горят!

Я тщательно закрыла за ней дверь, села за стол, вскрыла конверт и вытащила листы с напечатанным текстом.

«Степа! У тебя есть только сорок минут, чтобы внимательно изучить мое письмо. Не отвлекайся, читай. В моем настоящем паспорте никогда не было имени и фамилии «Филипп Корсаков», я не работаю на радио, не являюсь журналистом. Навряд ли мы когда-нибудь еще встретимся, но, если паче чаяния столкнемся, ты никогда меня не узнаешь, потому что я буду совсем другим человеком — Иваном Петровым, Олегом Сергеевым, Ибрагимом Сулеймановым, Сяо Ван Ли. Если в ксиве будет стоять «княжна Тараканова» или даже «Княжна с тараканами» я буду ею и ни одна душа не усомнится в подлинности личности этой самой княжны с тараканами. Понимаешь? Короче, сам не знаю, какое имя получу в следующий раз. Внешность тоже будет иной: я потолстею или похудею, изменю лицо, цвет волос и глаз.

Тебя удивила фраза «изменю лицо»? Существует много способов кардинально измениться за пару часов, не прибегая к помощи пластических хирургов или диетологов.

Кто я? Специалист, которого приглашают для решения особо деликатных вопросов. Мне платят — я работаю. Нет, я не являюсь профессиональным киллером, хотя иногда приходится принимать жесткие меры. Я сторонник бескровного решения проблем, у меня для этого имеются обширные связи и неограниченный бюджет, предоставляемый заказчиком. Я готов по первому зову мчаться на край света и столь же быстро исчезнуть. Я призрак без постоянного места жительства. Я не обременен семьей, прочими родственниками, домом, весь мой багаж умещается в небольшом чемодане. Если умру — плакать будет некому. Я абсолютно свободен и беспрепятственно пересекаю границу любого государства. Не знаю, есть ли еще такие профессионалы, как я, но уверен, нас немного. Два, три, максимум четыре человека на Земле.

Пару дней назад мне поступил заказ от мужчины по имени Андрей. Клиенты понимают, что успех дела напрямую зависит от их откровенности с исполнителем, поэтому Андрей выложил все карты на стол. Он богат, чиновен, давно и прочно женат, но часто ходит налево. В очередные любовницы Андрей выбрал глупенькую, как ему казалось, маникюршу Ирину Куликову, которая моложе его на двадцать пять лет. Олигарх осыпал девушку подарками, купил ей шубу, драгоценности, свозил отдыхать в Италию. В общем, стандартный набор. Куликова казалась ему классически тупой блондинкой, настолько дремучей, что Андрей потерял бдительность и вел в ее присутствии кое-какие разговоры, которым следовало оставаться строго конфиденциальными. Через полгода любовница надоела Андрею, и он решил расстаться с ней. Он действовал по хорошо отработанной схеме: сначала сказал красивые слова про дружбу, которая непременно сохранится между ними, потом предложил Ирине купить для нее небольшую студию маникюра. Куликова расплакалась, отказалась от всех презентов и убежала.

Через несколько дней она позвонила бывшему возлюбленному домой, чем несказанно удивила его.

Номер своей загородной резиденции Андрей никому не дает, у Ирины был только мобильный, которым бизнесмен пользовался исключительно для связи с любовницами. Набор цифр не меняется много лет. Андрей прекрасно относится к женщинам, с которыми его некогда связывала страсть, готов им помогать. С другой стороны, все его бывшие любовницы ни разу не устраивали ему скандала. Они получили в свое время щедрые отступные и не желали портить отношения с человеком, который может в случае необходимости быстро решить их проблемы.

Но Ирочка оказалась не такой. Девица выдвинула условие: Андрей платит ей миллиард рублей. В противном случае она передает в прессу массу шокирующего материала, а именно записанные ею на диктофон беседы любовника с разными людьми, а также копии кое-каких документов, которые милашка вытащила из портфеля олигарха и перефотографировала, пока тот принимал душ. Если газеты опубликуют хоть малую толику из того, что стало известно ей, Андрея ждут огромные неприятности — на него накинутся налоговая инспекция, обманутые партнеры и обиженная жена. Еще Ирочка сказала, что может обнародовать откровенные снимки, сделанные во время их совместных любовных игр.

Остается лишь удивляться, почему заказчик проявил такую беспечность, разрешив себя сфотографировать. Наверное, потерял бдительность из-за того, что прежние любовницы вели себя умно и тактично, им не приходило в голову шантажировать всемогущего олигарха.

После разговора с девицей Андрей занервничал и поручил своему начальнику охраны, назову его Игорем, срочно решить проблему.

Игорь пообщался с Ириной и понял: она не отступит. А значит, есть лишь один способ справиться с неприятностью — физически устранить шантажистку. Игорь мог обратиться к профессиональному киллеру, а тот бы тихо и спокойно выполнил задание, представив смерть красавицы как несчастный случай. Но охранник решил действовать собственными силами. На беду, он оказался человеком с большой фантазией, гораздым на выдумку.

Игорь через свои каналы спешно раздобыл яд, который при попадании в небольшую ранку на коже человека начинает действовать и примерно через сутки-двое убивает жертву. Ни у кого из врачей не возникнет мысли об отравлении, все будет похоже на занесенную инфекцию, у объекта вроде как началась гангрена. Далее Игорь подключил к работе Никиту, парня, торгующего на базаре мобильными телефонами. Тот и раньше выполнял мелкие поручения секьюрити, получая за это небольшие деньги, и легко согласился на очередное задание. Охранник, естественно, не стал вводить «шестерку» в курс дела, просто сказал ему:

— Вот фото. Подстережешь девчонку на одном из рынков, куда она регулярно ходит. Держи адрес. Твоя задача толкнуть ее, чтобы упала, и уйти, не задерживаясь.

Подручный легко осуществил задуманное шефом — в указанное время сбил с ног Ирину, вышедшую из магазинчика. Куликова шлепнулась, выронила зажатый в руке мобильный, он отлетел в сторону. Игорь, стоявший неподалеку, бросился к девушке, помог ей встать и уколол один из пальцев красотки. Расстроенная падением жертва не обратила внимания на секундную боль, все ее эмоции были направлены на досадное происшествие. Игорь посетовал на хамство прохожих и испарился.

Никита тоже покинул рынок, но перед этим подобрал мобильник Куликовой и унес его с собой. Ты же помнишь, что он промышлял торговлей кражеными трубками? Вот он и не удержался.

Надо сказать, что Никита большой любитель женского пола. У него свой, давно отработанный метод очаровывания девиц: он либо дарит приглянувшейся девице дешевый мобильный, либо продает ей дорогой аппарат за низкую цену.

Осмотрев трубку Ирины, Никита понял, что она новая, дорогая, и решил вручить добычу особенной красавице. Сим-карту он не вытащил. Почему? Каждый охмуряет девиц, как умеет. Некоторые парни, например, спрашивают у симпатичной незнакомки: «Вашей маме зять не нужен?» Но Никита не пользовался столь пошлыми уловками, в его арсенале обольстителя был оригинальный трюк. Если в лавку заглядывал достойный, на его взгляд, объект, торговец завязывал беседу, потом доставал из ящика сотовый и говорил:

— Слушай, я от тебя без ума. Забирай мою трубку. Я только два дня ею пользовался. Сейчас, погоди, симку выброшу...

Потом демонстративно вытаскивал карточку, швырял на пол, давил каблуком и преподносил избраннице презент.

Вижу, будто наяву, Степа, как ты брезгливо морщишься, но многие девчонки были в восторге от щедрости Никиты.

Но вернемся к делу.

Ирина скончалась от гангрены. Когда ее привезли в больницу, она успела сказать, что поранила себе палец, делая маникюр. Врачи сочли кончину девушки нелепой случайностью. Куликову похоронили, Игорь получил вознаграждение и — выговор от хозяина.

— Я полагал, ты спокойно решишь проблему, — с укоризной сказал ему Андрей, — не просил убивать дурочку.

Игорь попытался объяснить, что некоторые люди не понимают слов, готовы на все ради денег и полагают, будто всегда останутся безнаказанными. Ирина принадлежала именно к этой категории, ей можно было заткнуть рот единственным способом. Куликова ненадежный человек — вроде бы договоришься с ней, а потом она распустит язык.

— Хватит, остановись. Что сделано, то сделано, — перебил его олигарх. — Но больше никаких трупов. Ты очень рисковал, ведь ты близок ко мне, а нельзя, чтобы меня связали со смертью Ирины. В дальнейшем используй другие методы...»

Я на секунду оторвалась от чтения и поежилась. Дарья, подруга Ирины, забирая у меня ее мобильный, сказала, что та умерла от инфекции, которая развилась после небольшой травмы от инструмента для маникюра. Зачем Филипп прислал мне письмо с описанием правды о кончине девушки? Какое он имеет отношение к этому?

Глава 33

Я снова обратилась к тексту. А автор письма словно знал, что я отвлекусь именно в этом месте, следующий абзац он начал с фразы:

«Степа, читай, не отрываясь. У тебя не так много времени. Итак...

Не успел Андрей успокоиться по поводу Куликовой, как ему позвонила... она. Олигарх просто остолбенел, когда на экране его сотового, который предназначен исключительно для любовниц, высветились знакомые цифры. Только крайним изумлением бизнесмена можно объяснить то, что он ответил на вызов. А из трубки звучал голос молодой женщины. В первую секунду Андрей, будучи спросонья, поверил, будто с ним с того света говорит именно Ирина. Тем более что собеседница именно так и построила диалог. Олигарх впал в панику. И вдруг голос девушки исчез. Андрей набрал номер умершей подружки, услышал: «Абонент временно заблокирован», и ему стало еще хуже...»

Я подпрыгнула на стуле. Ну да, Никита продал мне дорогой аппарат за копейки. Почему он не проделал свой фокус с симкой — не стал ее вытаскивать? Наверное, понял, что на меня это не произведет впечатления. И я же объяснила, что мне надо срочно позвонить. Ну, а потом меня толкнули, рядом появился сластолюбивый пенсионер, я от него убежала, стала звонить. Трубка Ирины точь-в-точь как моя, и я, забыв от злости на деда, что держу в руках чужой мобильник, вошла в телефонную книжку. Эта модель сотового не открывает сразу весь список контактов, сначала появляется окошко с надписью «Поиск». Я вбила имя «Андрей» и активировала номер, думая, что звоню ювелиру. Тот ответил нетвердым голосом, и мне показалось, что Петров в глубоком похмелье, и я стала дурачиться.

Я вздохнула, вспомнив свою неуместную и глупую шутку, и опять побежала глазами по тексту: «Андрей быстро пришел в себя и понял: он стал жертвой мошенницы, в руки которой каким-то неведомым образом попал телефон Иры. Или Куликова, уезжая в больницу, сама отдала трубку подружке, поведав ей о бывшем любовнике. Правда, звонившая не заикнулась о деньгах, но наверняка сделает это позднее.

Олигарх вызвал Игоря и потребовал объяснений. Начальник охраны сразу заподозрил Никиту, но хозяину не признался. Пообещав все уладить, он рванул к парню в магазинчик, запер дверь изнутри и устроил своей «шестерке» разбор полетов.

Пары крепких зуботычин хватило, чтобы продавец признался, что взял мобильный сбитой им с ног девушки и хранил его ради особенного случая. Сегодня такой случай наступил — в будку Никиты залетела райская птичка, не чета тем воробьям, что обычно посещают лавку, красавица с характером. Никита вынудил ее назвать свое имя. Но услышав «Степанида», не поверил, решил, что его пытаются обмануть, и отказался дать телефон. Тогда девушка крикнула своей спутнице, стоявшей на улице:

— Как меня зовут?

А та ответила:

— Ты Степанида Козлова, работаешь визажистом в фирме «Бак»...»

Из моей груди вырвался новый вздох. Ну да, верно, все так и было. Ладно, надо читать дальше.

«Рассказав это, Никита вдруг захрипел и упал. Встревоженный Игорь нагнулся над продавцом и понял, что перед ним труп.

Я не знаю, от чего скончался парень. Могу лишь предположить, что у него была некая проблема со здоровьем, может, неизвестная ему самому болезнь сердца. А тут Игорь побил Никиту, заставил его сильно понервничать, вот молодой человек и умер. Что следовало делать? Быстро уйти. Маловероятно, что кто-то смог бы описать полиции всех посетителей лавки, к тому же на вскрытии, скорей всего, стало бы ясно, что кончина продавца была естественной.

Но Игорь не был настоящим профессионалом, он дурак с апломбом. Начальник охраны Андрея принял решение поджечь ларек. Очевидно, никто никогда не рассказывал ему, что уничтожить труп в огне трудно, нужна очень высокая температура, которая не возникнет при горении дощатой будки.

Охранник выполнил задуманное, вернулся к Андрею и, памятуя о словах босса «Более никаких трупов!», попытался что-то соврать. Но олигарх быстро почуял ложь, нажал на мужика, и тому пришлось честно рассказать обо всем.

Тогда Андрей наконец-то понял, что Игорь совсем не тот человек, который нужен для решения деликатной проблемы, и срочно вызвал меня.

А я сразу предупредил: действовать буду без грубости, найду Козлову и прощупаю ее. Мол, достаточно уже трупов.

Игорь, как потом выяснилось, был не согласен с таким ведением дела, но олигарх дал мне картбланш и приказал своему непутевому охраннику заткнуться.

Не стану сейчас рассказывать о технической стороне вопроса: как я нашел тебя, как узнал, где ты сейчас живешь. Это элементарно, мне хватило получаса.

Рано утром я окликнул тебя около таунхауса, ты согласилась показать мне дорогу к стоматологу. Вот так все и завертелось.

Я сразу увидел, что передо мной хорошая, воспитанная девочка. К тому же, замечу, красивая. Да, ты росла без родителей, но все равно полной ложкой получала любовь — от бабушки. Тебя не обижали, не били, не морили голодом, у тебя интересная, творческая работа и никаких особых бед, в общем-то, нет, так, житейские трудности. Поэтому ты наивна, почти бесхитростна, прямолинейна и склонна верить людям. Даже незнакомым мужчинам, у которых болят зубы.

Первое правило профессионала: никогда не заводить близких отношений с заказчиком и объектом. И я его не нарушаю. Но ты нравилась мне все больше и больше. Когда я, наткнувшись на шаловливого ребенка, шлепнулся, как дурак, на тротуар и слегка оцарапал руку, ты по-настоящему встревожилась и потащила меня в аптеку. Я умею отличить игру от искренности, ты действительно испугалась, что я могу заболеть столбняком.

Мне стало смешно — небольшая ссадина на руке не та рана, из-за которой я побегу к врачу, но ты была так серьезна, словно у твоего случайного знакомого оторвало полтела. А потом, поняв, что кто-то спер мой телефон, предложила мне свой айфон, да еще уточнила, что аппарат новый, получен в подарок, но, в общем-то, тебе не нужен. Ты не только пожалела меня и решила утешить, отдав трубку, но и повела разговор так, чтобы я не испытывал неловкости.

Не скрою, мне, чтобы получить информацию про мобильник Куликовой, надо было расположить тебя к себе. Как правило, для нащупывания ниточки нужно дергать человека, мне на это требуется около часа. Но ты буквально мигом поверила в историю про Надю, Алену, Полину. И я начал тебе активно помогать, желая расположить к себе, вызвать на доверительную беседу. Люди не опасаются тех, кто решает их проблемы, становятся откровенными, расслабляются, спокойно и подробно рассказывают о себе. Сразу замечу: мне это было совсем не трудно, ведь я член команды, которая может нарыть любые сведения за считаные минуты. Удостоверение журналиста у меня было заготовлено заранее, работа корреспондента отличное прикрытие, ну а радиостанцию и программу я выдумал.

Ты, Степа, очень быстро сообщила мне про Никиту, и про свой звонок ювелиру Андрею, и про то, как отдала телефон Иры Куликовой ее подруге Даше. Стало ясно: ты абсолютно ни при чем, произошла дурацкая случайность. Мне следовало быстро испариться из твоей жизни. Но я, очарованный твоей детской непосредственностью и желанием во что бы то ни стало помочь совершенно незнакомой Алене, остался.

И что же произошло дальше? Дарья Мамонтова отлично знала про роман Ирины и Андрея. Куликова не имела тайн от лучшей подружки, она действительно рассказала ей о любовнике, но умолчала о том, что задумала шантажировать его. Когда ты позвонила Мамонтовой и предложила ей забрать телефон, Даша не поверила своему счастью. В трубке-то находились фотографии Иры и олигарха! Жадная, не очень умная Дарья решает отгрызть свой кусочек торта, и теперь уже она звонит Андрею, чей телефон был в записной книжке. Но! Но олигарх отдал мобильник, с которого беседовал с бывшими и настоящими любовницами, Игорю, предположив, что «Ира» может еще раз побеспокоить его. Охранник должен был засечь и разыскать ее.

Игорь выслушивает алчную Мамонтову, предлагает ей встретиться, обещает выкупить трубку за огромную сумму. Запах больших, готовых упасть в липкие ручонки денег пьянит дурочку, она едет на место рандеву. А там ее ждет Игорь. Памятуя о строгом приказе хозяина: «Более никаких трупов!» — Игорек просто пару раз тычет кулаком в лицо девицы. И та живо рассказывает, как у нее оказался телефон. Потом, по наущению все того же секьюрити, она звонит тебе и приглашает в кафе.

Идиот-охранник, видите ли, решил сам докопаться до истины, желая продемонстрировать шефу свою верность и расторопность. Игоря задело, что его отстранили от операции, поручили ее заезжему парню. Ему захотелось взять реванш, утереть нос варягу. Он надумал сам допросить пресловутую Козлову. Но времени у него было мало — Игорь же знал, что я занят тем же делом, — значит, Степаниду надо срочно отловить прямо на дороге. Тупая идея и не менее идиотский способ ее решения.

Но ты отказалась встречаться с Мамонтовой, поскольку только что вошла в офис агентства «Кадр». Тебе предстоял непростой разговор с Софьей Яковлевной, тут уж не до посиделок с малознакомой девицей. Игорь плохой психолог, не сумел выманить тебя. Но ты бесхитростно сообщила Дарье адрес своего местонахождения. Охранник быстро приезжает к офису, приделывает себе бороду и занимает пост неподалеку от входа, не спуская глаз с двери.

Когда я узнал об этой его «акции», то едва удержался от хохота. Игорю не пришло в голову, что за то время, пока он рулил по Москве, девушка вполне может уйти. Но дуракам везет. Когда ты вышла из здания, он, прикинувшись немощным дедом, завел тебя в подъезд подготовленного к сносу дома.

Не хочу комментировать маскарад, который затеял охранник. Может, ему лучше наняться в театр и попытаться сделать карьеру там? А вот тебе скажу: молодец! Не растерялась, укусила его, пнула в живот и удрала. Но! Не пойди ты с незнакомым человеком в заброшенное здание, не пришлось бы демонстрировать ум, сообразительность и быстроту реакции. Тебе следует быть осторожной. Не все люди добры и порядочны, и не все такие дураки, как Игорь. Кое-кто мог не дрогнуть, почувствовав твои зубы, и не пошатнуться от удара, нанесенного слабой девушкой. Есть психопаты, социопаты, эмоционально нестабильные люди, наркоманы, тренированные мужики, не рохли, как разжиревший на хозяйских харчах Игорь. Вот они бы легко свернули «противнице» шею и ушли, насвистывая бравурный марш. Тебе просто повезло. Судьба дала урок, сделай правильные выводы.

Узнав от тебя правду про отданный Мамонтовой телефон, я мог со спокойной совестью исчезнуть, доложив Андрею, что Степанида Козлова не имеет ни малейшего отношения к произошедшему. Точка. Но я понял, как тебе важно узнать правду про Алену, и решил ненадолго задержаться, нарушив неписаные правила профессионала. А еще ты мне понравилась. Очень. И видно, я тоже тебе стал не безразличен. Но у наших отношений нет будущего.

Прощай, Степа, и помни: с любой правдой надо обращаться осторожно, она может убить. Иногда лучше жить, обманывая и себя, и близких. Хотя ты, думаю, не согласишься с моим последним заявлением.

Надеюсь, ты дочитала мое письмо.

Напоследок хочу еще кое-что сказать...»

Страница, которую я держала в руках, начала стремительно темнеть, съеживаться, потом рассыпалась в пыль. Листы, лежавшие на столе, тоже превратились в порошок, напоминающий пепел. Я так и не успела узнать, какими словами заканчивалось послание от человека, которого я теперь всегда мысленно буду называть: княжна с тараканами.

Эпилог

Илья Львович выполнил все обещания. Он перевел бывшую невестку в дорогую лечебницу, где ее в прямом и переносном смысле слова благополучно поставили на ноги. А еще купил Алене хорошую квартиру, где она теперь и живет вместе с Надей. Кроме того, Елене Борисовне нашли место на телевидении, она работает редактором на одном из коммерческих каналов и вроде довольна.

Надя активно делает карьеру в фэшн-мире, иногда я встречаю ее на разных Неделях моды в Европе или Америке. Но если вы думаете, что мы с радостными воплями кидаемся друг другу на шею, то заблуждаетесь. Обменявшись короткими взглядами и бросив вежливое: «Привет, как дела?» — мы живо разбегаемся в разные стороны. Надюше не хочется со мной общаться, и я, понимая почему, не обижаюсь.

Леонид и Катя дружно живут вместе. Лиза по-прежнему работает в агентстве у матери и не оставляет надежды сделать карьеру певицы. Илья Львович и его сын успешно ведут свой бизнес, Нюрочка хлопочет по хозяйству. Я к Барашковым в гости не хожу, да они меня и не зовут, все новости о них я слышу из уст бабули.

Белка с мужем увлечены новым проектом — задумали открыть в Москве парк развлечений, нечто наподобие Диснейленда, и целиком поглощены этим делом.

Первого июня я привезла в купленную квартиру чемоданы, встала посреди комнаты со стеклянными стенами, раскинула руки в разные стороны, закрыла глаза и ощутила себя птицей, летящей над облаками.

Апартаменты еще придется ремонтировать, несколько месяцев уйдет на общение с рабочими, затем придется гонять по магазинам в поисках мебели. Но все это начнется позднее, а пока я, обладательница надувного матраса, невероятно счастлива, потому что свободна и, наконец-то, совсем одна в своем собственном жилище.

— Ш-ш-ш, др-др-др, гав-гав-гав... — полетело с улицы.

Я невольно улыбнулась. Ну, здравствуй, собака, не помню, как тебя зовут, надеюсь, мы с тобой подружимся. Я люблю животных, просто с моей работой их заводить нельзя. Нужно наладить отношения не только с псом, но и с другими жильцами — пожилой дамой по имени Агнесса Эдуардовна и ее сыном Николаем. А еще в доме, построенном архитектором-самоучкой Захарьиным, обитает внук старушки. Его зовут Василий, но гранд-мама́ именует парня Базиль. Надо бы и с ним познакомиться, все-таки соседи. Но поскольку я намерена всегда жить тут, в первую очередь необходимо установить контакт с той, кого Альбина Иосифовна, бывшая супруга Николая и прежняя владелица моей квартиры, величала Несси, считая ее бо́льшим чудовищем, чем Лохнесское.

Гав-гав-дрр-дрр-ш-ш-ш... Собака, совершив свои делишки, поспешила домой. Ничего, я скоро привыкну. Ведь люди, живущие вблизи аэропортов, не обращают внимания на рев взлетающих и совершающих посадку самолетов.

Тук-тук, бух, тук-тук. Я открыла глаза. А это что за звуки? И несутся они не с улицы, а из коридора.

Я быстро спустилась по лесенке и прислушалась. Тук-тук, бух... а потом тихое: «Помогите кто-нибудь». Ну это точно не собака, псы не умеют говорить человеческим голосом.

Тук, бух, тук. «Спасите, погибаю».

Я подошла к стенному шкафу, отодвинула дверь и заорала:

— Мама!

Из пола торчала голова с огненно-рыжими волосами и круглыми, изумленными глазами на веснушчатом квадратном лице.

— Ма́ма... — повторила я и отступила назад. — Ой, мамочка!

— Пожалуйста, не кричите, — взмолилась башка. — Умоляю, ни звука, иначе Несси услышит, и тогда нам с Алисой несдобровать. Я не причиню вам зла. Никогда. Я пацифист. Не беру в руки оружия. Никакого. Даже колбасу не режу, а ломаю.

Мне стало смешно.

— Охотно верю. У вас ведь отсутствуют верхние конечности. Впрочем, нижние тоже. Вы голова профессора Доуэля?

— Нет, конечно, — обиженно прогудела башка, — я Базиль, внук Несси. А вы Степа, та, что купила пентхаус у вредины? То есть у Альбины Иосифовны?

— Верно, — согласилась я. — А что вы, Базиль, делаете в моей квартире? Зачем залезли в гардероб? И где, простите, ваше тело?

— Оно под полом, — грустно произнес Базиль. — Понимаете, Алиса уезжала на месяц к маме, и я не пользовался проходом. А от тоски много ел, слегка растолстел и, вот, застрял. Я доступно объяснил?

— Нет, — коротко ответила я.

— Сейчас сделаю еще одну попытку, — обрадовалась башка. — Вы только Несси ничего не говорите. Я люблю Алису всем сердцем, а она меня. Мы прекрасная пара, Базиль и Алиса.

Я прикусила губу. Лиса Алиса и кот Базилио. Интересно, в их компании есть Буратино?

Василий тем временем продолжал:

— А бабушка ее терпеть не может, называет лисой, говорит о моей невесте всяческие гадости, запрещает нам встречаться. Папе все равно, он при любых обстоятельствах держит нейтралитет. Агнесса Эдуардовна хорошая, но любит настаивать на своем. В наш дом я Алису привести не могу, а она не имеет возможности пригласить меня, потому что ее прапрапрабабка поругалась с Захарьиным, тем, что этот дом построил.

Я потрясла головой.

— Если не ошибаюсь, зданию очень много лет, его возвели при царе Горохе.

Голова скорчила гримасу.

— Точно. Вот с той поры и идет вражда. Захарьин изменял жене с бабкой бабки бабки Алисы. Два века прошло, но Агнесса Эдуардовна и Нелли Максимовна не разговаривают, потому что чтят память пращуров. А страдаем мы с Алисой.

Я попыталась сохранить на лице серьезное выражение. Лиса Алиса Капулетти и кот Базилио Монтекки. Не о них ли писал великий Шекспир?

— Денег у нас лишних нет, — вещал парень, — да и не лишних не особенно много, значит, свою квартиру нам не снять, а бабки нас стерегут, в четыре глаза следят, куда пошли, когда вернулись. Где нам встретиться, чтобы по душам поговорить? Как в выходные дни от церберов удрать? И тут Алису осенило! Она гениально умна. Понимаете, дома наши...

Я присела около головы на корточки и довольно быстро уяснила суть вопроса.

Дом, в котором обитает семья Алисы, находится неподалеку от башни с «пентхаусом». Предки девушки некогда были в услужении у архитектора-самоучки, и открыто в спальню кухарки женатый барин ходить не мог. Вот Алиса и предположила, что дом Захарьина и родные пенаты любовницы связывал тайный ход. Создать его было очень в духе Захарьина — он обожал секреты и секретики и, похоже, до глубокой старости оставался в душе маленьким мальчиком.

Влюбленные развили бешеную деятельность и в конце концов нашли небольшой люк в днище шкафа. Из него вниз шла узкая железная лесенка, затем змеилась невысокая длинная галерея, потом опять ступеньки, и, вуаля, Алиса встречает Базиля в бойлерной небольшого особнячка, где живет вместе с Нелли Максимовной. Влюбленные получили возможность встречаться.

Теперь все происходит так. Базиль говорит своей бабушке: «Спокойной ночи». Алиса тоже целует Нелли Максимовну и вроде бы отправляется на боковую. Обе пожилые дамы проверяют, хорошо ли в их гнездах заперты окна-двери, и со спокойной душой отбывают в объятия Морфея. Престарелые леди принимают прописанные доктором таблетки и похрапывают до утра. А Базиль спускается под землю и через пять минут обнимает Алису. Конечно, бойлерная не самое романтичное место, но когда люди любят друг друга, то рай, как известно, найдут и в шалаше.

Правда, вход в подземелье находится в квартире, которую занимала Альбина Иосифовна. Но она днями носилась по магазинам, а в десять вечера, выкушав пару стопочек ликера, проваливалась в небытие. Базилю оставалось лишь открыть дверь квартиры бывшей мачехи запасными ключами.

Недавно Альбина съехала, и путь к счастью для парочки открылся. Алиса отсутствовала в Москве целый месяц — сопровождала Нелли Максимовну, которая полетела к сестре в Америку. Влюбленные соскучились и решили: раз апартаменты с «пентхаусом» пока не заселены, а бабушки ушли за продуктами, можно один разочек встретиться днем.

И все прошло прекрасно. Но на обратной дороге случился конфуз. Базиль привычным жестом отодвинул половицу и вначале просунул в отверстие голову, дальше ему требовалось поднять руку, просунуть ее наверх и нажать на стену шкафа, тогда люк раскроется полностью. Неудобная система, но у Захарьина в доме все сделано странно, горе-архитектор был большой чудак. Так вот, то ли парень неудачно встал на ступеньку, то ли действительно потолстел в отсутствие любимой (у некоторых людей от переживаний развивается волчий аппетит), но сегодня рука застряла между шеей и полом. Базиль попал в ловушку.

— Не вижу что-то руку, — пробормотала я, когда внук Агнессы Эдуардовны замолчал.

— Присмотритесь, — жалобно простонал московский Ромео, — загляните в щель, увидите кончики пальцев. Помогите!

— Что надо сделать? — спросила я.

— Стукните по стене шкафа справа, в самом низу. Там есть сучок, на него и нажмите, — распорядился Базиль.

Я быстро проделала, что было сказано, и несколько половиц отъехало в сторону.

— Вы моя спасительница! — закудахтал парень, вылезая наружу. — А то я совсем уж приуныл. Алиса моих криков не услышит, Агнесса ушла. Да бабушке и не надо знать про тайный ход.

— Интересно, что бы вы делали, не окажись меня здесь? — усмехнулась я.

— Не знаю, — честно признался Базиль. — Наверное, пришлось бы ждать, пока я похудею и смогу просунуть руку в дыру. Ох, не следовало три раза в день бабушкины оладушки с вареньем есть! Но они такие вкусные — не оторваться.

Мне снова пришлось подавить приступ смеха. Такая трагедия — кот Базилио Монтекки от тоски по лисе Алисе Капулетти предался безудержному обжорству и застрял в узком лазе, как Винни-Пух, объевшийся в гостях у Кролика.

— Огромное, огромное, преогромно огромное спасибо! — рассыпался в благодарностях Базиль. — Вы же не лишите нас с Алисой возможности встречаться, а?

— Нет, — улыбнулась я. — Но с одним условием — пользоваться подземным ходом вы будете только с моего согласия, не полезете в квартиру тайком ночью, когда я лягу спать.

— И не выдадите нас Агнессе Эдуардовне? — еще раз уточнил Базиль.

— Стукачество не мое хобби, — успокоила я парня.

— Вы само очарование! — обрадовался он. — И в придачу красавица, такая же стройная, как Алиса. Мне нравятся миниатюрные девушки. Жаль, что женщины с возрастом сильно полнеют. Ну, я побежал домой!

Базиль раскланялся и исчез за входной дверью.

Я задумчиво посмотрела вслед соседу по дому.

Женщины не толстеют. Они с течением времени аккумулируют знания и мудрость, которые не умещаются в голове, а расползаются по всему телу. Как остановить этот процесс? Советую помнить простую истину: если стройная Золушка часто открывает после шести вечера холодильник, то очень быстро превратится в тыкву.

Литературно-художественное издание

ИРОНИЧЕСКИЙ ДЕТЕКТИВ

Донцова Дарья Аркадьевна

КНЯЖНА С ТАРАКАНАМИ

Ответственный редактор *О. Рубис*
Художественный редактор *С. Груздев*
Технический редактор *О. Лёвкин*
Компьютерная верстка *Л. Огнева*
Корректор *Т. Бородоченкова*

ООО «Издательство «Эксмо»
127299, Москва, ул. Клары Цеткин, д. 18/5. Тел. 411-68-86, 956-39-21.
Home page: **www.eksmo.ru** E-mail: **info@eksmo.ru**

Өндіруші: «ЭКСМО» АҚБ Баспасы, 127299, Мәскеу, Клара Цеткин көшесі, 18/5 үй.
Тел. 8 (495) 411-68-86, 8 (495) 956-39-21.
Home page: www.eksmo.ru . E-mail: info@eksmo.ru.
Қазақстан Республикасындағы Өкілдігі: «РДЦ-Алматы» ЖШС, Алматы қаласы,
Домбровский көшесі, 3«а», Б литері, 1 кеңсе. Тел.: 8(727) 2 51 59 89,90,91,92,
факс: 8 (727) 251 58 12 ішкі 107; E-mail: RDC-Almaty@eksmo.kz
Қазақстан Республикасының аумағында өнімдер бойынша шағымды Қазақстан
Республикасындағы Өкілдігі қабылдайды: «РДЦ-Алматы» ЖШС,
Алматы қаласы, Домбровский көшесі, 3«а», Б литері, 1 кеңсе.
Өнімдердің жарамдылық мерзімі шектелмеген.

Сведения о подтверждении соответствия издания
согласно законодательству РФ о техническом регулировании можно
получить по адресу: http://eksmo.ru/certification/

Подписано в печать 04.02.2013. Формат 80x100 1/32.
Гарнитура «Ньютон». Печать офсетная. Усл. печ. л. 16,3.
Тираж 250 000 (1-й завод 42100) экз. Заказ 1840.

Отпечатано в ОАО «Можайский полиграфический комбинат»
143200, г. Можайск, ул. Мира, 93
www.oaotpk.ru, www.оаомпк.рф тел.: (495) 745-84-28, (49638) 20-685

ISBN 978-5-699-60849-2